R   O   M   A   N   C   E

JULIA QUINN

PARA SIR PHILLIP, COM AMOR

TRADUZIDO DO INGLÊS POR

HELENA RUÃO

ASA

Título: **PARA SIR PHILLIP, COM AMOR**
Título original: **TO SIR PHILLIP, WITH LOVE**
© 2003, Julie Cotler Pottinger
© 2014, Edições ASA II, S.A.

Capa: Neusa Dias
Imagem da capa: Malgorzata Maj/arcangel-images.com
Fotografia da autora: Rex Rystedtseattlephoto.com
Paginação: LeYa
Impressão e acabamentos: EIGAL

1.ª edição: julho de 2014
4.ª edição: março de 2021 (reimpressão)
Depósito legal n.º 376187/14
ISBN 978-989-23-2778-5

Edições ASA II, S.A.
Uma editora do Grupo Leya
Rua Cidade de Córdova, n.º 2
2610-038 Alfragide – Portugal
www.leya.com

Para Stefanie e Randall Hargreaves,
por nos terem aberto a casa,
mostrado a vossa cidade,
guardado os nossos pertences
e ainda termos sido recebidos à chegada
por um cabaz de boas-vindas no alpendre.

E quando precisei mesmo de alguém,
não tive dúvidas a quem telefonar.

E também para Paul,
desta vez simplesmente porque sim.
Na verdade é sempre porque sim.

…eu sei que dizes que um dia hei de gostar de rapazes, mas eu digo nunca! NUNCA!!! Com três pontos de exclamação!!!

De Eloise Bridgerton para a mãe,
metido por baixo da porta de Violet Bridgerton
quando Eloise tinha oito anos

…nunca imaginei que uma temporada pudesse ser tão emocionante! Os homens são tão elegantes e charmosos. Tenho a certeza absoluta que me vou apaixonar num instante. Como poderia não o fazer?

De Eloise Bridgerton para o irmão, Colin,
na ocasião do seu debute na sociedade londrina

…tenho a certeza absoluta de que nunca me casarei. Se existisse alguém perfeito para mim, não achas que já o teria encontrado?

De Eloise Bridgerton para a sua querida amiga
Penelope Featherington, durante a sua sexta
temporada na sociedade londrina

…esta é a minha última oportunidade. Estou a agarrar o meu destino com as duas mãos e a atirar as precauções às urtigas. Sir Phillip, por favor, por favor, seja tudo aquilo que sempre imaginei. Porque se é o homem que as suas cartas retratam, sinto-me capaz de o amar. E se sentir o mesmo…

De Eloise Bridgerton, escrevinhado num pedaço de papel,
a caminho de conhecer Sir Phillip Crane pela primeira vez

PRÓLOGO

Fevereiro de 1823
Gloucestershire, Inglaterra

Que irónico ter acontecido num dia tão soalheiro!
O primeiro dia de sol depois de... seis semanas consecutivas de céu cinzento, acompanhado dos ocasionais borrifos de neve ou de chuva. Até Phillip, que se achava impermeável aos caprichos do tempo, começara a sentir-se mais bem-disposto, o sorriso mais aberto. Fora até dar um passeio... era impossível não o fazer. Ninguém seria capaz de ficar fechado em casa com uma ostentação tão esplêndida de bom tempo.

Especialmente no meio de um inverno tão cinzento.

Mesmo agora, mais de um mês volvido sobre o que acontecera, era-lhe difícil acreditar que o sol tivera a ousadia de o provocar desta maneira.

Como pudera ser tão cego e não estar à espera daquilo? Vivia com Marina desde o dia em que se casaram. Tivera oito longos anos para conhecer a mulher. Devia tê-lo previsto. E na verdade...

Bem, a verdade é que já *tinha* previsto. Só não queria admitir essa possibilidade. Talvez estivesse apenas a tentar iludir-se, a proteger-se, até. A esconder-se do óbvio, na esperança de que se não pensasse, não acontecia.

Mas aconteceu. E logo num dia cheio de sol. Deus tinha certamente um sentido de humor muito retorcido.

Olhou para o copo de *whisky* que se encontrava inexplicavelmente vazio. Já o bebera todo e nem se lembrava de o ter feito. Não sentia qualquer efeito, pelo menos não os efeitos que deveria estar a sentir tendo em conta a quantidade que bebera. Nem sequer os efeitos que queria já estar a sentir.

Pela janela viu o sol que já descia no horizonte. Fora novamente outro dia ensolarado. O que talvez explicasse aquela melancolia invulgar. Pelo menos, ele esperava que sim. Queria uma explicação, precisava de uma explicação para o terrível cansaço que parecia tomar conta de si.

A melancolia aterrorizava-o.

Mais do que qualquer outra coisa. Mais do que o fogo, mais do que a guerra, mais do que o próprio inferno. O pensamento de se afundar em tristeza, de ser como *ela*…

Marina era uma pessoa melancólica. Marina passara toda a vida, ou pelo menos toda a vida desde que a conhecera, melancólica. Não conseguia lembrar-se do som do riso dela, e, para ser sincero, não tinha a certeza de alguma vez o ter ouvido.

Estava um dia cheio de sol, e…

Fechou os olhos com força, sem saber se com o gesto pretendia instigar ou afastar a memória.

Estava um dia de sol, e…

– Nunca lhe passou pela cabeça voltar a sentir este gostinho na pele, pois não, Sir Phillip?

Phillip Crane virou o rosto para o sol, cerrou os olhos e deixou o calor acariciar-lhe a pele.

– Está um dia perfeito! – murmurou. – Ou estaria se não fosse este frio todo.

Miles Carter, o secretário, riu-se.

– Não está assim tanto frio. O lago ainda nem gelou este ano. Só algumas placas dispersas.

Com relutância, Phillip desviou o rosto do sol e abriu os olhos.

– Mas ainda não é primavera.

– Se é a primavera que deseja, *sir*, talvez devesse ter consultado um calendário.

Phillip olhou-o de soslaio.

– Eu pago-te para me responderes com insolência?

– Paga, pois. E é muito generoso.

Phillip sorriu interiormente, e os dois homens ficaram parados a desfrutar do sol mais alguns momentos.

– Pensei que não se importava com o tempo cinzento – comentou Miles, fazendo conversa, assim que retomaram o caminho de volta para a estufa de Phillip.

– É verdade que não – respondeu Phillip, dando passos largos com a confiança de um atleta. – Mas só porque não me importo com um céu nublado, não significa que não prefira o sol. – Parou e ficou a pensar um instante. – Não te esqueças de dizer à ama Millsby para levar as crianças a dar um passeio hoje. Vão precisar de casacos quentes, é claro, chapéus e luvas e tudo o mais, mas precisam de apanhar sol. Estão fechadas em casa há muito tempo.

– Como todos nós – murmurou Miles.

Phillip riu-se por entre dentes.

– É um facto.

Olhou de relance por cima do ombro para a estufa. Devia ir tratar da correspondência, mas tinha umas sementes que precisava de classificar e não havia nenhuma razão para que não pudesse tratar do que tinha a tratar com Miles daí a uma hora, mais ou menos.

– Vai indo à frente falar com a ama Millsby – disse a Miles. – Tu e eu podemos falar mais tarde. Sei o quanto detestas a estufa.

– Não nesta altura do ano – contrapôs Miles. – O calor é muito agradável.

Phillip arqueou uma sobrancelha e inclinou a cabeça na direção de Romney Hall.

– Estás a querer dizer que a minha casa ancestral tem correntes de ar?

– Todas as casas ancestrais têm correntes de ar.

– Lá isso é verdade – concordou Phillip com um sorriso.

Gostava de Miles. Contratara-o há seis meses para ajudar com as montanhas de papelada e de minudências relativas à administração da sua pequena propriedade que pareciam não parar de se avolumar. Miles era bastante competente. Jovem, mas competente. E o sentido de humor mordaz era certamente bem-vindo numa casa onde o riso nunca abundava. Os criados nunca se atreveriam a fazer comentários jocosos na presença de Phillip, e Marina... bem, nem era preciso dizer que Marina nunca se ria ou dizia piadas.

Por vezes, as crianças faziam Phillip rir-se, mas era um tipo de humor diferente, e além disso, na maioria das vezes ele nem sabia o que lhes dizer. Bem tentava, mas depressa se sentia estranho de mais, grande de mais, forte de mais, se tal fosse possível. E, então, acabava por os enxotar, mandando-os de volta para a ala infantil.

Era mais fácil assim.

– Vai indo, então – insistiu Phillip, enviando Miles numa tarefa que provavelmente devia ser dele. Ainda não tinha visto os filhos hoje, e achava que devia, mas não queria estragar o dia dizendo-lhes algo severo, o que inevitavelmente parecia sempre acabar por fazer.

Iria ao encontro deles quando estivessem a fazer a caminhada pela Natureza com a ama Millsby. Era uma boa ideia. Assim podia apontar algum tipo de planta e falar-lhes dela e tudo seria perfeitamente simples e benigno.

Phillip entrou na estufa e fechou a porta atrás de si, sabendo-lhe bem respirar fundo o ar húmido. Diplomara-se em Botânica pela Universidade de Cambridge e a verdade é que teria seguido a carreira académica se o irmão mais velho não tivesse morrido na Batalha de Waterloo, empurrando Phillip, o segundo filho varão, para o papel de latifundiário e fidalgo rural.

Podia ter sido pior. Podia ter sido proprietário rural e fidalgo de cidade. Pelo menos ali tinha todas as condições para se dedicar aos estudos botânicos em relativa serenidade.

Debruçou-se na bancada de trabalho, examinando o seu mais recente projeto: uma variedade de ervilhas que procurava fazer crescer mais cheias e gordas dentro da vagem. Sem sorte, ainda. Este último lote não só murchara, como ficara amarelo, o que não era de todo o resultado esperado.

Phillip fez um ar carrancudo, mas logo abriu um pequeno sorriso enquanto ia ao fundo da estufa buscar o material. Nunca se importava muito quando as experiências não produziam o resultado esperado. Era da opinião que a necessidade não aguça o engenho.

Acasos. Era tudo uma questão de acasos. Nenhum cientista o admitiria, é claro, mas a maioria das grandes invenções ocorriam enquanto se tentava resolver um outro problema completamente diferente.

Riu-se baixinho enquanto varria as sementes murchas para o lado. A este ritmo, encontraria a cura para a gota até ao final do ano.

Ao trabalho, ao trabalho. Inclinou-se sobre a coleção de semen- tes, espalhando-as para poder examiná-las todas. Precisava da per- feita para...

Levantou a cabeça e olhou pelo vidro recentemente lavado. Um movimento ao fundo do terreno chamou-lhe a atenção. Um salpico de vermelho.

Vermelho. Phillip sorriu para si mesmo e abanou a cabeça. Devia ser Marina. O vermelho era a sua cor preferida, o que sem- pre achara estranho. Qualquer pessoa que passasse algum tempo com ela teria certamente pensado que preferiria uma cor mais escura, mais sombria.

Viu-a desaparecer no bosque arborizado e voltou a concen- trar-se no trabalho. Era raro Marina aventurar-se para o exterior. Atualmente quase não saía, preferindo ficar confinada ao quarto. Phillip ficava feliz por vê-la a apanhar sol. Talvez lhe restaurasse a boa disposição. Não completamente, é claro. Phillip achava que nem o sol seria capaz de o fazer. Mas talvez um dia quente e luminoso fosse suficiente para a arrancar de casa durante algumas horas e fazer-lhe assomar um leve sorriso ao rosto.

Deus sabia o quanto as crianças estavam a precisar. Elas iam visitar a mãe ao quarto quase todas as noites, mas não era o suficiente.

E Phillip sabia que nunca poderia compensar a falta que ela lhes fazia.

Suspirou, sentindo-se assolado por uma onda de culpa. Não era o tipo de pai de que os filhos precisavam, sabia isso. Tentava convencer-se de que fazia o seu melhor e de que estava a ser bem-sucedido naquele que era o seu único objetivo enquanto pai: o de *não* agir como o seu próprio pai.

Mas ainda assim sabia que não era o suficiente.

Com movimentos decididos, afastou-se da bancada. As sementes podiam esperar. Os filhos talvez pudessem esperar, também, mas isso não significava que devessem. E devia ser ele a levá-los numa caminhada pela Natureza, não a ama Millsby, que não sabia distinguir uma árvore de folha caduca de uma conífera e provavelmente confundiria uma rosa com uma margarida e…

Voltou a olhar pela janela, lembrando-se de que era fevereiro. Não era provável que a ama Millsby encontrasse qualquer tipo de flor com aquele tempo, mas isso não desculpava o facto de ser obrigação *dele* levar as crianças num passeio pela Natureza. Era o único tipo de atividade infantil em que realmente se destacava e não devia fugir da responsabilidade.

Saiu da estufa a passos largos, mas depois parou, a menos de um terço do caminho para Romney Hall. Se ia buscar os filhos, o melhor era irem todos ter com a mãe. Eles ansiavam pela companhia dela, mesmo ela não lhes fazendo mais do que festinhas na cabeça. Sim, deviam ir procurar Marina. Seria ainda mais benéfico do que um simples passeio pela Natureza.

No entanto, sabia por experiência própria que não devia fazer suposições acerca do estado de espírito de Marina. Lá porque ela se aventurara a dar um passeio no exterior não significava que estivesse a sentir-se bem. E ele não gostava nada quando as crianças eram testemunhas de um dos seus maus humores.

Phillip deu meia-volta e seguiu em direção ao bosque, por onde vira Marina desaparecer momentos antes. Caminhava com quase o dobro da velocidade de Marina, por isso não levaria muito tempo a alcançá-la e confirmar o seu estado de espírito. Podia chegar a casa antes de os filhos saírem com a ama Millsby.

Atravessou o bosque no encalço de Marina, o que não foi difícil, pois o chão estava húmido e Marina, que devia estar a usar botas pesadas, deixara impressões fundas e perfeitamente visíveis na terra. O trilho das pegadas conduziu-o por uma ligeira descida, saiu do bosque e foi dar a um terreno relvado.

– Maldição! – murmurou Phillip, a palavra quase inaudível no ruído do vento que aumentava à sua volta. Era impossível ver as pegadas na relva. Usou a mão para proteger os olhos do sol e esquadrinhou o horizonte à procura de um retalho vermelho revelador.

Não viu nada; nem perto da casa de campo abandonada, nem no campo semeado com as experiências de Phillip, nem na grande pedra que ele passara tantas horas a escalar quando era criança. Virou-se para Norte, semicerrou os olhos, e finalmente viu-a. Ela caminhava em direção ao lago.

O lago.

Os lábios de Phillip entreabriram-se, os olhos fixos na figura que se movia lentamente em direção à margem. Não estava propriamente paralisado; era mais como se estivesse… suspenso… à espera que a mente descodificasse a estranha visão. Marina não nadava. Ele nem sequer fazia ideia se ela sabia nadar. Supunha que ela soubesse que havia um lago, mas nunca tivera conhecimento de que lá tivesse ido nos oito anos em que estavam casados. Começou a caminhar em direção a ela, os pés como que reconhecendo o que a cabeça se recusava a aceitar. Quando Marina entrou na parte rasa, ele estugou o passo, ainda longe de mais para fazer outra coisa que não chamá-la.

Mas se ela o ouviu, não o demonstrou, limitando-se a manter a sua lenta e constante caminhada para as profundezas.

– Marina! – gritou, começando a correr; mas, mesmo correndo o quanto podia, estava ainda a mais de um minuto de distância. – Marina!

Ela deixou de ter pé e desapareceu sob o cinzento metálico da superfície, o manto vermelho flutuando ainda uns segundos antes de ser também engolido pelas águas.

Voltou a gritar o nome dela, mesmo sabendo que Marina não podia ouvir. Desceu a colina que levava ao lago a derrapar e aos tropeções, tendo apenas a vaga presença de espírito para arrancar o casaco e as botas antes de mergulhar na água gelada. Ela estava debaixo de água há cerca de um minuto; a razão dizia-lhe que talvez não fosse tempo suficiente para ela se afogar, mas cada segundo que demorasse a encontrá-la era mais um segundo em direção à morte.

Perdera a conta das vezes que nadara naquele lago; sabia exatamente o ponto onde se perdia o pé, e nadou até a esse ponto crítico com braçadas rápidas e decididas, mal se apercebendo da força de arrasto que a água exercia nas suas roupas pesadas.

Ele era capaz de a encontrar. *Tinha* de a encontrar.

Antes que fosse tarde de mais.

Mergulhou, os olhos a varrer a água turva. Marina devia ter levantado alguma da areia do fundo, e ele certamente também, porque as finas partículas de lodo rodopiavam suspensas à volta dele como nuvens opacas, dificultando-lhe a visão.

Marina acabou por ser salva pelo seu único pormenor colorido; Phillip mergulhou até ao fundo do lago ao entrever o vermelho do manto a ondular na água como um papagaio de papel ao sabor da brisa. Ela não opôs resistência quando a puxou para a superfície; na verdade, já estava inconsciente, não sendo mais do que um peso morto nos seus braços.

Irromperam da água e ele aspirou grandes golfadas de ar para encher os pulmões desesperados por oxigénio. Esteve um momento sem conseguir fazer mais nada exceto respirar, o corpo a reconhecer que precisava de se salvar antes de poder salvar outros. Em seguida, puxou-a na direção da margem, tomando cuidado para lhe manter sempre a cabeça fora da água, mesmo que ela não parecesse estar a respirar.

Finalmente chegaram à margem e ele arrastou-a para a estreita faixa de terra e pedras que separava a água do terreno relvado. Com movimentos frenéticos, aproximou-se do rosto dela para tentar sentir-lhe a respiração, mas nem o mais leve sopro lhe saía dos lábios.

Não sabia o que fazer, nunca imaginara ter um dia de salvar alguém de morrer afogado, por isso fez apenas o que lhe pareceu mais sensato: colocando-a de bruços, ergueu-a ligeiramente sobre o regaço e bateu-lhe nas costas. A princípio, nada aconteceu, mas ao quarto golpe violento, ela tossiu e um fluxo de água escura irrompeu-lhe da boca.

Phillip virou-a rapidamente.

– Marina? – perguntou com urgência, dando-lhe palmadinhas na face, numa tentativa de a reanimar. – Marina?

Ela tossiu novamente, o corpo sacudido por tremores espasmódicos. Logo depois começou a sugar o ar, os pulmões obrigando-a a viver, mesmo quando a sua alma desejava algo muito diferente.

– Marina – disse Phillip, a voz tremelicante de alívio. – Graças a Deus!

Ele não a amava, nunca a amara verdadeiramente, mas ela era a sua mulher, a mãe dos seus filhos e, no fundo, debaixo daquele seu manto inabalável de tristeza e desespero, era uma boa pessoa. Podia nunca tê-la amado, mas não lhe desejava a morte.

Marina pestanejou, a visão desfocada. E então, finalmente, pareceu perceber onde estava, quem ele era, e sussurrou:

– Não.

– Tenho de te levar para casa – disse ele com a voz rouca, surpreendido pela raiva que sentiu ao ouvir aquela simples palavra.

Não.

Como ousava ela recusar-se a ser salva? Desistia da vida só porque estava *triste*? Será que a melancolia que sentia era mais importante do que os dois filhos? Na balança da vida, o mau humor pesava mais do que a necessidade de os filhos terem mãe?

– Vou levar-te para casa – rosnou, levantando-a nos braços com pouca gentileza.

Ela já respirava normalmente e estava claramente na posse das suas faculdades, por mais insensatas que fossem. Não havia necessidade de a tratar como uma flor delicada.

– Não – soluçou ela baixinho. – Por favor, não! Eu não quero... Eu não...

– Vais para casa e está decidido – declarou ele, subindo com dificuldade a colina, alheio ao vento frio que lhe transformava as roupas encharcadas em gelo; alheio até ao chão rochoso que se espetava nos seus pés descalços.

– Eu não posso – sussurrou ela, aparentemente com a sua última gota de energia.

Enquanto Phillip a carregava até casa, tudo o que conseguia pensar era na pertinência daquelas palavras.

Eu não posso.

De certa forma, pareciam resumir toda a vida de Marina.

Ao cair da noite, tornou-se claro que a febre poderia ter sucesso onde o lago falhara.

Phillip levara Marina para casa o mais depressa possível e, ajudado por Mrs. Hurley, a governanta, tinham-lhe despido as roupas geladas e tentado aquecê-la, cobrindo-a com o edredão de penas que fora o ex-líbris do seu enxoval oito anos antes.

– O que aconteceu? – alarmou-se Mrs. Hurley quando ele entrou pela porta da cozinha a cambalear.

Não quis usar a entrada principal porque podia ser visto pelos filhos, além de que a porta da cozinha ficava mais perto uns bons dezoito metros.

– Ela caiu ao lago – explicou ele em voz rouca.

Mrs. Hurley lançou-lhe um olhar que era simultaneamente desconfiado e compassivo, e Phillip percebeu logo que a governanta sabia a verdade. Trabalhava para a família Crane desde o casamento deles e conhecia bem os humores de Marina.

Ela enxotou-o do quarto assim que deitaram Marina na cama, insistindo para que fosse mudar de roupa antes que ficasse doente também. Porém ele havia retornado para junto de Marina. Aquele era o seu lugar como marido, pensou com um sentimento de culpa, um lugar que tinha evitado nos últimos anos.

Era deprimente estar com Marina. Era *difícil*.

Mas agora não era altura para fugir da responsabilidade, por isso manteve-se à cabeceira da cama da mulher todo o dia e toda a noite. Limpava-lhe a testa quando começava a transpirar e tentava que bebesse um pouco de caldo morno quando estava mais calma.

Pediu-lhe para lutar, mesmo sabendo que as palavras seriam em vão.

Três dias depois, Marina estava morta.

Era o que ela queria, mas isso não servia de conforto a Phillip, que teve de encarar os próprios filhos, um casal de gémeos de sete anos de idade, e tentar explicar-lhes a morte da mãe. Foi ao quarto deles e sentou-se numa das cadeiras de criança, embora o seu corpo robusto fosse grande de mais. Mas sentou-se, o corpo torcido como uma rosquilha, e forçou-se a enfrentar o olhar dos dois filhos enquanto, aos arranques, obrigava as palavras necessárias a saírem.

Ao contrário do que era habitual, eles quase não falaram. Mas não pareceram surpreendidos, o que Phillip achou perturbador.

– Perdoem-me – engasgou-se ele, quando terminou de falar.

Amava-os tanto e desiludira-os de tantas maneiras. Mal sabia ser pai, como raio iria ele assumir também o papel de mãe?

– A culpa não é tua – disse Oliver, os olhos castanhos fitando os do pai com uma intensidade inquietante. – Ela caiu ao lago, não foi? Não foste tu que a empurraste.

Sem saber como responder, Phillip limitou-se a assentir com a cabeça.

– Ela agora está feliz? – perguntou Amanda baixinho.

– Acho que sim – respondeu Phillip. – Ela pode ver-vos sempre lá do céu, por isso deve estar muito feliz.

Os gémeos pareceram ficar a pensar no conceito durante algum tempo.

– Espero que ela esteja feliz – disse Oliver por fim, com a voz mais firme do que a expressão. – Talvez agora já não chore mais.

Phillip sentiu a respiração presa na garganta. Nunca se apercebera de que eles ouviam o soluçar de Marina. Ela costumava deixar-se afundar na tristeza já tarde da noite. O quarto das crianças ficava mesmo por cima do dela, mas sempre assumira que eles já dormiam a sono solto quando os ataques de choro da mãe começavam.

Amanda concordou, subindo e descendo a cabecinha loira.

– Se ela agora está feliz, então ainda bem que se foi – declarou.

– Ela não se foi – cortou Oliver. – Está morta.

– Não, ela foi-se – insistiu Amanda.

– É a mesma coisa – disse Phillip em tom categórico, desejando ter outra coisa para lhes dizer que não apenas a verdade. – Mas eu acho que está feliz agora.

E de certa forma, essa também era a verdade. Afinal, era o que Marina queria. Talvez fosse o que ela sempre quis.

Amanda e Oliver ficaram muito tempo em silêncio, ambos de olhos postos no chão, empoleirados na cama de Oliver, com as pernas a balançar. Pareciam tão pequenos, sentados numa cama que era obviamente demasiado alta para eles. Phillip franziu o sobrolho. Como é que nunca reparara nisso antes? As camas deles não deveriam ser baixas? E se caíssem durante a noite?

Ou talvez já fossem grandes de mais para tudo isso. Talvez já não caíssem da cama. Talvez nunca tivessem caído.

Talvez fosse um péssimo pai. Talvez a sua obrigação fosse saber esse género de coisas.

Talvez… Talvez… Fechou os olhos e suspirou. Talvez devesse parar de pensar tanto e simplesmente esforçar-se por fazer o seu melhor e dar-se por satisfeito com isso.

– Também te vais embora? – perguntou Amanda, levantando a cabeça.

Ele fitou aqueles olhos tão azuis, tão parecidos com os da mãe.

– Não – sussurrou com determinação, ajoelhando-se diante dela e pegando-lhe nas mãos tão pequeninas, tão frágeis no meio das suas.

– Não – repetiu. – Não me vou embora. Eu nunca me irei embora...

Phillip olhou para o fundo do copo de *whisky*. Estava vazio, outra vez. Curioso como um copo de *whisky* podia ficar vazio, mesmo depois de ser enchido quatro vezes.

Odiava lembrar-se. Não sabia o que era o pior: se o mergulho nas águas ou o momento em que Mrs. Hurley se virou para ele e perguntou: «Foi-se?»

Ou seriam os filhos, a tristeza nos seus rostos, o medo refletido nos seus olhos?

Levou o copo aos lábios, deixando as últimas gotas deslizarem pela garganta. Definitivamente, o pior eram os filhos. Dissera-lhes que nunca iria deixá-los e cumprira a palavra, mas a sua simples presença não era suficiente. Eles precisavam de mais. Precisavam de alguém que soubesse ser pai, que soubesse falar com eles e compreendê-los e levá-los a ouvir os outros e a comportarem-se.

E já que não podia arranjar-lhes outro pai, achou que deveria pensar em encontrar-lhes uma mãe. Era muito cedo, é claro. Não podia casar-se até terminar o período de luto oficial, mas isso não significava que não pudesse tentar encontrar alguém.

Suspirou e afundou-se mais na cadeira. Precisava de uma mulher. Não era picuinhas. Não queria saber se era bonita ou não, se tinha dinheiro ou não. Não queria saber se era capaz de fazer contas de cabeça ou de falar francês ou até mesmo de andar a cavalo.

Ela só tinha de ser uma pessoa feliz.

Seria pedir muito desejar isso numa mulher? Um sorriso, pelo menos uma vez por dia. Talvez até o som de uma gargalhada?

E teria de amar os filhos dele. Ou pelo menos fingir tão bem que eles nunca se apercebessem da diferença.

Não era pedir muito, pois não?

– Sir Phillip?

Phillip olhou para cima, amaldiçoando-se a si mesmo por ter deixado a porta do gabinete entreaberta. Era Miles Carter, o secretário, que espreitava.

– O que foi?

– Uma carta, *sir* – disse Miles, entrando e entregando-lhe um envelope. – De Londres.

Phillip olhou para o envelope que tinha na mão, as sobrancelhas arqueando-se, curiosas, ao ver a caligrafia obviamente feminina. Dispensou Miles com um aceno de cabeça, pegou no abre-cartas e deslizou-o sob o lacre. Dentro havia uma única folha de papel. Phillip esfregou-a entre os dedos. Era papel de alta qualidade. Caro. Pesado, um sinal claro de que o remetente não precisava de economizar para reduzir os custos de franquia postal.

Abriu a carta e leu:

N.º 5, Bruton Street
Londres

Sir Phillip Crane,
Escrevo para lhe enviar as minhas condolências pelo falecimento da sua mulher, a minha querida prima Marina. Embora há muitos anos não visse a Marina, recordo-a com carinho e fiquei profundamente triste ao saber do seu desaparecimento.

Por favor, não hesite em escrever-me se houver alguma coisa que eu possa fazer para aliviar a sua dor neste momento tão difícil.

Atenciosamente,

Miss Eloise Bridgerton

Phillip esfregou os olhos. Bridgerton… Bridgerton. Marina tinha primas na família Bridgerton? Devia ter, se uma delas lhe enviava uma carta.

Suspirou e, sem pensar duas vezes, foi buscar papel de carta e a pena. Recebera pouquíssimas cartas de condolências pela morte de Marina. Parecia que a maioria dos amigos e da família se esquecera dela assim que casara. Talvez não devesse ficar aborrecido ou até espantado. Ela raramente saía do quarto. Era fácil esquecer alguém que nunca se via.

Miss Bridgerton merecia uma resposta. Era pura e simples cortesia, e mesmo que não fosse (Phillip não conhecia todas as regras de etiqueta em caso de morte do cônjuge), parecia-lhe ser a coisa certa a fazer.

E assim, com um suspiro de cansaço, pousou a pena no papel.

CAPÍTULO 1

Maio de 1824
Algures na estrada de Londres
para Gloucestershire.
Na calada da noite

~⌒◡⌒~

Cara Miss Bridgerton,
Muito obrigado pela sua amável carta de condolências.
Foi muito atencioso da sua parte gastar o seu tempo e escrever a
um cavalheiro que nunca conheceu. Envio-lhe esta flor seca
prensada como agradecimento. É apenas uma simples erva-
*-traqueira-vermelha (*Silene dioica*), mas que dá vida aos*
campos aqui no Gloucestershire e este ano parece ter chegado
mais cedo.
Era a flor silvestre preferida da Marina.
Atenciosamente,

Sir Phillip Crane

Eloise Bridgerton alisou a folha de papel já lida inúmeras vezes
que estava pousada no seu colo. Havia pouca luz para ler, mesmo
com o brilho da lua cheia a atravessar as janelas do coche, mas não
tinha importância. Já sabia a carta de cor, e a delicada flor prensada, que era na verdade mais cor-de-rosa do que vermelha, estava

bem guardada entre as páginas de um livro que ela surripiara da biblioteca do irmão.

Não ficara muito surpreendida ao receber uma resposta de Sir Phillip. Eram os ditames da boa educação, embora até a mãe de Eloise, certamente a autoridade suprema no respeitante a boas maneiras, tivesse afirmado que a filha levava a sua correspondência um pouco a sério de mais.

Era comum as senhoras da posição social de Eloise passarem várias horas por semana a escrever cartas, mas Eloise há muito que havia adquirido o hábito de gastar essa mesma quantidade de horas por dia. Gostava de escrever cartas, especialmente a pessoas que não via há anos (gostava sempre de imaginar a surpresa da pessoa ao abrir o envelope) e por isso pegava em papel e pena para quase todas as ocasiões: nascimentos, mortes ou qualquer tipo de acontecimento que merecesse parabéns ou pêsames.

Não sabia porque continuava a enviar tantas missivas, mas como passava tanto tempo a escrever cartas aos irmãos que não se encontrassem de momento a residir em Londres, parecia-lhe perfeitamente natural escrever uma pequena nota a algum parente distante enquanto estava sentada à sua escrivaninha.

E, apesar de receber sempre resposta, por mais breve que fosse (afinal ela era uma Bridgerton, e ninguém desejaria ofender um elemento da família Bridgerton), nunca ninguém tivera a delicadeza de lhe enviar um presente, mesmo algo tão humilde como uma flor prensada.

Eloise fechou os olhos, visualizando as delicadas pétalas cor-de-rosa. Era difícil imaginar um homem a manusear uma flor tão frágil. Os seus quatro irmãos eram todos homens altos e fortes, com ombros largos e mãos grandes e certamente espatifariam a pobre flor num piscar de olhos.

A carta de Sir Phillip deixara-a intrigada, especialmente o uso do latim, e respondera de imediato.

Caro Sir Phillip,
Muito obrigada pela linda flor prensada. Foi uma surpresa tão agradável vê-la flutuar do envelope. E uma lembrança tão preciosa da minha querida Marina.
Não pude deixar de notar o seu conhecimento terminológico do nome científico da flor. É botânico?
Atenciosamente,
Miss Eloise Bridgerton

Foi uma decisão sub-reptícia terminar a carta com uma pergunta. Agora, o pobre homem seria obrigado a responder.

Ele não a desapontou. Passados apenas dez dias, Eloise recebeu a resposta.

Cara Miss Bridgerton,
Sou botânico, sim. Estudei na Universidade de Cambridge, embora não esteja atualmente ligado a nenhuma universidade ou conselho científico. Faço experiências aqui em Romney Hall, na minha própria estufa.
Também é versada em alguma área científica?
Atenciosamente,
Sir Phillip Crane

Havia algo de emocionante naquela troca de correspondência. Talvez fosse apenas a excitação de encontrar alguém desconhecido que parecia verdadeiramente desejoso de manter um diálogo escrito. Fosse o que fosse, Eloise não perdeu tempo a escrever de volta.

Caro Sir Phillip,

Meu Deus, não! Infelizmente não tenho uma mente científica, embora tenha boa cabeça para contas. Os meus interesses situam-se mais na área das humanísticas; deve ter notado que gosto de escrever cartas.

Com toda a amizade,

Eloise Bridgerton

Eloise ficara na dúvida se deveria despedir-se com uma expressão tão informal, mas decidiu pecar pela ousadia. Sir Phillip estava obviamente a apreciar a troca de cartas tanto quanto ela, senão não teria terminado a missiva com uma pergunta também.

A resposta veio duas semanas depois.

Minha cara Miss Bridgerton,

Ah, mas é uma espécie de amizade, não é? Confesso uma certa dose de isolamento aqui no campo, e se não é possível ter um rosto sorridente do outro lado da mesa de refeições, então, pelo menos, a perspetiva de uma carta amável, não concorda?

Juntei uma outra flor para si. É um Geranium pratense, *mais conhecido como gerânio-dos-prados.*

Com toda a estima,

Phillip Crane

Eloise lembrava-se bem daquele dia. Estava sentada na cadeira junto à janela do seu quarto e ficara eternidades a olhar para a flor roxa cuidadosamente prensada. Estaria ele a tentar cortejá-la? Por carta?

Então, um dia, recebeu uma carta bastante diferente das outras.

Minha cara Miss Bridgerton,

Já nos correspondemos há algum tempo e, apesar de nunca termos sido formalmente apresentados, eu sinto que a conheço. Espero que sinta o mesmo em relação a mim.

Perdoe-me a ousadia, mas escrevo para a convidar a visitar-me aqui em Romney Hall. A minha esperança é que, após um período de tempo adequado, possamos concluir que nos entendemos bem e que aceite ser minha mulher.

A sua visita deverá ser, obviamente, acompanhada de chaperon. *Se aceitar o meu convite, farei planos imediatos para trazer a minha tia viúva para Romney Hall.*

Espero que pondere a minha proposta.

Seu muito amigo,

Phillip Crane

Eloise enfiara imediatamente a carta numa gaveta, incapaz sequer de pensar duas vezes no pedido. Ele queria casar-se com alguém que nem *conhecia*?

Não, para ser justa, não era inteiramente verdade. Eles conheciam-se. No decorrer daquele ano de troca de correspondência disseram mais um ao outro do que muitos maridos e mulheres durante todo o casamento.

Todavia, nunca se tinham *encontrado*.

Eloise pensou em todas as propostas de casamento que recusara ao longo dos anos. Quantas tinham sido? Pelo menos seis. Já nem se conseguia lembrar porque recusara algumas delas. Por nenhuma razão especial, apenas porque não tinham sido…

Perfeitas.

Seria exigir muito?

Abanou a cabeça, sabendo que soava ridícula e mimada. Não, ela não precisava de alguém perfeito. Só precisava de alguém perfeito para ela.

Sabia o que as matronas da sociedade diziam dela. Que era demasiado exigente, o que era pior do que ser insensata. Que ia acabar solteirona… não, já nem diziam isso. Diziam que ela já *era* uma solteirona, o que não deixava de ser verdade. Uma mulher não chegava aos vinte e oito anos sem ouvir essa expressão sussurrada pelas costas.

Ou atirada à cara.

Mas o curioso era que Eloise não se importava com a sua situação. Ou, pelo menos, não se importara até há bem pouco tempo.

Nunca lhe passara pela cabeça que ficaria solteira o resto da vida e a verdade é que gostava da vida que levava. Tinha a família mais maravilhosa que se poderia imaginar: sete irmãos e irmãs, todos com nomes próprios por ordem alfabética, o que a situava mesmo no meio, com quatro irmãos mais velhos e três mais novos. A mãe era uma mulher encantadora e até parara de a aborrecer sobre o assunto do casamento. Eloise ainda tinha um lugar de destaque na sociedade, uma vez que a família Bridgerton era adorada e respeitada por todos (e, por vezes, temida) e a sua personalidade era tão radiosa e irresistível que toda a gente procurava a sua companhia, sendo ela solteirona ou não.

Mas ultimamente…

Suspirou, sentindo-se de repente mais velha do que era. Ultimamente não se sentia tão radiosa. Ultimamente começara a pensar que talvez aquelas velhas matronas excêntricas tivessem razão, e *não* fosse mesmo encontrar um marido. Talvez tivesse sido demasiado picuinhas, teimado em seguir o exemplo dos irmãos e da irmã mais velha, todos eles tendo encontrado um amor profundo e apaixonado com os respetivos cônjuges (mesmo que nem sempre tivesse lá estado desde o início).

Talvez um casamento baseado em respeito mútuo e companheirismo fosse melhor do que nada.

Mas era difícil falar sobre tais sentimentos com alguém. A mãe passara tantos anos a pedir-lhe para encontrar um marido que, por mais que Eloise a adorasse, ser-lhe-ia muito difícil engolir um sapo, confessando-lhe que devia ter-lhe dado ouvidos. E os irmãos só teriam piorado tudo. Anthony, o mais velho, provavelmente teria assumido logo a responsabilidade de selecionar pessoalmente um marido adequado e depois intimidado o pobre homem até ele ceder. Benedict era demasiado sonhador, além de que já quase nunca vinha a Londres, preferindo a tranquilidade campestre. Quanto a Colin… bem, essa era uma outra história, merecedora do seu próprio capítulo.

Talvez devesse ter falado com Daphne, mas sempre que ia visitar a irmã mais velha, ela estava tão terrivelmente *feliz*, tão ditosamente apaixonada pelo marido e pela sua vida de mãe de uma prole de quatro. Como é que alguém assim podia oferecer conselhos úteis a alguém na situação de Eloise? E quanto a Francesca, era como se estivesse do outro lado do mundo, na Escócia. Além disso, Eloise não achava justo estar a incomodá-la com as suas desgraças pessoais patéticas. Logo Francesca, que tinha ficado viúva aos vinte e três anos. Os receios e preocupações de Eloise empalideciam com a comparação.

E talvez fosse por tudo isso que a correspondência com Sir Phillip se tinha tornado um prazer tão pecaminoso. Os Bridgerton eram uma grande família ruidosa e alegre. Era quase impossível manter o que quer que fosse em segredo, especialmente das irmãs, sendo que a mais nova, Hyacinth, poderia ter vencido a guerra contra Napoleão em metade do tempo, se Sua Majestade se tivesse lembrado de a recrutar como espia.

De uma maneira bizarra, Sir Phillip era só dela. A única coisa que nunca tivera de partilhar com ninguém. O maço de cartas que ele lhe enviara estava amarrado com uma fita púrpura e escondido no fundo da gaveta do meio da escrivaninha, debaixo das resmas de papel de carta.

Ele era o segredo dela. *Dela.*

E como nunca o vira, fora capaz de o criar na sua mente, usando as cartas dele para construir o esqueleto e imaginando depois o revestimento carnal como bem entendeu. Se alguma vez houve um homem perfeito, com certeza ele seria o Sir Phillip Crane da sua imaginação.

E agora ele queria um encontro? Um *encontro*? Estaria louco? Estragar aquela corte tão perfeita?

Fora então que o impossível acontecera. Penelope Featherington, a melhor amiga de Eloise há quase uma dúzia de anos, tinha-se casado. E mais, casara-se com *Colin*. O irmão de Eloise!

Se a própria Lua tivesse de repente caído do céu e aterrado no jardim das traseiras, Eloise não teria ficado mais surpreendida.

Ficou feliz por Penelope. Ficou mesmo. E feliz também por Colin. Muito possivelmente eles eram as suas duas pessoas preferidas no mundo e estava radiante por terem encontrado a felicidade juntos. Não havia ninguém mais merecedor.

Mas isso não significava que o casamento deles não tivesse deixado um vazio na sua vida.

Supôs que, ao equacionar a sua vida como solteirona e ao tentar convencer-se de que era o que realmente queria, Penelope fizera sempre parte da imagem, solteirona ao lado dela. Para Eloise era aceitável, quase divertido, até, ser uma solteira de vinte e oito anos, desde que Penelope fosse também uma solteira de vinte e oito anos. Não que não *quisesse* que Penelope encontrasse um marido, era só que lhe parecera sempre pouco provável. *Eloise* sabia que Penelope era uma pessoa maravilhosa e gentil, muito inteligente e espirituosa, mas os cavalheiros da alta sociedade nunca deram mostras de ter notado. Em todos aqueles anos desde o debute na sociedade – e foram onze – Penelope não recebera uma única proposta de casamento. Nem o mais pequeno sopro de interesse.

De certa forma Eloise contara que ela permanecesse onde estava, tal como era: acima de tudo a sua melhor amiga; a companheira de armas na vida de solteirona.

E a pior parte, a parte que a deixava corroída pela culpa, era *nunca* sequer lhe ter passado pela cabeça como é que Penelope se sentiria se tivesse sido ela, Eloise, a primeira a casar, o que, na verdade, sempre achou que faria.

Mas agora Penelope tinha Colin, e Eloise via perfeitamente que eles eram a combinação perfeita. E ela estava sozinha. Sozinha no meio da multidão londrina, no meio de uma família grande e amorosa.

Era difícil imaginar um lugar mais solitário.

De repente, a proposta ousada de Sir Phillip – muito bem guardada no fundo do maço de cartas escondido na gaveta do meio da sua escrivaninha e trancado num cofre recém-comprado, para que Eloise não se sentisse tentada a ler a carta seis vezes por dia –, bem, parecia-lhe ligeiramente mais intrigante.

Para ser franca, mais intrigante a cada dia que passava, acompanhando uma inquietude que crescia cada vez mais e a par com um sentimento de insatisfação com o seu próprio destino na vida que, era obrigada a admitir, fora ela que escolhera.

Foi assim que certo dia, depois de ter ido visitar Penelope e de ser informada pelo mordomo que Mr. e Mrs. Bridgerton não podiam receber visitas de momento (isto dito de tal forma que até Eloise percebia o que significava), Eloise tomou uma decisão. Era hora de tomar as rédeas da sua própria vida, de controlar o seu próprio destino, em vez de ir a baile atrás de baile na vã esperança de que o homem perfeito de repente se materializasse diante dela, esquecendo o facto de nunca haver ninguém novo em Londres e de, após uma década a frequentar a sociedade, ela já conhecer todos os homens de idade apropriada com quem poderia casar-se.

No entanto, tentou convencer-se de que isso não queria dizer que *tinha* de se casar com Sir Phillip; estava apenas a ponderar o que prometia ser uma excelente possibilidade. Se não se dessem bem, não teriam de se casar; afinal, ela não lhe prometera nada.

Mas uma das principais facetas da personalidade de Eloise era que quando tomava uma decisão, punha-a em prática muito rapidamente. Não, refletiu, com uma honestidade impressionante (na sua opinião, pelo menos), eram *duas* as facetas que pontilhavam todas as suas ações: gostava de agir rapidamente e era tenaz. Penelope tinha-a certa vez comparado a um cão com um osso.

E Penelope não estava a brincar.

Assim que Eloise lançava as garras a uma ideia, nem mesmo toda a força da família Bridgerton era capaz de a afastar do seu objetivo. (E não havia dúvida de que os Bridgerton constituíam uma força poderosa.) Provavelmente fora por pura e simples sorte que os objetivos dela e os da família nunca se tivessem cruzado antes no mesmo propósito, pelo menos em nada de fundamentalmente importante.

Eloise sabia que a família nunca iria aprovar a sua decisão de partir às cegas para ir ter com um homem desconhecido. Anthony teria provavelmente exigido que Sir Phillip viesse a Londres para conhecer toda a família, e Eloise não conseguia imaginar um cenário melhor para afugentar um potencial pretendente. Os homens que anteriormente a tinham cortejado estavam habituados ao ambiente londrino e sabiam no que se metiam; mas, para o pobre Sir Phillip, que – como ele próprio admitira nas cartas – não punha os pés em Londres desde os seus tempos de estudante e nunca participara da temporada social, seria uma espécie de emboscada.

Por isso, a única opção era ela viajar para o Gloucestershire e, depois de refletir sobre o problema alguns dias, concluiu que teria de o fazer em segredo. Se a família soubesse dos seus planos, poderia proibi-la de ir. Eloise era uma digna adversária, e poderia até acabar por vencer, mas seria uma longa e dolorosa batalha. Sem mencionar que, mesmo que a deixassem ir, após uma longa batalha ou não, insistiriam em enviar pelo menos dois soldados a acompanhá-la.

Eloise estremeceu. Os dois soldados seriam provavelmente a mãe e Hyacinth.

Deus do Céu, seria impossível alguém apaixonar-se com aquelas duas por perto. Ninguém seria capaz sequer de construir uma relação de afeto plácida mas duradoura, com a qual Eloise julgava realmente estar disposta a contentar-se desta vez.

Decidiu levar a cabo a sua fuga durante o baile organizado pela irmã, Daphne. Iria ser um grande evento, com uma lista de convidados interminável e a quantidade certa de barulho e confusão para permitir que a sua ausência passasse despercebida durante umas boas seis horas, talvez mais. A mãe insistia sempre em ser pontual ou até em chegar mais cedo quando era um membro da família a organizar um evento social, por isso certamente chegariam a casa de Daphne o mais tardar às oito da noite. Se se esgueirasse logo no início e o baile se estendesse até de madrugada... só quase ao amanhecer é que alguém daria conta do seu desaparecimento e, nessa altura, já estaria a meio caminho do Gloucestershire.

Se não a meio, pelo menos longe o suficiente para garantir não ser fácil seguirem-lhe o rasto.

No fim de contas, tudo acabou por ser quase assustadoramente fácil. Toda a família estava entretida a discutir sobre um grande anúncio que Colin pretendia fazer, por isso só teve de pedir licença, dizendo que ia até à sala de estar feminina, esgueirar-se pelas traseiras e andar a curta distância até casa, onde tinha escondido as malas no jardim das traseiras. Daí, só precisava de ir até à esquina onde uma carruagem de aluguer já se encontrava à sua espera.

Meu Deus, se soubesse que seria tão fácil traçar o seu próprio caminho no mundo, já o teria feito há anos.

E agora ali estava ela, na carruagem, a caminho do Gloucestershire, em direção ao seu destino, supunha (ou esperava, não tinha a certeza de qual), com mais nada além de algumas mudas de roupa e uma pilha de cartas escritas por um homem que nunca conhecera.

Um homem que esperava poder vir a amar.

Era emocionante.

Não, era aterrorizante.

Era muito possivelmente a coisa mais imprudente que fizera na vida, refletiu, e teve de admitir que já tomara algumas decisões insensatas.

Ou podia ser simplesmente a última oportunidade para alcançar a felicidade.

Eloise fez uma careta. Estava a tornar-se fantasiosa. Era mau sinal. Precisava de encarar esta aventura com todo o pragmatismo e realismo com que sempre procurou tomar as suas decisões. Ainda ia a tempo de voltar para trás. Afinal, o que sabia daquele homem? Ele dissera muita coisa ao longo de um ano de troca de correspondência...

Tinha trinta anos, dois anos mais velho do que dela.

Frequentara Cambridge e estudara Botânica.

Tinha sido casado com Marina, prima dela em quarto grau, durante oito anos, o que significava que tinha vinte e um quando se casou.

Tinha o cabelo castanho.

Tinha os dentes todos.

Era barão.

Vivia em Romney Hall, uma casa de pedra construída no século XVIII perto de Tetbury, Gloucestershire.

Gostava de ler tratados científicos e poesia, mas não romances ou obras filosóficas.

Gostava da chuva.

A sua cor preferida era o verde.

Nunca tinha viajado para fora de Inglaterra.

Não gostava de peixe.

Eloise lutou contra o riso nervoso que tomou conta de si. Ele não gostava de *peixe*? Era isso que sabia sobre ele?

– Certamente, uma boa base para um casamento – murmurou para si própria, tentando ignorar o pânico na voz.

E o que sabia ele sobre ela? O que o teria levado a propor casamento a uma completa estranha?

Tentou lembrar-se do que tinha escrito nas suas muitas cartas…

Tinha vinte e oito anos.

Tinha cabelo castanho (castanho acobreado, na verdade) e os dentes todos.

Olhos cinzentos.

Provinha de uma família grande e afetuosa.

O irmão mais velho era visconde.

O pai morrera quando ela era criança, incompreensivelmente derrubado por uma simples picada de abelha.

Tinha tendência para falar de mais. (Meu Deus, tinha realmente posto isso por escrito?)

Gostava de ler poesia e romances, mas nunca tratados científicos ou obras filosóficas.

Viajara até à Escócia, mas nada mais além disso.

A sua cor preferida era o roxo.

Não gostava de carne de borrego e detestava até o cheiro da morcela.

Outra pequena gargalhada de pânico escapou-lhe dos lábios. Posto daquela forma, que belo partido que ela era, pensou com sarcasmo.

Espreitou pela janela, como se isso pudesse dar-lhe uma indicação do ponto onde se encontrava na estrada de Londres para Tetbury.

Colinas verdes não deixavam de ser colinas verdes e as que passavam pela sua janela podiam muito bem ser no País de Gales, como saberia ela a diferença?

De expressão carregada, baixou o olhar para a carta de Sir Phillip pousada no colo e voltou a dobrá-la. Enfiou-a no maço de cartas amarrado com uma fita que guardava na pequena mala de viagem e, em seguida, pôs-se a tamborilar os dedos nas coxas num gesto nervoso.

Tinha todos os motivos para estar nervosa.

Afinal de contas, abandonara a sua casa e tudo o que lhe era familiar.

Já atravessara meia Inglaterra e ninguém sabia.

Ninguém.

Nem mesmo Sir Phillip.

Porque, na sua pressa de sair de Londres, tinha-se esquecido de o avisar. Não é que se tivesse *esquecido*; a questão era que tinha mais ou menos… adiado essa tarefa até ser tarde de mais.

Se lhe dissesse, não poderia escapar ao plano. Desta maneira, ainda tinha hipótese de se arrepender quando quisesse. Disse a si mesma que era porque queria manter as opções em aberto, mas a verdade era que se sentia apavorada e temera perder completamente a coragem.

Além do mais fora ele a solicitar o encontro. Certamente ficaria feliz por vê-la.

Não ficaria?

Phillip levantou-se da cama e abriu as cortinas do quarto, revelando mais um dia ensolarado.

Perfeito.

Foi com toda a calma até ao quarto de vestir, à procura da roupa, já que há muito demitira os criados que costumavam desempenhar essas funções. Não sabia explicar porquê, mas depois de Marina morrer, não queria ninguém a entrar-lhe no quarto de manhã, a abrir-lhe as cortinas e a escolher-lhe o que vestir.

Chegara ao ponto de demitir Miles Carter, que se esforçara tanto para ser um amigo após a morte de Marina. Mas alguma coisa no jovem secretário só o fazia sentir-se pior, por isso mandou-o embora com uma indemnização de seis meses de trabalho e uma ótima carta de referência.

Passara todo o seu casamento com Marina à procura de alguém com quem conversar, uma vez que ela estava tantas vezes ausente, mas agora que ela se fora, só lhe apetecia estar sozinho.

Supôs que devia ter aludido a isso numa das muitas cartas que escrevera à misteriosa Eloise Bridgerton, pois propusera-lhe não exatamente casamento mas algo que talvez levasse a isso há mais de um mês e o silêncio da parte dela fora ensurdecedor, especialmente porque ela normalmente respondia às suas cartas com um entusiasmo encantador.

Franziu o sobrolho. A misteriosa Eloise Bridgerton não era assim *tão* misteriosa. Nas cartas, parecia ser uma pessoa bastante aberta e honesta e possuidora de um temperamento verdadeiramente *radioso*, o que, no fim de contas, era tudo o que, desta vez, realmente desejava numa mulher.

Vestiu uma camisa de trabalho, uma vez que planeava passar a maior parte do dia na estufa, enfiado em terra até aos cotovelos.

Sentia-se um pouco dececionado por Miss Bridgerton ter obviamente concluído que ele era algum louco demente a ser evitado a todo custo. Ela parecera-lhe a solução perfeita para os seus problemas. Ele precisava desesperadamente de uma mãe para Amanda e Oliver, mas eles tinham-se tornado tão incontroláveis que não era capaz de imaginar uma mulher que aceitasse de bom grado casar-se com ele e, consequentemente, ficar ligada a dois diabretes para toda a vida (ou pelo menos até atingirem a maioridade).

Miss Bridgerton tinha vinte e oito anos; era, obviamente uma solteirona. E correspondia-se com um completo estranho há mais de um ano; certamente estaria um pouco desesperada? Não apreciaria a oportunidade de arranjar um marido? Ele tinha uma casa, uma fortuna respeitável, e apenas trinta anos. O que mais poderia ela querer?

Resmungou várias frases exasperadas enquanto enfiava as pernas nas calças de lã grosseira. Obviamente ela queria *algo* mais, senão teria tido a cortesia de, pelo menos, responder a declinar a proposta.

PUM!

Phillip olhou para o teto e fez uma careta. Romney Hall era uma casa antiga, sólida e muito bem construída, e se vinha barulho do teto era porque os filhos tinham deixado cair (ou empurrado, ou atirado) algo realmente grande.

PUM!

Estremeceu. Aquele parecia ainda pior. Mas a ama estava lá em cima, e ela tinha mais jeito do que ele para lidar com os gémeos. Se conseguisse calçar as botas em menos de um minuto, poderia estar fora de casa antes que eles infligissem muitos mais danos e, assim, fingir que não estava a acontecer nada.

Estendeu a mão para pegar nas botas. Sim, excelente ideia. Longe da vista, longe do coração.

Acabou de se vestir com uma rapidez impressionante e saiu para o corredor, caminhando em passo apressado na direção das escadas.

– Sir Phillip! Sir Phillip!

Maldição! O mordomo já andava atrás dele.

Phillip fingiu que não ouviu.

– *Sir Phillip!*

– Maldição! – murmurou.

Não podia ignorar aquele berro, a menos que estivesse disposto a sofrer a tortura de ter os criados a azucriná-lo com preocupações acerca da sua perda de audição.

– Sim, Gunning? – disse, virando-se lentamente.

– Sir Phillip – anunciou Gunning, limpando a garganta –, temos uma visita.

– Uma visita? – ecoou Phillip. – Era essa a origem do, há...

– Barulho? – completou Gunning amavelmente.

– Sim.

– Não. – O mordomo pigarreou. – Isso foram os seus filhos.

– Percebo – murmurou Phillip. – Que absurdo da minha parte ter esperado outra coisa.

– Acho que não partiram nada, *sir*.

– Isso é um alívio e uma novidade.

– De facto, *sir*, mas há a visita a considerar.

Phillip soltou um resmungo. Mas quem é que se lembrava de fazer visitas àquela hora da manhã? Nem às horas razoáveis estavam acostumados a receber visitas.

Gunning tentou sorrir, mas era notório que estava destreinado.

– Era costume termos visitas, lembra-se?

Esse era o problema de ter um mordomo a trabalhar para a família desde antes de ele ter nascido. Com o passar dos anos tendiam a gostar demasiado do sarcasmo.

– Quem é essa tal visita?

– Não tenho bem a certeza, *sir*.

– Não tens a certeza? – perguntou Phillip, incrédulo.

– Eu não quis perguntar.

– Mas não é esse o trabalho dos mordomos?

– Perguntar, *sir*?

– Sim – resmungou Phillip entre dentes, imaginando se Gunning estaria a tentar ver que grau de vermelho o rosto do patrão poderia atingir até ter uma apoplexia e cair no chão desamparado.

– Achei que devia deixá-lo perguntar, *sir*.

– Achaste que devias deixar-me perguntar.

Esta saiu como uma afirmação, tendo Phillip já percebido a futilidade de fazer perguntas.

– Sim, *sir*. Afinal, ela está aqui para o ver.

– Assim como todas as visitas, mas isso nunca te impediu de averiguar as suas identidades.

– Bem, na verdade…

– Tenho a certeza que… – tentou interromper Phillip.

– Nós não temos visitas, *sir* – terminou Gunning, claramente vencendo a batalha conversacional.

Phillip abriu a boca para argumentar que sim, *tinham* visitas, e que havia uma no andar de baixo naquele exato momento, mas, na verdade, que importância tinha?

– Está bem – respondeu, completamente irritado. – Já desço.

Gunning abriu um amplo sorriso.

– Excelente, *sir*.

Phillip olhou chocado para o mordomo.

– Estás bem, Gunning?

– Muito bem, *sir*. Porque pergunta, *sir*?

Não lhe parecia de bom-tom ressalvar que o amplo sorriso fazia Gunning assemelhar-se um pouco a um cavalo, por isso Phillip limitou-se a murmurar: – Por nada – e desceu as escadas.

Uma visita? Quem seria? Ninguém o visitava há quase um ano, desde que os vizinhos tinham terminado de fazer as obrigatórias visitas de condolências. Não podia culpá-los por preferirem manter-se afastados; a última vez que um deles tinha feito uma visita, Oliver e Amanda tinham barrado as cadeiras com doce de morango.

Lady Winslet tinha-se ido embora numa explosão de mau humor bastante para lá de qualquer limite que Phillip pudesse achar saudável para uma mulher daquela idade.

Phillip franziu o sobrolho quando chegou ao fundo das escadas e virou para o átrio de entrada. Era uma ela, não era? Não tinha Gunning dito que a visita era uma ela?

Quem diabo…

Parou de repente, tropeçando em si próprio.

Porque a mulher que estava no átrio de entrada era jovem e muito bonita, e quando levantou a cabeça para o encarar, ele viu que ela tinha os maiores e mais extraordinariamente belos olhos cinzentos que já vira.

Poderia afogar-se naqueles olhos.

E, como se pode imaginar, Phillip não *pensava* na palavra *afogar* levianamente.

CAPÍTULO 2

...e então, tenho a certeza de que não vais ficar surpreendido ao saber, eu falei de mais. Simplesmente não conseguia parar de falar, mas suponho que é o que faço quando estou nervosa. Só nos resta esperar que tenha cada vez menos motivos para ficar nervosa à medida que o resto da minha vida se desenrole.

De Eloise Bridgerton
para o irmão, Colin, por ocasião do
debute de Eloise na sociedade londrina

Foi então que ela abriu a boca.

– Sir Phillip? – perguntou, e antes que ele tivesse hipótese de acenar afirmativamente, ela prosseguiu à velocidade de um raio: – Peço imensa desculpa por chegar sem avisar, mas realmente não tive outra opção e, para ser sincera, se eu tivesse enviado uma carta a informá-lo, o mais certo era que chegasse depois de mim, tornando qualquer aviso perfeitamente inútil, como certamente concordará e...

Phillip pestanejou, certo de que deveria estar a acompanhar aquela enxurrada de palavras, mas sabendo-se incapaz de discernir onde é que uma palavra terminava e a seguinte começava.

– ...uma longa viagem e infelizmente não consegui dormir, por isso peço-lhe que perdoe a minha aparência e...

Ela estava a pô-lo tonto. Seria muito má educação sentar-se?

– ...não trouxe muita coisa, mas não tive outra opção e...

Claramente aquilo já tinha ido longe de mais, sem qualquer sinal de que fosse eventualmente terminar. Se a deixasse falar mais um segundo que fosse, estava certo de que iria sofrer um desequilíbrio no ouvido interno ou talvez ela desmaiasse por falta de ar e batesse com a cabeça no chão. De qualquer maneira, um deles ficaria ferido e a agonizar de dor.

– Minha senhora – disse ele, aclarando a garganta.

Se o ouviu, não deu mostras disso, pois continuou a dizer algo sobre a carruagem que aparentemente a havia transportado até ali.

– Minha senhora – repetiu Phillip, um pouco mais alto desta vez.

– ...mas então eu... – Ela olhou para cima, piscando aqueles olhos cinzentos devastadores, e por um momento ele sentiu uma assustadora falta de equilíbrio. – Sim? – perguntou.

Agora que tinha a atenção dela, parecia ter-se esquecido da razão para tal.

– Hum... – começou ele – quem *é* a senhora?

Ela ficou a olhar para ele uns bons cinco segundos, os lábios entreabertos de surpresa, e então finalmente respondeu:

– Eloise Bridgerton, é claro!

Eloise tinha quase a certeza de que estava a falar de mais e *sabia* que estava a falar muito depressa, mas tendia a fazê-lo quando ficava nervosa e embora se orgulhasse de raramente ficar nervosa, agora parecia-lhe uma altura merecedora de explorar tal emoção e, além disso, Sir Phillip (se de facto aquele homem enorme com ar de urso diante dela era ele) não era *de todo* o que esperara.

– A senhora *é* Eloise Bridgerton?

Ela olhou para a expressão estupefacta dele e sentiu os primeiros sinais de irritação.

– É claro que sou. Quem mais poderia ser?

– Não poderia imaginar.

– O senhor convidou-me – salientou ela.

– E a senhorita não respondeu ao meu convite – respondeu ele.

Eloise engoliu em seco. Ele tinha razão. Toda a razão, aliás, se uma pessoa quisesse ser justa, o que ela não queria. Pelo menos, não naquele momento.

– Eu realmente não tive oportunidade – justificou-se, mas apercebendo-se pela expressão dele que não era explicação suficiente, acrescentou –, tal como já disse.

Sir Phillip não tirou os olhos dela, aqueles olhos escuros inescrutáveis que estavam a deixá-la desconfortável, e então disse:

– Eu não percebi uma palavra do que disse.

Ela sentiu a boca a abrir-se de… surpresa? Não, de aborrecimento.

– Não estava a ouvir-me? – perguntou.

– Eu *tentei.*

Eloise franziu os lábios.

– Pois, muito bem – disse ela, contando mentalmente até cinco, em latim, antes de acrescentar: – As minhas desculpas. Lamento ter chegado sem avisar. Foi terrivelmente mal-educado da minha parte.

Ele ficou em silêncio durante três segundos (Eloise contou) antes de dizer:

– Aceito o seu pedido de desculpas.

Ela aclarou a garganta.

– E, é claro – ele tossiu, olhando em volta como se procurasse alguém que o pudesse salvar dela –, estou muito contente que tenha vindo.

Provavelmente seria indelicado salientar que Sir Phillip parecia *tudo* menos contente, por isso Eloise ficou ali calada a olhar para a face direita dele enquanto tentava decidir o que *poderia* dizer sem o insultar.

Eloise achou lamentável que ela, uma pessoa que geralmente tinha sempre algo a acrescentar em qualquer ocasião, não conseguisse sequer pensar numa coisa para dizer.

Felizmente, ele evitou que o silêncio constrangedor crescesse até proporções gigantescas, perguntando:

– Essa é toda a sua bagagem?

Eloise endireitou os ombros, contente por passar para um tema relativamente trivial.

– Sim. Eu realmente não…

Interrompeu-se. Será que precisava mesmo de lhe contar que se tinha escapulido de casa a meio da noite? Não daria uma boa imagem dela, nem da sua família, pensando bem. Não sabia porquê, mas não queria que ele soubesse que, para todos os efeitos, ela tinha fugido. Não sabia porque pensava assim, mas tinha a nítida sensação de que, se ele soubesse a verdade, a recambiaria de volta para Londres a toda a velocidade. E embora o encontro com Sir Phillip ainda não tivesse provado ser tão romântico e feliz como tinha imaginado, ainda não estava preparada para desistir.

Especialmente quando isso significava regressar a correr para a família com o rabo entre as pernas.

– Sim, é tudo o que trouxe – respondeu ela com firmeza.

– Muito bem. Eu, hum… – Olhou em volta novamente, desta vez com um ar ligeiramente desesperado, que Eloise não achou nada lisonjeiro. – Gunning! – chamou.

O mordomo apareceu tão depressa que certamente devia estar de ouvido à escuta.

– Sim, *sir*?

– Nós… há… é preciso preparar um quarto para Miss Bridgerton.

– Já está a ser tratado – assegurou Gunning.

As faces de Sir Phillip ganharam uma ligeira cor.

– Muito bem – resmungou. – Ela vai cá ficar durante… – Olhou-a de soslaio.

– Duas semanas – interveio ela, na esperança de que fosse a quantidade certa de tempo.

– Duas semanas – reiterou Sir Phillip como se o mordomo não tivesse ouvido a resposta. – Faremos tudo o que estiver ao nosso alcance para tornar a sua estadia confortável, é claro.

– É claro – concordou o mordomo.

– Muito bem – disse Sir Phillip, ainda parecendo algo descon-fortável com toda a situação. Ou se não era exatamente desconfor-tável, talvez enfastiado, o que seria ainda pior.

Eloise estava desiludida. Imaginara-o um homem naturalmente encantador, um pouco como o seu irmão Colin, que possuía um sorriso arrebatador e que sabia sempre o que dizer em qualquer situação, fosse ela constrangedora ou não.

Sir Phillip, por outro lado, parecia desejar estar bem longe dali, o que Eloise não achava nada encorajador, uma vez que o presente ambiente circundante a incluía a ela. E além do mais, ele deveria estar a fazer pelo menos algum esforço para a conhecer e determi-nar se ela seria uma mulher aceitável.

E era bom que realmente se esforçasse, porque se era verdade que as primeiras impressões eram sempre as mais corretas, ela duvi-dava que fosse concluir que *ele* daria um marido aceitável.

Eloise sorriu-lhe com os dentes cerrados.

– Gostaria de se sentar? – perguntou Sir Phillip de repente.

– Isso seria muito agradável, obrigada.

Ele olhou em volta com uma expressão vazia no rosto, dando a Eloise a impressão de que mal sabia orientar-se na sua própria casa.

– Por aqui – murmurou, apontando para uma porta ao fundo do corredor –, a sala de estar.

Gunning tossiu.

Sir Phillip olhou para ele com ar ameaçador.

– Talvez fosse sua intenção pedir algo para comer ou beber, *sir*? – perguntou o mordomo, solícito.

– Hum, sim, claro – respondeu Sir Phillip, pigarreando. – Claro. Hum, talvez…

– Uma bandeja de chá, talvez? – sugeriu Gunning. – Acompa-nhado de queques?

– Excelente – murmurou Sir Phillip.

– Ou talvez se Miss Bridgerton estiver com fome – continuou o mordomo –, eu posso mandar preparar um pequeno-almoço mais completo.

Sir Phillip dirigiu o olhar a Eloise.

– Queques seria ótimo – respondeu ela, embora estivesse *realmente* com fome.

Eloise permitiu que Sir Phillip a conduzisse pelo braço até à sala de estar, onde se sentou num sofá revestido a cetim azul às riscas. O aposento era arrumado e limpo, mas a mobília já estava gasta. Notava-se uma certa negligência em toda a casa, como se o dono tivesse ficado sem dinheiro ou talvez simplesmente não quisesse saber.

Eloise achava que era esta última hipótese. Supôs ser possível que Sir Phillip tivesse falta de fundos, mas reparara ao chegar que os jardins eram magníficos e vira o suficiente da estufa para perceber que estava em excelente estado de conservação. Considerando que Sir Phillip era botânico, isso podia explicar o grande cuidado dado ao exterior, enquanto o interior era deixado ao abandono.

Ele precisava, claramente, de uma mulher.

Cruzou as mãos no colo e ficou a vê-lo sentar-se à sua frente, dobrando o enorme corpo para se tentar acomodar numa cadeira que obviamente fora projetada para alguém de menor tamanho.

Ele parecia extremamente desconfortável (Eloise tinha irmãos suficientes para saber reconhecer os sinais) e como se tivesse uma imensa vontade de praguejar, mas Eloise decidiu que a culpa era dele por escolher aquela cadeira e abriu-lhe um sorriso que esperava fosse educado e servisse de incentivo para que tomasse as rédeas da conversa.

Ele pigarreou.

Ela inclinou-se para a frente.

Ele pigarreou novamente.

Ela tossiu.

Ele pigarreou mais uma vez.

– Está a precisar de um pouco de chá? – perguntou ela por fim, incapaz de suportar até mesmo o pensamento de mais um pigarrear que fosse.

Ele olhou para cima com gratidão, apesar de Eloise não ter a certeza se era devido à oferta de chá ou à quebra misericordiosa do silêncio.

– Sim, isso seria excelente – respondeu ele.

Eloise abriu a boca para responder, mas lembrou-se de que estava em casa *dele* e que não tinha nada que se pôr a oferecer chá. Para não mencionar que ele também se devia ter lembrado de tal facto.

– Certo – disse ela. – Com certeza o chá não deve tardar.

– Certo – concordou Sir Phillip, mexendo-se, desconfortável, no assento.

– Sinto muito ter vindo sem avisar – murmurou ela, mesmo já o tendo dito.

Alguma coisa *tinha* de ser dita. Sir Phillip podia ser o tipo de pessoa habituada a pausas incómodas, mas Eloise era o tipo de pessoa que gostava de preencher todo e qualquer silêncio.

– Não faz mal – disse ele.

– Faz, sim – contrapôs ela. – Foi terrivelmente mal-educado da minha parte fazê-lo e peço desculpa.

Ele parecia surpreendido com a franqueza dela.

– Obrigado – murmurou. – Mas não há problema, garanto. Eu só fiquei…

– Surpreendido – completou ela.

– Sim.

Eloise assentiu com a cabeça.

– Sim, bem, qualquer um ficaria. Eu deveria ter pensado nisso e realmente peço desculpa pelo incómodo.

Sir Phillip abriu a boca, mas voltou a fechá-la e desviou o olhar para a janela.

– Está um lindo dia – comentou.

– Sim, está – concordou Eloise, achando bastante óbvio.

Ele encolheu os ombros.

– Imagino que ainda chova ao cair da noite.

Ela não sabia como responder a tal comentário, por isso limitou-se a concordar com a cabeça, estudando-o disfarçadamente enquanto o olhar dele se mantinha fixo na janela. Sir Phillip era maior do que ela tinha imaginado, com uma aparência mais rude, menos urbana. As cartas eram tão bem escritas e encantadoras que ela imaginara-o… gracioso. Mais magro, talvez, certamente não dado à obesidade, mas, ainda assim, menos musculoso. Ele tinha ar de quem trabalhava ao ar livre, como um agricultor, especialmente com aquelas calças grosseiras e camisa sem lenço ao pescoço. E embora lhe tivesse dito numa carta que tinha o cabelo castanho, ela sempre o imaginara um loiro escuro, com um certo ar de poeta (por que razão imaginava sempre os poetas com cabelo loiro, não sabia). Mas o cabelo era exatamente como ele o descrevera: castanho, num tom bastante escuro, quase preto, de um ondulado rebelde. Os olhos eram castanhos, praticamente do mesmo tom do cabelo, tão escuros que era completamente impossível lê-los.

Franziu o sobrolho. Não gostava de pessoas que não era capaz de ler num piscar de olhos.

– Viajou a noite toda? – perguntou ele educadamente.

– Sim.

– Deve estar cansada.

Eloise assentiu com a cabeça.

– Sim, bastante.

Ele levantou-se, apontando com cortesia para a porta.

– Prefere descansar? Não desejo detê-la aqui, se prefere dormir.

Eloise estava exausta, mas também cheia de fome.

– Gostaria de comer qualquer coisa primeiro – respondeu – e depois aceitarei de bom grado a sua hospitalidade e umas horas de descanso.

Sir Phillip concordou com a cabeça e começou a sentar-se, tentando encaixar-se na cadeira ridiculamente pequena, até que por fim, resmungando alguma coisa baixinho, virou-se para ela, dizendo num tom um pouco mais inteligível: – Com licença – e passou para outra cadeira, maior.

– Peço desculpa – disse ele assim que se acomodou.

Eloise limitou-se a assentir com a cabeça, perguntando-se se alguma vez se teria encontrado numa situação tão constrangedora.

Ele pigarreou.

– Hum… e a viagem… foi agradável?

– Foi, sim, muito obrigada – respondeu ela, dando-lhe mentalmente crédito por, pelo menos, tentar manter uma conversa. Uma boa ação merecia outra, de modo que ela contribuiu com:

– Tem uma bela casa.

Sir Phillip ergueu uma sobrancelha, lançando-lhe um olhar que dizia não acreditar no falso elogio.

– Os jardins são magníficos – acrescentou ela apressadamente.

Quem diria que ele realmente sabia que os móveis estavam gastos? Os homens nunca reparavam nessas coisas.

– Obrigado – disse ele. – Eu sou botânico, como sabe, por isso gasto uma grande parte do meu tempo ao ar livre.

– Tinha planeado ir trabalhar lá para fora hoje?

Ele respondeu de forma afirmativa.

Eloise ofereceu-lhe um sorriso hesitante.

– Lamento ter-lhe interrompido os planos.

– Não faz mal, garanto.

– Mas…

– Realmente não tem de voltar a pedir desculpa – cortou ele. – Por nada.

Seguiu-se aquele terrível silêncio outra vez, com os dois a olhar ansiosamente para a porta, esperando que Gunning regressasse com a salvação na forma de uma bandeja de chá.

Eloise pôs-se a dar pancadinhas com as mãos na almofada do sofá, de uma maneira que a mãe teria considerado horrivelmente mal-educada. Olhou para Sir Phillip e sentiu uma certa satisfação ao ver que ele fazia o mesmo. Ele apanhou-a a olhar e esboçou um meio sorriso irritante baixando o olhar para a mão inquieta.

Ela parou imediatamente.

Voltou a olhar para ele, desafiando-o (implorando?) em silêncio para que *dissesse* alguma coisa. Qualquer coisa.

Mas ele não o fez.

Aquilo estava a matá-la. Ela tinha de quebrar o silêncio. Não era natural. Era demasiado horrível. As pessoas foram feitas para *falar*. Aquilo era…

Abriu a boca, levada por um desespero que não compreendia muito bem.

– Eu…

Mas antes que pudesse continuar com uma frase que tinha toda a intenção de inventar à medida que fosse falando, um grito horripilante rasgou o ar.

Eloise levantou-se de um salto.

– O que foi…

– Os meus filhos – disse Sir Phillip, deixando escapar um suspiro abatido.

– Tem *filhos*?

Ele reparou que ela estava de pé e levantou-se também, com ar saturado.

– Claro.

Eloise ficou boquiaberta.

– Nunca me disse que tinha filhos.

Os olhos dele estreitaram-se.

– Isso é um problema? – perguntou ele, em tom bastante brusco.

– Claro que não! – respondeu ela, eriçada. – Eu adoro crianças. Tenho mais sobrinhos e sobrinhas do que consigo contar e posso garantir que sou a tia *preferida*. Mas isso não é desculpa para o facto de nunca ter mencionado a sua existência.

– Isso é impossível – disse ele, abanando a cabeça. – Deve ter-lhe passado despercebido.

O queixo dela recuou tão de repente que era de espantar que não tivesse partido o pescoço.

– Esse não é o tipo de informação que me escapasse – disse Eloise com altivez.

Ele encolheu os ombros, descartando claramente o protesto.

– Nunca os mencionou – continuou ela – e posso prová-lo.

Ele cruzou os braços, lançando-lhe um olhar de óbvia descrença.

Ela foi até à porta em passos duros.

– Onde está a minha mala?

– Onde a deixou, imagino – disse ele, olhando-a com uma expressão condescendente. – Ou, mais provavelmente, já no seu quarto. Os meus criados não são assim *tão* desatentos.

Ela virou-se para ele com um ar carrancudo.

– Tenho comigo todas as cartas que me enviou e posso garantir que em nenhuma delas estão as palavras «os meus filhos».

Os lábios de Phillip abriram-se em surpresa.

– Guardou as minhas cartas?

– Claro. Não guardou as minhas?

Ele pestanejou.

– Hum…

Eloise quase se engasgou.

– Não as guardou?!

Phillip nunca fora capaz de entender as mulheres e a maioria das vezes estava disposto a ignorar o pensamento médico atual e a declará-las uma espécie completamente à parte. Aceitava plenamente que quase nunca sabia o que devia dizer-lhes, mas desta vez até ele percebia que tinha cometido um erro grave.

– Devo ter algumas – tentou remediar.

O maxilar dela apertou-se numa linha reta furiosa.

– A maioria, certamente – apressou-se a acrescentar.

O ar dela era de desafio. Ele começava a perceber que Eloise Bridgerton era extremamente voluntariosa.

– Não é que as tenha deitado fora – continuou ele, tentando cavar o seu caminho para sair daquele poço sem fundo. – Apenas não sei onde as guardei exatamente.

Ele viu-a com interesse tentar controlar a fúria e depois soltar um breve suspiro. No entanto, os olhos dela mantiveram um cinzento tempestuoso.

– Muito bem – disse ela. – Também não tem grande importância.

Sir Phillip tinha exatamente a mesma opinião, pensou, mas até ele era suficientemente inteligente para não o dizer.

Além disso, o tom de voz dela deixava bem claro que, na sua opinião, tinha importância, e muita.

Outro grito rompeu o ar, seguido de um estrondo retumbante. Phillip estremeceu. Soava a móveis.

Eloise olhou para o teto, como se esperasse que o estuque começasse a cair a qualquer momento.

– Não devia ir ver o que se passa? – perguntou ela.

Devia, mas por tudo o que era mais sagrado, não queria. Quando os gémeos ficavam descontrolados, ninguém os conseguia controlar, o que, supunha Phillip, era a definição de «descontrolados». Achava que era geralmente mais fácil deixá-los correr soltos até caírem de exaustão (o que, por norma, não demorava muito) e lidar com eles depois. Talvez não fosse a atitude mais benéfica a ter, e certamente nenhum outro pai a recomendaria, mas a reserva de energia de um homem para lidar com duas crianças de oito anos era limitada e temia já ter esgotado a dele há uns bons seis meses.

– Sir Phillip? – insistiu Eloise.

Ele soltou um suspiro.

– Sim, tem razão.

Certamente não queria mostrar-se um pai desinteressado na frente de Miss Bridgerton, a quem procurava atrair, mesmo se de forma desajeitada, para o papel de mãe daqueles dois diabretes que se esforçavam por destruir completamente a própria casa.

– Com sua licença – disse ele, dirigindo-lhe um aceno de cabeça e saindo para o átrio.

– Oliver! – gritou. – Amanda!

Não tinha a certeza, mas achou ter ouvido Miss Bridgerton abafar uma risada horrorizada.

Sentiu-se invadido por uma onda de irritação e fitou-a, mesmo sabendo que não devia. Talvez ela achasse que tinha mais jeito do que ele para lidar com os dois diabretes.

Caminhou a passos largos para a escada e voltou a gritar os nomes dos gémeos. Por outro lado, talvez não devesse ser tão maldizente. Ele tinha esperança, melhor, rezava com todo o fervor, para que Eloise Bridgerton tivesse mais jeito do que ele para lidar com os gémeos.

Se ela conseguisse ensiná-los a serem obedientes, ele era bem capaz de beijar o chão que ela pisasse umas três vezes por dia.

Oliver e Amanda dobraram a esquina da escada e acabaram a descida para o átrio com ar muito pouco envergonhado.

– O que é que se passou? – exigiu saber Phillip.

– O que é que se passou? – repetiu Oliver com insolência.

– Toda aquela gritaria – rosnou Phillip.

– Foi a Amanda – respondeu Oliver.

– Fui, sim senhor – concordou ela.

Phillip esperou pela elucidação e quando lhe pareceu que ninguém dava mostras de a dar, acrescentou: – E *porque* é que a Amanda gritou?

– Foi uma rá – explicou ela.

– Uma rá.

Ela assentiu com a cabeça.

– É verdade. Na minha cama.

– Percebo – disse Phillip. – E tens alguma ideia de como ela foi lá parar?

– Fui eu que a pus lá – respondeu ela.

Ele desviou o olhar de Oliver, a quem dirigira a pergunta, para Amanda.

– Puseste uma rá na tua própria cama?

Ela voltou a assentir com a cabeça.

Mas porquê, *porquê*? Pigarreou.

– Porquê?

Ela encolheu os ombros.

– Porque me apeteceu.

Phillip sentiu o queixo projetar-se de incredulidade.

– Porque te apeteceu?

– Sim.

– Pôr uma rá na tua cama?

– Eu estava a tentar criar girinos – explicou ela.

– *Na tua cama?*

– Pareceu-me um sítio acolhedor e confortável.

– Eu ajudei – interveio Oliver.

– Disso não tenho a mais pequena dúvida – disse Phillip com voz firme. – Mas porque é que gritaste?

– Eu não gritei – disse Oliver, indignado. – Foi a Amanda.

– Eu estava a perguntar à Amanda! – exclamou Phillip, mal resistindo à vontade de atirar os braços ao ar, derrotado, e retirar-se para a sua estufa.

– O pai estava a olhar para mim – justificou Oliver e, como se o pai não tivesse capacidade para entender o que ele quis dizer, acrescentou: – Quando fez a pergunta.

Phillip respirou fundo antes de tentar pôr o que esperava ser uma expressão paciente e virou-se para Amanda.

– *Amanda*, porque é que gritaste?

Ela encolheu os ombros.

– Porque me esqueci de que tinha lá posto a rá.

– Eu pensei que ela estava a *morrer*! – afirmou Oliver com ar dramático.

Phillip decidiu não debater tal afirmação.

– Pensei que tínhamos combinado não trazer rás para dentro de casa – disse ele, cruzando os braços e dirigindo aos filhos o seu olhar mais severo.

– Não – argumentou Oliver (com um assentimento veemente de Amanda) –, o pai disse que não a *sapos*.

– Nenhum anfíbio, seja de que tipo for – rosnou Phillip.

– Mas, e se estiver um a morrer? – perguntou Amanda, os lindos olhos azuis rasos de lágrimas.

– Nem assim.

– Mas…

– Podes tratar dele lá fora.

– Mas e se ele estiver com muito frio e gelado e só precisar dos meus cuidados e de uma cama quente dentro de casa?

– As rãs e sapos são frios e gelados – retorquiu Phillip. – É por isso que são anfíbios.

– Mas e se...

– *Basta!* – gritou. – Nada de rãs, sapos, grilos, gafanhotos ou animais de qualquer espécie dentro de casa!

Amanda começou a engolir em seco.

– Mas, mas, mas...

Phillip soltou um longo suspiro. Nunca sabia o que dizer aos filhos, e agora a filha parecia prestes a dissolver-se num mar de lágrimas.

– Pelo amor de... – Conteve-se a tempo e suavizou a voz. – O que foi, Amanda?

Ela engasgou-se e depois perguntou aos soluços:

– Então e a *Bessie*?

Phillip apalpou o espaço atrás de si, à procura de uma parede para se apoiar, mas sem sucesso.

– Naturalmente que não tive intenção de incluir o nosso querido *spaniel* na proibição – grunhiu.

– Bem, preferia que o tivesse dito – fungou Amanda, parecendo surpreendentemente, e de forma suspeita, recuperada. – Fez-me ficar muito triste.

Phillip cerrou os dentes.

– Peço desculpa por te ter posto triste.

Ela dirigiu-lhe um aceno régio de cabeça.

Phillip gemeu. Em que momento tinham os gémeos vencido aquela discussão? Seguramente um homem do seu tamanho e intelecto (ou assim gostava de pensar) devia ser capaz de lidar com duas crianças de oito anos.

Mas não, mais uma vez, apesar das melhores intenções, perdera todo o domínio da conversa e agora era ele que se via a *pedir-lhes* desculpa.

Nada o fazia sentir mais fracassado.

– Então estamos conversados – disse ele, ansioso para acabar com aquilo. – Ponham-se a mexer. Estou muito ocupado.

Eles ficaram ainda um momento a fitá-lo de olhos arregalados e a piscar.

– O dia todo? – perguntou finalmente Oliver.

– O dia todo?! – repetiu Phillip. Que diabo queria ele dizer?

– Vai estar ocupado o dia todo? – emendou Oliver.

– Sim, vou – respondeu bruscamente.

– E se fôssemos dar um passeio pela Natureza? – sugeriu Amanda.

– Não posso – recusou, embora parte dele tivesse vontade; mas os gémeos conseguiam ser muito irritantes e certamente iriam fazê-lo perder a paciência, e nada o aterrorizava mais.

– Podíamos ajudá-lo na estufa – disse Oliver.

Destruí-la, era o mais certo.

– Não – disse Phillip.

Honestamente achava que não seria capaz de se controlar se lhe arruinassem o trabalho.

– Mas…

– Eu não posso – disse ele rudemente, odiando o tom da própria voz.

– Mas…

– E quem são estes? – disse uma voz por detrás dele.

Virou-se. Era Eloise Bridgerton, metendo o nariz onde certamente não era chamada, e isto depois de lhe aparecer à porta sem o mais pequeno aviso.

– Peço desculpa?! – disse-lhe, sem se preocupar em esconder a irritação.

Ela ignorou-o e encarou os gémeos.

– E quem são vocês? – perguntou.

– Quem é a senhora? – exigiu saber Oliver.

Os olhos de Amanda estreitaram-se de tal forma que ficaram duas fendas.

Phillip permitiu-se o primeiro verdadeiro sorriso daquela manhã e cruzou os braços. Sim, vamos ver como Miss Bridgerton trata *deste* assunto.

– Eu sou Miss Bridgerton – respondeu ela.

– Não é a nossa nova precetora, pois não? – perguntou Oliver, com ar tão desconfiado que beirava o venenoso.

– Céus, não! – exclamou ela. – O que aconteceu à vossa última precetora?

Phillip tossiu. Muito alto.

Os gémeos entenderam o recado.

– Hum… nada – respondeu Oliver.

Miss Bridgerton não pareceu deixar-se enganar pelo ar de inocência que os gémeos tentavam transmitir, mas sabiamente escolheu não insistir no assunto, dizendo apenas:

– Eu sou vossa convidada.

Os gémeos ficaram a pensar um momento, e então Amanda disse: – Nós não queremos convidados.

Secundada por Oliver: – Nós não *precisamos* de convidados.

– Meninos! – interrompeu Phillip, sem grande vontade de defender Miss Bridgerton depois de ela ter sido tão intrometida, mas não tendo outra escolha. Não podia deixar os filhos serem tão mal-educados.

Os gémeos cruzaram os braços em uníssono e viraram as costas a Miss Bridgerton.

– Basta! – rugiu Phillip. – Peçam imediatamente desculpa a Miss Bridgerton.

Eles encararam-na com rebeldia.

– Já! – voltou a rugir.

– Desculpe – resmungaram os dois baixinho, mas ninguém seria louco de acreditar que tinham sido sinceros.

– Já para os vossos quartos, os dois – ordenou Phillip com brusquidão.

Eles afastaram-se a marchar como um par de soldados orgulhosos, de narizes no ar. Teria sido uma visão impressionante, se Amanda não se tivesse virado para trás ao fundo das escadas e mostrado a língua.

– Amanda! – berrou ele, caminhando na direção dela.

Ela desatou a subir as escadas com a velocidade de uma raposa.

Phillip manteve-se imóvel uns instantes, os punhos cerrados e a tremer encostados ao corpo. Só uma vez, *uma vez que fosse*, gostaria de ver os filhos a comportarem-se e a serem obedientes e a não responderem a uma pergunta com outra pergunta e a serem educados com as visitas e a não deitarem a língua de fora e…

Só uma vez, gostaria de sentir que era um bom pai, que sabia o que estava a fazer.

E não levantar a voz. Odiava quando levantava a voz, odiava o relâmpago de terror que julgava ver-lhes nos olhos.

Odiava as lembranças que isso lhe trazia.

– Sir Phillip?

Miss Bridgerton. Maldição, quase se esquecera de que ela estava ali. Virou-se.

– Sim? – perguntou, mortificado por ela ter testemunhado a sua humilhação.

O que, naturalmente, o fazia ficar irritado com ela.

– O mordomo trouxe a bandeja de chá – declarou ela, apontando para a sala de estar.

Ele dirigiu-lhe um curto aceno de cabeça. Precisava de sair. De se afastar dos filhos, daquela mulher que vira o pai terrível que ele era para eles. Tinha começado a chover, mas não se importou.

– Bom proveito para o pequeno-almoço – desejou ele. – Vejo-a depois de ter descansado.

E então apressou-se a sair, caminhando até à estufa, onde podia ficar a sós com as suas plantas que não falavam, que não se portavam mal nem eram intrometidas.

CAPÍTULO 3

...vais perceber por que razão eu nunca podia aceitar a corte dele. Ele era demasiado grosseiro e tinha um mau humor horrível. Desejo casar-me com alguém que seja agradável e atencioso, que me trate como uma rainha. Ou, pelo menos, como uma princesa. Certamente não é pedir muito.

De Eloise Bridgerton para a sua
querida amiga Penelope Featherington,
enviada por mensageiro após Eloise
receber a sua primeira proposta de casamento

À tarde, Eloise estava quase convencida de que tinha cometido um erro terrível.

Na verdade, a única razão daquele *quase* era por só haver uma coisa que odiava mais do que cometer erros: ter de os admitir. Procurava assim manter-se proverbialmente firme, obrigando-se a fazer de conta que aquela situação horrenda podia eventualmente acabar em bem.

Ficara atordoada (de boca aberta, seria uma expressão mais correta) quando Sir Phillip dera meia-volta e saíra porta fora com um simples «Bom proveito». Ela tinha atravessado meia Inglaterra, em resposta ao convite *dele* para uma visita, e ele deixava-a sozinha na sala de estar apenas meia hora depois de chegar?

Não esperava que ele se apaixonasse à primeira vista e caísse de joelhos à sua frente professando devoção eterna, mas esperava um pouco mais do que um curto «Quem é a senhora?» e «Bom proveito».

Ou talvez *tivesse* mesmo esperado que ele se apaixonasse à primeira vista. Ela construíra um sonho intricado em torno da imagem daquele homem, uma imagem que agora sabia ser falsa. Permitira-se moldá-lo como o homem perfeito e doía muito saber que ele não só era imperfeito, mas estava muito perto do horrível.

E o pior de tudo era que só podia culpar-se a si mesma. Sir Phillip nunca havia falseado o seu retrato nas cartas que lhe escrevera (embora achasse que ele deveria ter mencionado que era pai, especialmente antes de lhe propor casamento).

Os sonhos dela haviam sido apenas isso: sonhos. Ilusões vãs pelas quais só ela era responsável. Se ele não era o que esperara, a culpa era dela, por ter esperado algo que nem sequer existia.

Sabia que deveria ter tido melhor discernimento.

Além do mais, ele dava indícios de não ser um bom pai, e não havia nota mais negativa que ela pudesse atribuir a alguém no seu caderninho.

Não, também não estava a ser justa. Não devia ser tão precipitada no julgamento. As crianças não pareciam maltratadas ou desnutridas nem nada de tão terrível, mas Sir Phillip claramente não fazia ideia de como lidar com elas. A maneira como as tratara de manhã fora completamente errada, sendo óbvio pela reação delas que a relação entre eles era, no mínimo, distante.

Por Deus, os filhos tinham praticamente implorado para que passasse o dia com eles. Qualquer criança que recebesse a devida atenção dos pais nunca agiria dessa forma. Eloise e os irmãos tinham passado metade da infância a tentar evitar os pais, já que a falta de supervisão é claramente mais propícia às travessuras.

Ela tivera um pai maravilhoso. Tinha apenas sete anos quando ele morreu, mas lembrava-se bem dele, desde as histórias para adormecer que ele inventava até aos passeios que fazia pelos campos do Kent, por vezes com todos os Bridgerton a reboque, outras, com apenas algum filho sortudo, escolhido para passar algum tempo de qualidade a sós com o pai.

Fora-lhe óbvio que se não tivesse sugerido a Sir Phillip descobrir por que razão os filhos estavam a gritar e a derrubar a mobília, ele tê-los-ia deixado entregues à sua própria sorte. Ou, mais precisamente, tê-los-ia deixado ser um problema de outra pessoa. No fim da conversa ficara claro que o objetivo principal de Sir Phillip na vida era evitar os filhos.

Algo que Eloise não aprovava de todo.

Forçou-se a sair da cama e a levantar-se, mesmo sentindo-se exausta. Mas sempre que se deitava, sentia algo a acelerar nos pulmões, uma sensação ofegante semelhante ao terrível precursor não só de lágrimas, mas daquele soluçar violento que sacode o corpo todo. Se não se levantasse e fizesse alguma coisa, não ia ser capaz de se controlar.

E não seria capaz de se perdoar se chorasse.

Abriu a janela para trás, ignorando o céu ainda cinzento e os chuviscos. Não havia vento, portanto a chuva não devia entrar, e ela estava mesmo a precisar de um pouco de ar fresco. Uma bofetada de ar frio no rosto podia não a fazer sentir-se melhor, mas certamente não a faria sentir-se pior.

Da janela podia ver a estufa de Sir Phillip. Assumiu que era onde ele estava, uma vez que não tinha sentido a sua presença dentro de casa, nem a bater com os pés nem a berrar com os filhos. O vidro estava embaciado e só conseguia ver uma cortina indistinta de verde, as suas queridas plantas, calculou. Que tipo de homem era ele que preferia plantas a pessoas? Certamente não o tipo de pessoa capaz de apreciar uma boa conversa.

Eloise sentiu os ombros descaírem de desânimo. Passara metade da vida em busca de uma boa conversa.

Se ele era um eremita, por que motivo se tinha dado ao trabalho de lhe responder às cartas? Ele tinha-se esforçado tanto quanto ela por perpetuar a correspondência. Isto sem pensar na proposta. Se não queria companhia, não tinha nada que a ter convidado.

Respirou fundo várias vezes, inspirando o ar brumoso e forçando o corpo a endireitar-se. Não sabia o que fazer para passar o dia. Já tinha feito uma sesta; a exaustão havia rapidamente vencido a infelicidade. Mas ninguém aparecera para a informar do almoço ou de quaisquer outros planos que lhe pudessem ser atribuídos como hóspede.

Se ficasse ali, naquele quarto sem graça e cheio de correntes de ar, ia enlouquecer. Ou, no mínimo, chorar até mais não, algo que não tolerava nos outros, por isso só o pensamento de fazer tal coisa deixava-a horrorizada.

Mas não havia razão para não explorar um pouco a casa, pois não? Talvez encontrasse alguma coisa para comer. De manhã, tinha comido os quatro queques que vinham na bandeja de chá, todos com o máximo de manteiga e compota que conseguira barrar sem quebrar as regras da boa educação, mas ainda estava faminta. Ao ponto de se achar capaz de cometer um ato violento por uma sanduíche de presunto.

Mudou de roupa, colocando um vestido de musselina cor de pêssego muito bonito e feminino, mas sem exageros de folhos. E principalmente porque era fácil de vestir e de tirar, certamente um fator crítico quando se foge de casa sem criada pessoal.

Uma olhadela rápida ao espelho confirmou que estava apresentável, mesmo não sendo uma figura de beleza arrebatadora, e saiu para o corredor.

Foi imediatamente confrontada pelos gémeos Crane, que tinham todo o ar de ter estado horas à espera.

— Boa tarde — cumprimentou Eloise, esperando que eles se levantassem. — Que simpático terem vindo cumprimentar-me.

— Não viemos *cumprimentá-la* — deixou escapar Amanda, soltando um resmungo quando Oliver lhe deu uma cotovelada nas costelas.

— Ai não? — perguntou Eloise, tentando mostrar surpresa. — Então já sei: vieram buscar-me para me mostrarem o caminho até à sala de jantar! Estou com bastante fome, devo dizer.

— Não — disse Oliver, cruzando os braços.

— Também não? — ponderou Eloise. — Deixem-me adivinhar. Estão aqui para me levarem ao vosso quarto e me mostrarem os brinquedos.

— Não — responderam os dois em uníssono.

— Então deve ser para me fazerem uma visita guiada pela casa. É muito grande e eu posso perder-me.

— Não.

— Não? Não querem que eu me perca, pois não?

— Não — disse Amanda. — Isto é, sim!

Eloise fingiu não compreender.

— Querem que eu me perca?

Amanda assentiu com a cabeça. Oliver limitou-se a cruzar os braços com força e a dardejá-la com um olhar carrancudo.

— Hum… isso é interessante, mas não explica a vossa presença à porta do meu quarto, pois não? Se estiver na vossa companhia não será fácil perder-me.

Os lábios de ambos abriram-se de surpresa atónita.

— Imagino que conheçam bem a vossa casa, ou estou enganada?

— É claro — resmungou Oliver, secundado pela resposta de Amanda: — Não somos nenhuns bebés.

— Vejo bem que não — disse Eloise com um aceno pensativo. — Afinal, se fossem bebés não teriam permissão para esperarem à porta do meu quarto. Estariam muito ocupados com fraldas, biberões e afins.

Eles não tinham nada a acrescentar.

— O vosso pai sabe que estão aqui?

— Ele está ocupado.

— Muito ocupado.

— Ele é um homem muito ocupado.

— Ocupado de mais para *si*.

Eloise viu e ouviu com interesse os gémeos a dispararem argumentos em catadupa, atropelando-se um ao outro para demonstrar como Sir Phillip era uma pessoa ocupada.

– Então o que me estão a dizer é que o vosso pai está ocupado – concluiu Eloise.

Eles ficaram a olhar para ela, momentaneamente aturdidos pela releitura calma dos factos, e depois assentiram.

– Mas isso ainda não explica a vossa presença – refletiu Eloise. – Porque não acho que tenha sido o vosso pai a mandar-vos aqui em vez dele... – Esperou até que eles abanassem a cabeça negando e acrescentou: – A não ser que... já sei! – exclamou com voz entusiástica, permitindo-se um sorriso mental pela sua esperteza. Afinal tinha nove sobrinhos e sobrinhas e sabia *exatamente* como falar com crianças. – Vieram aqui dizer-me que têm poderes mágicos e que conseguem prever o tempo.

– Não – responderam eles, mas Eloise ouviu uma risadinha.

– Não? Que pena, porque esta chuva miudinha é muito chata, não acham?

– Não – afirmou Amanda com vigor. – O pai gosta de chuva e nós também.

– Ele gosta de chuva? – perguntou Eloise muito espantada. – Que estranho.

– Não, não é – respondeu Oliver, assumindo uma postura defensiva. – O meu pai não é estranho. Ele é perfeito. Não diga mal dele.

– Eu não disse – respondeu Eloise, perguntando-se sobre o que se estaria a passar. A princípio pensara apenas que os gémeos tinham vindo para a assustar. Talvez tivessem ouvido que o pai estava a pensar casar-se com ela e não queriam uma madrasta, especialmente tendo em conta as histórias que Eloise ouvira da criada sobre a sucessão de pobres precetoras maltratadas que não chegavam a aquecer o lugar.

Mas se isso fosse a verdade pura e simples, não quereriam eles que ela pensasse que Sir Phillip não era boa pessoa? Se eles queriam que ela se fosse embora, não tentariam convencê-la de que ele seria um péssimo candidato ao casamento?

– Garanto que não guardo nenhuma animosidade em relação a qualquer um de vós – afirmou Eloise. – Na verdade, eu mal conheço o vosso pai.

– Se fizer o pai ficar triste, eu juro que… que…

Eloise observou o rosto do pobre menino enrubescer de frustração ao esforçar-se por encontrar as palavras e a coragem. Com todo o cuidado e subtileza, acocorou-se ao lado dele até os rostos de ambos ficarem ao mesmo nível e disse:

– Oliver, eu prometo que não estou aqui para fazer o teu pai ficar triste. – Como ele não respondeu, virou-se para a irmã gémea e perguntou: – Amanda?

– Tem de se ir embora – declarou Amanda, os braços cruzados com tanta força que o rostinho estava a ficar corado. – Não a queremos aqui.

– Bem, eu não vou a parte nenhuma durante, pelo menos, uma semana – anunciou Eloise, mantendo a voz firme.

As crianças precisavam de compreensão e, provavelmente, de uma boa dose de amor, mas precisavam também de um pouco de disciplina e de ter uma ideia clara de quem mandava.

E então, do nada, Oliver lançou-se para a frente e empurrou-a com toda a força, as duas mãos contra o seu peito.

O equilíbrio de Eloise era precário, assim agachada e apoiada nas pontas dos pés. Ela tombou para trás, caindo com deselegância de rabo no chão e quase dando uma cambalhota, de tal forma que os gémeos certamente tinham tido uma boa visão dos seus saiotes.

– Ora, ora! – exclamou, levantando-se, cruzando os braços e fitando-os com firmeza de cima para baixo.

Ambos haviam recuado vários passos e olhavam-na com uma mistura de satisfação e horror, como se não pudessem acreditar que um deles tinha tido a coragem de a empurrar.

– Isso – continuou Eloise – era escusado.

– Vai bater-nos? – perguntou Oliver.

O tom era desafiador, mas com um toque de medo, como se já alguém lhes *tivesse* batido.

– Claro que não – disse Eloise muito depressa. – Não se bate nas crianças. Aliás, não se deve bater em ninguém.

Exceto em pessoas que batem em crianças, acrescentou para si mesma.

Eles pareceram um pouco aliviados.

– No entanto, devo lembrar que me bateste primeiro – prosseguiu Eloise.

– Foi só um empurrão – corrigiu ele.

Ela permitiu-se um pequeno queixume. Já devia estar à espera daquilo.

– Se não queres que te batam, deves praticar a mesma filosofia.

– A Regra de Ouro – disse Amanda muito alto.

– Exatamente – concordou Eloise com um largo sorriso. Duvidava que tivesse conseguido mudar o rumo das suas vidas com aquela pequena lição, mas ainda assim era bom ter a esperança de que algo dito por ela os pusera a pensar.

– Mas isso não quer dizer que devia ir para casa? – perguntou Amanda, pensativa.

Eloise sentiu o seu pequeno momento de euforia desfazer-se em pó e tentou imaginar o salto de lógica em que Amanda estava prestes a embarcar para explicar a razão pela qual Eloise deveria ser banida para todo o sempre.

– Nós estamos em nossa casa – começou Amanda, num tom extremamente arrogante para uma criança de oito anos. Ou talvez arrogante como *só* uma criança de oito anos consegue ser. – Logo, também devia ir para sua casa.

– Não é assim que funciona – disse Eloise, brusca.

– É, sim – contrapôs Amanda com um ligeiro aceno presunçoso. – Não faças aos outros aquilo que não queres que te façam a ti. *Nós* não fomos para sua casa, portanto não devia ter vindo para a nossa.

– És muito inteligente, sabias? – perguntou Eloise.

Amanda parecia querer concordar, mas era óbvio que a desconfiança do elogio súbito de Eloise era demasiada para o aceitar.

Eloise baixou-se para que ficassem cara a cara, os três.

– Mas eu – disse-lhes ela em tom sério e ligeiramente desafiador – também sou muito inteligente.

Eles fitaram-na de olhos arregalados e boca aberta, avaliando aquela pessoa tão diferente de qualquer outro adulto que conheciam.

– Estamos entendidos? – perguntou Eloise, endireitando as costas e alisando a saia som as mãos de maneira enganosamente casual.

Eles não disseram nada, então ela decidiu responder por eles.

– Ainda bem. E agora, gostariam de me mostrar onde é a sala de jantar? Estou faminta.

– Temos aulas – disse Oliver.

– Ai sim? – indagou Eloise, arqueando as sobrancelhas. – Que interessante. Então devem voltar já para lá. Imagino que estejam muito atrasados nas lições por terem desperdiçado tanto tempo a esperar à minha porta.

– Como é que sabe... – começou Amanda, mas foi interrompida por uma cotovelada de Oliver.

– Eu tenho sete irmãos e irmãs – respondeu Eloise, decidindo que a pergunta de Amanda merecia uma resposta, mesmo que o irmão não a tivesse deixado terminar a frase. – Nesse tipo de guerra não há muito que eu não saiba.

Mas enquanto via os gémeos desaparecerem a correr pelo corredor, Eloise deixou-se ficar a morder o lábio inferior, apreensiva. Tinha a sensação de que não deveria ter terminado a conversa assim. Praticamente desafiara Oliver e Amanda a encontrarem uma maneira de a expulsar daquela casa.

E embora tivesse a certeza de que não teriam sucesso (afinal ela era uma Bridgerton e feita de um material mais resistente do que aqueles dois podiam imaginar), tinha a sensação de que eles iriam empenhar cada fibra do seu ser nessa tarefa.

Eloise estremeceu. Enguias na cama, o cabelo a escorrer tinta, compota nas cadeiras. Já sofrera tudo isso a dada altura da sua vida e não tinha vontade nenhuma de repetir, muito menos vindo de dois miúdos vinte anos mais novos do que ela.

Suspirou, pensando naquilo em que se tinha metido. O melhor era ir ter com Sir Phillip e procurar decidir se uma relação entre os dois era possível ou não. Porque se realmente estava de partida daí a uma semana ou duas, para nunca mais pôr a vista em cima da família Crane, talvez preferisse não correr o risco de passar pela provação de ratos e aranhas e sal no açucareiro.

O estômago roncou. Se era por ter pensado em sal ou açúcar, Eloise não sabia. Mas estava na hora de encontrar algo para comer. E quanto mais cedo melhor, antes de os gémeos terem a oportunidade de descobrir como lhe envenenar a comida.

Phillip sabia que cometera um erro grave. Mas, caramba, a maldita mulher nem sequer o avisara. Se pelo menos ela o tivesse alertado da sua chegada, podia ter-se preparado, pensado em alguma coisa poética para dizer. Será que ela realmente achava que ele escrevera todas aquelas cartas sem trabalhar cada palavra? Nunca enviara o primeiro rascunho das suas missivas (embora escrevesse sempre no melhor papel, na esperança de ser daquela vez que conseguiria acertar à primeira tentativa).

Maldição! Se ela o tivesse avisado, podia até ter ganhado coragem para um ou outro gesto romântico. Flores teria sido bom e Deus sabia que se havia coisa de que ele percebia era de flores.

Mas, em vez disso, ela simplesmente aparecera diante dele como se conjurada de um sonho e ele estragara tudo.

E não ajudara nada Miss Eloise Bridgerton *não* ser o que ele esperava.

Pelo amor de Deus, ela era uma solteirona de vinte e oito anos. Devia ser feia. Com cara de cavalo, até. Mas não, ela era…

Bem, Phillip não sabia exatamente como a descrever. Não era propriamente bonita, mas ainda assim impressionante, com um cabelo castanho espesso e uns olhos do mais límpido e puro cinzento. Era o tipo de mulher cujas expressões a tornavam linda. Havia inteligência naqueles olhos, curiosidade na forma como inclinava a cabeça. As feições era únicas, quase exóticas, o rosto em forma de coração e o sorriso amplo.

Não que lhe tivesse visto muito do sorriso porque o seu charme nada lendário se tinha encarregado disso.

Enfiou as mãos num monte de terra húmida tirando alguma para um pequeno vaso de barro e deixando-a solta para obter o enraizamento ideal. Que diabo ia fazer agora? Tinha depositado muitas esperanças na sua miragem de Miss Eloise Bridgerton, com base nas cartas que ela lhe enviara ao longo do último ano. Não tinha tempo (nem inclinação) para cortejar uma futura mãe para os gémeos, por isso parecera-lhe perfeito (para não falar quase fácil) conquistá-la através de cartas.

Certamente uma mulher solteira a aproximar-se rapidamente dos trinta ficaria contente por receber uma proposta de casamento. Não esperava que ela aceitasse sem se encontrar com ele, é claro, e também não estava preparado para se comprometer formalmente sem a conhecer pessoalmente. Mas *esperara*, sim, que ela fosse alguém pelo menos um bocadinho desesperada por um marido.

Todavia, ela chegara toda jovem e bonita e inteligente e cheia de autoconfiança e... meu Deus, mas *porque* é que uma mulher assim quereria casar-se com alguém que nem conhecia? Já para não falar em ligar-se a uma propriedade que só podia ser considerada rural no canto mais distante do Gloucestershire. Phillip podia não perceber nada de moda, mas até ele via que as roupas dela eram bem confecionadas e muito provavelmente da última moda. Ela esperaria viagens a Londres, uma vida social ativa e amigos.

Nada que fosse encontrar ali em Romney Hall.

Parecia quase inútil tentar conhecê-la melhor. Ela não ia ficar, e ele seria um louco se alimentasse esperanças.

Soltou um resmungo e ainda não satisfeito, praguejou. Agora ia ter de cortejar outra mulher. Maldição! Agora ia ter de *encontrar* outra mulher para cortejar, o que ia ser quase tão difícil. Ninguém na região sequer olhava para ele. Todas as senhoras solteiras conheciam a reputação dos gémeos e nenhuma estaria disposta a assumir a responsabilidade dos dois diabretes.

Tinha depositado todas as esperanças em Miss Bridgerton e agora parecia que ia ter de desistir dela também.

Pousou o vaso com demasiada força numa prateleira, estremecendo com o eco que ressoou pela estufa.

Suspirou alto, enfiando as mãos cobertas de lama num balde de água já suja para as lavar. Tinha sido rude de manhã. Ainda estava irritado por ela ter aparecido de surpresa, fazendo-o perder tempo; e se ainda não o tinha feito perder tempo, estava quase certo que não *demoraria* muito, já que não era provável que ela se fosse embora ainda hoje.

Mas isso não desculpava o comportamento dele. Não era culpa dela se ele não era capaz de lidar com os próprios filhos e certamente não era culpa dela que aquela incapacidade o pusesse sempre de mau humor.

Limpando as mãos a uma toalha que mantinha ao lado da porta, saiu para a chuva e regressou a casa. Devia ser hora de almoço e não faria mal a ninguém sentar-se com ela à mesa e ter uma conversa educada.

Além disso, ela estava *ali*. Depois de tanto esforço que pusera nas cartas, parecia tolice não ver se, pelo menos, eram capazes de construir uma relação suficientemente boa para um casamento. Só um idiota a mandaria recambiada, ou a deixaria ir-se embora, sem sequer averiguar se conseguiriam entender-se.

Era improvável que ela quisesse ficar, mas não impossível, pensou, e ele podia, pelo menos, tentar.

Atravessou a chuva miudinha e nebulosa e entrou em casa, limpando os pés no tapete que a governanta lhe deixava sempre do lado de fora, junto à entrada lateral. Estava num estado deplorável, aliás como sempre ficava depois de trabalhar na estufa; os criados estavam habituados a vê-lo assim, mas supôs que deveria lavar-se antes de ir ter com Miss Bridgerton e convidá-la para almoçar. Ela era de Londres e certamente desaprovaria sentar-se à mesa com um homem que não estivesse perfeitamente aprumado.

Atalhou pela cozinha, acenando cordialmente a uma criada que lavava cenouras numa bacia de água. As escadas de serviço ficavam logo depois da outra porta da cozinha e...

– Miss Bridgerton! – exclamou ele com surpresa.

Ela estava sentada à mesa da cozinha, a meio de uma grande sanduíche de presunto e parecia estar completamente em casa sentada num banquinho.

– O que está aqui a fazer?

– Sir Phillip – cumprimentou ela, dirigindo-lhe um aceno de cabeça.

– Não tem de comer na cozinha – disse ele, repreendendo-a pela simples razão de não estar onde ele esperava.

Por isso e por ele ter realmente a intenção de mudar de roupa para o almoço – algo com que normalmente nem se incomodaria – só por causa dela, e mesmo assim ela acabara por o apanhar naquele estado de desalinho.

– Eu sei – respondeu ela, inclinando a cabeça e piscando aqueles olhos cinzentos devastadores. – Mas eu estava à procura de comida e de companhia e este pareceu-me o melhor lugar para encontrar ambos.

Seria um insulto? Não tinha a certeza e os olhos dela pareciam inocentes, por isso decidiu ignorar, dizendo:

– Eu ia agora trocar esta roupa por outra mais limpa e convidá-la para almoçar comigo.

– Terei todo o prazer em passar para a sala de pequeno-almoço e terminar a minha sanduíche lá, se quiser juntar-se a mim – disse Eloise. – Tenho a certeza de que Mrs. Smith não se importa de fazer outra sanduíche para si. Esta está deliciosa. – Olhou para a cozinheira. – Mrs. Smith?

– Com certeza, Miss Bridgerton – respondeu a cozinheira, deixando Phillip quase boquiaberto. Era o tom de voz mais afável que já tinha ouvido emergir daqueles lábios.

Eloise soergueu-se do banquinho e pegou no prato.

– Vamos? – disse ela a Phillip. – Não tenho qualquer objeção à sua indumentária.

Antes sequer de se aperceber que não tinha concordado com o plano dela, Phillip viu-se na sala de pequeno-almoço, sentado em frente a ela, na pequena mesa redonda que usava com muito mais frequência do que a comprida e solitária da sala de jantar formal. Uma criada tinha levado o serviço de chá, e Miss Bridgerton, depois de lhe perguntar se queria chá, preparou-lhe uma chávena com toda a perícia.

Era uma sensação inquietante, aquela. Ela tinha-o habilmente manipulado para servir os seus intentos e de repente já não importava que a *intenção* dele tivesse sido convidá-la para almoçar desta mesma maneira. Queria pensar que, pelo menos simbolicamente, era ele quem mandava na sua própria casa.

– Estive há pouco com os seus filhos – disse Miss Bridgerton, levando a chávena aos lábios.

– Sim, eu estava lá – respondeu ele, satisfeito por ela ter tido a iniciativa da conversa; assim já não precisava.

– Não – corrigiu ela –, depois disso.

Ele ergueu uns olhos interrogativos.

– Eles estavam à minha espera – explicou ela – à porta do meu quarto.

Uma sensação terrível começou a agitar e a revolver-lhe o estômago. À espera dela com o quê? Um saco de rãs vivas? Um saco de rãs *mortas*? Os filhos não eram nada simpáticos com as precetoras e calculava que não seriam muito mais caridosos com uma hóspede que, obviamente, chegara para ocupar o papel de potencial madrasta.

Ele tossiu.

– Calculo que tenha sobrevivido ao encontro?

– Oh, sim! – respondeu ela. – Chegámos a uma espécie de entendimento.

– Um entendimento? – Olhou-a com cautela. – De que espécie?

Ela afastou a pergunta com um gesto enquanto mastigava a comida. – Não precisa de se preocupar comigo.

– E com os meus filhos, preciso?

Ela olhou-o com um sorriso inescrutável.

– Claro que não.

– Muito bem.

Ele olhou para a sanduíche que acabara de lhe ser posta na frente e deu uma boa mordidela. Depois de engolir, fitou-a diretamente nos olhos e disse:

– Devo pedir desculpa pela forma como a recebi esta manhã. Fui muito pouco atencioso.

Ela ofereceu-lhe um aceno régio de cabeça.

– E eu peço desculpa por chegar sem aviso prévio. Foi muito mal-educado da minha parte.

Ele retribuiu com outro aceno de cabeça.

– Porém, pediu desculpa por isso, esta manhã, ao passo que eu não o fiz.

Eloise ofereceu-lhe um sorriso, genuíno, e Phillip sentiu o coração falhar uma batida. Meu Deus, quando ela sorria todo o rosto se transformava. Durante todo aquele tempo em que se correspondera com ela, nunca sonhara que ela o pudesse deixar sem fôlego.

– Obrigada – murmurou ela, o rosto corando ao de leve. – Foi muito atencioso da sua parte.

Phillip pigarreou e mexeu-se, inquieto, na cadeira. O que se passaria com ele, já que os sorrisos dela o deixavam menos confortáveis do que as carrancas?

– Certo – disse ele, tossindo mais uma vez para disfarçar a rouquidão da voz. – Agora que já tratamos desse assunto, talvez devêssemos falar sobre o motivo da sua vinda.

Eloise pousou a sanduíche e olhou-o com surpresa evidente. Não esperara que ele fosse tão direto.

– Mostrou interesse em casamento – disse ela.

– E a senhora? – devolveu ele.

– Eu estou aqui – respondeu ela simplesmente.

Ele olhou-a com ar avaliador, os olhos perscrutadores até ela se contorcer na cadeira.

– Não é a pessoa que eu esperava, Miss Bridgerton.

– Dadas as circunstâncias, não acho inapropriado que me trate pelo nome próprio – disse ela – e o senhor também não é a pessoa que eu esperava.

Phillip recostou-se na cadeira, olhando-a com um vago sorriso a bailar-lhe nos lábios.

– O que esperava, então?

– Isso pergunto *eu*! – respondeu ela.

No olhar que ele lhe lançou era evidente que tinha notado a fuga dela à pergunta e depois disse sem rodeios:

– Não esperava que fosse tão bonita.

Eloise sentiu um ligeiro baque com aquele elogio inesperado. Não estava no seu melhor naquela manhã, e mesmo se estivesse, bem, nunca tinha sido considerada uma grande beleza na alta sociedade. As mulheres Bridgerton eram geralmente consideradas atraentes, cheias de vivacidade e de personalidade agradável. Ela e as irmãs eram populares e todas receberam mais do que uma proposta de casamento, mas os homens pareciam gostar delas porque *gostavam* delas, não porque ficavam mudos pela sua beleza.

– Eu… há… – Sentiu-se ruborizar, o que a deixou envergonhada, e isto, por sua vez, fê-la corar ainda mais. – Obrigada.

Phillip assentiu com elegância.

– Não percebo por que razão a minha aparência tenha sido uma surpresa para si – disse Eloise, muito aborrecida consigo mesma pela reação tão forte à lisonja dele. Céus, até parecia que nunca recebera um elogio antes. Mas ele estava ali sentado, a *olhar* para ela. A olhá-la, a fixá-la e…

Estremeceu.

Não era por causa das correntes de ar, porque não as havia. Seria possível arrepiar-se por sentir muito… *calor*?

– Disse-me nas cartas que era uma solteirona – disse ele. – Deve haver alguma razão para nunca se ter casado.

– Não foi por falta de propostas – sentiu-se forçada a dizer.

– Obviamente que não – concordou Phillip, inclinando a cabeça na direção dela como um gesto de elogio. – Mas confesso sentir uma certa curiosidade em saber porque é que uma mulher como Miss Bridgerton sentiria necessidade de recorrer a... bem... *a mim.*

Pela primeira vez desde que chegara, olhou-o com olhos de ver. Ele era bastante atraente, de um jeito um pouco rude e ligeiramente desgrenhado. O cabelo escuro estava a precisar com urgência de um bom corte e a pele mostrava sinais de um bronzeado leve, o que era impressionante, considerando o pouco sol de que desfrutavam ultimamente. Era grande e musculoso, e sentava-se na cadeira com uma certa graça descuidada e atlética, as pernas estendidas de uma forma que não seria nada aceitável numa sala de estar londrina.

E a expressão no rosto dele dizia-lhe que não queria saber que as suas maneiras não fossem *de rigueur.* Mas não era o mesmo tipo de atitude desafiadora que via tantas vezes entre os jovens da alta sociedade. Conhecera tantos homens desse tipo; os que faziam questão de desafiar as convenções só para depois estragarem o efeito ao fazerem de tudo para se certificarem de que todos sabiam como eram ousados e escandalosos.

Mas no caso de Sir Phillip era diferente. Eloise teria apostado uma boa maquia em como simplesmente nunca lhe ocorrera pensar que não estava sentado com o formalismo adequado, assim como certamente nunca lhe teria ocorrido certificar-se de que as outras pessoas sabiam do seu descaso.

Eloise perguntou-se se esse seria o indicador de uma pessoa verdadeiramente autoconfiante e assim sendo, porque precisava ele de recorrer a *ela*? Porque pelo que via, pondo de lado o jeito curto e grosso daquela manhã, ele não devia ter grande dificuldade em encontrar uma mulher para casar.

– Eu estou aqui – disse ela, finalmente, lembrando-se que ele lhe fizera uma pergunta – porque, depois de recusar *várias* propostas de casamento – sabia que uma pessoa melhor do que ela teria sido mais modesta e não se daria ao trabalho de enfatizar a palavra «várias», mas simplesmente não conseguiu evitar –, descobri que ainda quero um marido. As suas cartas pareciam indicar que podia ser um bom candidato e cheguei à conclusão de que seria um pouco tacanho da minha parte não me encontrar consigo e descobrir se era realmente verdade.

Ele concordou com um aceno de cabeça.

– Uma atitude muito pragmática da sua parte.

– E o senhor? – perguntou ela. – Foi quem teve a iniciativa de introduzir o assunto casamento. Porque não procurou uma mulher aqui da região?

Durante uns instantes ele não fez nada exceto pestanejar, olhando para ela como se não pudesse acreditar que não tivesse percebido a razão sozinha. Finalmente, respondeu:

– Conheceu os meus filhos.

Eloise quase se engasgou com o pedaço de sanduíche que começara a mastigar.

– Desculpe?

– Os meus filhos – disse ele, sem rodeios. – Esteve com eles. Duas vezes, julgo eu. Segundo me disse.

– Sim, mas o que... – Sentiu os olhos arregalarem-se. – Oh, não! Não me diga que eles afugentaram todas as potenciais mulheres da região?

O olhar que ele lhe lançou era sombrio.

– A maioria das mulheres da região recusa-se sequer a ter o estatuto de potencial.

– Eles não são assim tão maus – brincou ela.

– Precisam de uma mãe – disse ele com toda a franqueza.

Eloise ergueu as sobrancelhas.

– Certamente será capaz de encontrar uma maneira mais romântica de me convencer a ser sua mulher.

Ele suspirou, passando a mão pelo cabelo já despenteado.

– Miss Bridgerton – começou, corrigindo logo depois – Eloise. Vou ser honesto consigo. A verdade é que não tenho nem a energia nem a paciência para grandes palavras românticas ou histórias habilmente construídas. Eu preciso de uma mulher. Os meus filhos precisam de uma mãe. Convidei-a a vir cá para ver se estaria disposta a assumir esse papel, e claro, também para ver se nos daríamos bem.

– Qual delas? – perguntou ela num sussurro.

Ele cerrou os punhos, os nós dos dedos a roçar a toalha de mesa. Qual era o problema das mulheres? Será que falavam em *código*?

– Qual delas... como? – perguntou, enrubescendo de impaciência.

– Qual delas quer – esclareceu Eloise, a voz ainda suave. – A mulher ou a mãe?

– Ambas. Imaginei que seria óbvio.

– Qual delas quer *mais*?

Phillip fitou-a por um longo tempo, consciente de ser uma pergunta importante e que, muito possivelmente, poderia sinalizar o fim daquele namoro invulgar. Por fim, limitou-se a dirigir-lhe um encolher de ombros impotente e disse:

– Peço desculpa, mas não consigo separá-las.

Ela assentiu com a cabeça, a expressão grave.

– Percebo – murmurou. – Imagino que tenha razão.

Phillip soltou um longo suspiro, que nem sabia estar a suster. Sem saber como, só Deus o saberia, dera a resposta certa.

Eloise mexeu-se ligeiramente na cadeira e fez um gesto para pegar na sanduíche meio comida que estava no prato.

– Vamos continuar a nossa refeição? – sugeriu. – Esteve na estufa toda a manhã. Tenho a certeza de que deve estar cheio de fome.

Phillip assentiu e deu uma dentada na sanduíche, subitamente sentindo-se bastante satisfeito com a vida. Ainda não tinha a certeza se Miss Bridgerton iria aceitar tornar-se Lady Crane, mas se sim...

Bem, ele não tinha nada contra.

Mas cortejá-la não ia ser tão fácil como previra. Era-lhe óbvio que precisava mais dela do que o contrário. Contara que ela fosse uma solteirona desesperada, o que claramente não era o caso, apesar da idade já avançada. Suspeitava que Miss Bridgerton tinha uma série de opções na vida, das quais ele era apenas uma.

Mas ainda assim, alguma coisa a fizera sair de casa e viajar até ao Gloucestershire. Se a vida dela em Londres era tão perfeita, então porque é que lhe tinha virado as costas?

Ao observá-la do outro lado da mesa, o rosto a transmutar-se com um simples sorriso, percebeu que não queria saber qual a razão que a fizera sair.

Só precisava de se certificar que ela ficava.

CAPÍTULO 4

...fiquei triste ao saber que a Caroline está com cólicas e a dar-te preocupações. E é claro que é lamentável que nem a Amelia nem a Belinda respeitem docilmente a chegada da irmã. Mas deves ver o lado bom, querida Daphne. Tudo teria sido muito mais difícil se tivesses tido gémeos.

De Eloise Bridgerton para a irmã,
a Duquesa de Hastings,
um mês após o nascimento
do terceiro filho de Daphne

Phillip atravessou o átrio principal em direção às escadas a assobiar baixinho, extraordinariamente satisfeito com a vida. Passara grande parte da tarde na companhia de Miss Bridgerton... não, *Eloise*, recordou a si mesmo, e estava agora convencido de que ela daria uma excelente esposa. Era muito inteligente e, com tantos irmãos e irmãs (para não falar de sobrinhos e sobrinhas) de que lhe falara, com certeza saberia dar a volta a Oliver e Amanda.

Ademais era muito bonita, pensou com um sorriso guloso; apanhara-se várias vezes durante a tarde a olhar para ela e a pensar qual seria a sensação de tê-la nos braços e se ela corresponderia ao seu beijo.

O corpo retesou-se ao pensar nisso. Há tanto tempo que não estava com uma mulher. Há mais anos do que gostava de contar.

Para ser sincero, há mais anos do que qualquer homem gostaria de admitir.

Nunca se valera dos serviços oferecidos pelas empregadas da estalagem pública local, preferindo uma mulher mais asseada e, a bem da verdade, não tão anónima.

Ou talvez até *mais* anónimas. Não era provável que alguma daquelas empregadas abandonasse a aldeia e Phillip gostava demasiado de ir à estalagem para arruinar o seu prazer encontrando constantemente mulheres com quem certa vez se deitara, mas por quem perdera o interesse.

E antes da morte de Marina... nunca lhe passara sequer pela cabeça ser-lhe infiel, apesar de não partilharem uma cama desde que os gémeos eram ainda bem pequenos.

Ela tinha ficado bastante deprimida após o parto. Marina sempre parecera frágil e excessivamente melancólica, mas foi só depois da chegada de Oliver e Amanda que se afundara no seu mundo privado de tristeza e desespero. Fora horrível para Phillip ver a vida esvair-se por trás daqueles olhos, dia após dia, até restar apenas uma apatia fantasmagórica, uma mera sombra da mulher que um dia existira.

Ele sabia que as mulheres não podiam ter relações logo após o parto, mas mesmo depois de ela estar curada fisicamente, não se conseguia imaginar a forçar o assunto. Como conseguiria alguém sentir desejo por uma mulher que parecia sempre prestes a chorar?

Com os gémeos um pouco mais crescidos, Phillip começara a pensar (ou antes, a esperar) que Marina estivesse melhor e um dia decidiu ir visitá-la ao quarto.

Uma única vez.

Ela não o repeliu, mas também não participou no ato amoroso. Ficou ali deitada, sem fazer nada, a cabeça virada para o lado, os olhos abertos, um leve pestanejar.

Fora quase como se não estivesse lá de todo.

Saiu do quarto dela a sentir-se sujo, moralmente depravado, como se a tivesse violado, mesmo ela nunca tendo pronunciado a palavra «não».

Nunca mais lhe voltara a tocar.

O seu desejo sexual não era assim tão grande que precisasse de o saciar com uma mulher que se deixava ficar debaixo dele como um cadáver.

Além de que nunca mais se quis sentir como naquela noite derradeira. Assim que regressou ao seu quarto, prontamente esvaziou o conteúdo do estômago, o corpo tomado por tremores, com nojo de si mesmo. Portara-se como um animal, tentando desesperadamente despertar nela algum tipo, qualquer tipo de resposta. Quando tal se provara impossível, a raiva crescera dentro dele e o desejo de a punir dominou-o.

Esse sentimento aterrorizara-o.

Tinha sido muito bruto. Achava que não a tinha magoado, mas também não tinha sido meigo. Nunca mais queria ver esse lado de si mesmo vir outra vez ao de cima.

Mas Marina estava morta.

Morta.

Eloise era diferente. Não ia desatar a chorar por tudo e por nada nem trancar-se no quarto, a debicar a comida e a chorar de cabeça enterrada na almofada.

Eloise tinha personalidade. Carácter.

Eloise era *feliz.*

E esse era um excelente critério para escolher uma mulher, não?

Parou ao fundo das escadas para consultar o relógio de bolso. Havia dito a Eloise que o jantar seria às sete e que iria buscá-la à porta do quarto para a acompanhar até à sala de jantar. Não queria chegar adiantado e parecer demasiado ansioso.

Por outro lado, não era bom chegar atrasado. Não lhe traria vantagem nenhuma fazê-la pensar que não estava interessado.

Fechou o relógio com um estalido e revirou os olhos. Estava a portar-se como um garoto inexperiente. Era ridículo. Era o senhor da sua casa e um cientista brilhante. Não devia estar a contar os minutos por outra oportunidade de cair nas boas graças de uma mulher.

Mas, mesmo ao ter este pensamento, abriu o relógio para confirmar mais uma vez. Três minutos para as sete. Excelente. Tempo suficiente para subir as escadas e ir ter à porta do quarto, sobrando-lhe precisamente um minuto.

Sorriu, apreciando o arrepio quente de desejo ao imaginá-la num vestido de jantar. Esperava que fosse azul. Ela ficaria linda de azul.

O sorriso abriu-se ainda mais. Ela ficaria linda sem nada.

Só que, quando a viu, no corredor do andar de cima, à porta do quarto, o cabelo dela estava branco.

Tal como, aparentemente, tudo o resto.

Maldição!

– Oliver! – gritou. – Amanda!

– Oh, eles já fugiram há muito – disse Eloise, mordaz.

Ela lançou-lhe um olhar fulminante. Aliás, não pôde deixar de notar que os olhos eram a única parte dela que não se encontrava coberta por uma camada extremamente espessa de farinha.

Ainda bem que os fechara a tempo. Sempre admirara uma mulher de reflexos rápidos.

– Miss Bridgerton – começou ele, a mão adiantando-se para a ajudar, mas logo se retraindo ao perceber que não havia como ajudá-la. – Nem sei como começar a expressar...

– *Não* peça desculpa por eles – retorquiu ela.

– Certo – disse ele. – Claro. Mas prometo-lhe que... que vou...

As palavras sumiram-se-lhe da boca. A expressão nos olhos de Eloise teria sido suficiente para silenciar o próprio Napoleão.

– Sir Phillip – disse ela, devagar, em voz tensa, parecendo prestes a lançar-se sobre ele num frenesi de fúria. – Como pode ver, não estou pronta para o jantar.

Phillip deu um passo preventivo para trás.

– Calculo que os gémeos lhe tenham feito uma visita – disse ele.

– Oh, sim! – respondeu ela, com uma boa dose de sarcasmo. – E depois fugiram a correr. Esses pequenos covardes já estão longe e muito bem escondidos.

– Bem, não podem estar muito longe – ponderou ele, permitindo-lhe o insulto bem merecido aos filhos enquanto procurava manter a conversa normal, como se ela não fosse uma aparição fantasmagórica hedionda.

De alguma forma, parecia-lhe a melhor atitude a tomar. Ou, pelo menos, a menos provável de resultar nas mãos dela a fecharem-se à volta do pescoço dele.

– Logicamente, eles vão querer ver o resultado – disse ele, dando mais um passo discreto para trás no momento em que ela tossiu, projetando uma nuvem rodopiante de farinha. – Ouviu porventura risadas quando a farinha caiu? Casquinadas, talvez?

Ela ficou a olhar para ele.

– Certo. – Phillip encolheu-se um pouco. – Peço desculpa. Foi uma piada estúpida.

– Era difícil – começou Eloise a responder, em voz tão tensa que ele se perguntou se o maxilar seria capaz de partir – ouvir outra coisa que não o som do balde a bater-me na cabeça.

– Maldição! – resmungou baixinho e, seguindo a direção dos olhos dela, viu um grande balde de metal, tombado no tapete e contendo ainda alguma farinha. – Magoou-se?

Ela abanou a cabeça.

Ele estendeu a mão e tomou a cabeça dela entre as mãos, procurando-lhe na pele galos ou contusões.

– Sir Phillip! – exclamou ela, tentando esquivar-se. – Devo pedir-lhe que…

– Esteja quieta – ordenou ele, deslizando os polegares pelas têmporas dela, à procura de vergões.

Era um gesto íntimo, que Phillip achou estranhamente satisfatório. Eloise parecia ter a altura certa ao seu lado e se estivesse limpa, talvez não tivesse sido capaz de evitar inclinar-se e depositar-lhe um beijo suave na testa.

– Eu estou bem – praticamente grunhiu, libertando-se. – A farinha pesava mais do que o balde.

Phillip baixou-se e endireitou o balde, testando-lhe o peso. Era bastante leve e não devia ter causado grande dano, mas, ainda assim, não era o género de coisa com a qual se queria ser atingido na cabeça.

– Vou sobreviver, garanto – resmoneou ela.

Ele aclarou a garganta.

– Suponho que queira tomar um banho?

Pareceu-lhe ouvi-la dizer: «Suponho que o que quero é aqueles dois pequenos patifes pendurados por uma corda», mas as palavras saíram em voz baixa, e só porque seria isso o que ele teria dito, não queria dizer que *ela* tivesse a mesma tendência impiedosa.

– Vou mandar preparar-lhe um – disse ele muito depressa.

– Não se incomode. A água do meu último banho ainda está na banheira.

Phillip retraiu-se. O sentido de oportunidade dos filhos não poderia ter sido mais perfeito.

– Mesmo assim – disse às pressas –, vou pedir para que tragam mais uns baldes de água quente.

Ele retraiu-se novamente perante o olhar fixo dela. Má escolha de palavras.

– Vou já tratar disso – acrescentou.

– Sim, faça isso – respondeu, tensa.

Ele atravessou o corredor a passos largos para dar a ordem a uma das criadas, só que, assim que virou a esquina, viu uma meia dúzia de criados de boca aberta a olhar para eles, já tendo mesmo feito apostas sobre quanto tempo os gémeos conseguiriam manter-se até Phillip lhes chegar a roupa ao pelo.

Depois de os mandar embora dali com instruções para preparar um novo banho imediatamente, voltou para junto de Eloise. Ele também já estava sujo de farinha, por isso não viu mal nenhum em pegar-lhe na mão.

— Peço imensa desculpa — murmurou, tentando não desatar a rir.

A sua primeira reação fora a fúria, mas agora… bem, ela estava com um ar bastante ridículo.

Eloise olhou-o, sentindo claramente a mudança de humor.

Phillip rapidamente assumiu um semblante mais sóbrio.

— Talvez seja melhor voltar para o seu quarto? — sugeriu.

— E sento-me onde? — retorquiu ela.

Tinha uma certa razão. O mais provável era que qualquer coisa em que tocasse ficasse arruinada, ou, no mínimo, necessitasse de uma limpeza exaustiva.

— Então fico aqui a fazer-lhe companhia — disse ele, tentando soar prazenteiro.

Ela dirigiu-lhe um olhar que nada tinha de divertido.

— Certo — disse Phillip, numa tentativa de preencher o silêncio com um tema diferente de farinha. Olhou de soslaio para o cimo da porta, impressionado com a obra dos gémeos, apesar do resultado infeliz. — Como será que o fizeram? — indagou.

Eloise abriu a boca de espanto.

— Será que isso importa?

— Bem… — começou ele, percebendo pela expressão dela que não era a direção mais aconselhável da conversa, mas ainda assim insistiu: — Certamente não posso desculpar o que eles fizeram, mas tenho de reconhecer que foram muito engenhosos. Não vejo onde é que prenderam o balde e…

— Pousaram-no no cimo da porta.

— Como?!

— Eu tenho sete irmãos e irmãs — explicou ela com indiferença. — Acha que é a primeira vez que vejo esta partida? Eles abriram a porta, uma fresta apenas, e pousaram o balde com todo o cuidado.

— E não os ouviu?

Ela ficou a olhar para ele.

— Certo — apressou-se Phillip a dizer. — Estava no banho.

— Espero que não esteja a tentar dizer que a culpa foi minha por não os ter ouvido — disse Eloise em tom altivo.

— Claro que não — respondeu ele muito depressa.

A julgar pelo brilho assassino nos olhos de Miss Bridgerton, poucas dúvidas lhe restavam de que a sua saúde e bem-estar dependiam diretamente da rapidez com que concordasse com ela.

— Talvez seja melhor eu deixá-la para...

Haveria alguma maneira boa de descrever o processo de remover vários quilos de farinha de uma pessoa?

— Vê-la-ei ao jantar? — perguntou, decidindo que estava mais do que na hora de mudar de assunto.

Eloise respondeu com um breve aceno de cabeça. Não havia grande afabilidade naquele aceno, mas Phillip concluiu que devia dar-se por contente por ela não ter decidido ir-se embora imediatamente.

— Vou dar ordens à cozinheira para manter o jantar quente — disse ele. — E vou tratar de castigar os gémeos.

— Não — pediu ela, fazendo-o estacar. — Deixe-os comigo.

Ele virou-se lentamente, um pouco preocupado com o tom daquela voz.

— O que pretende exatamente fazer com eles?

— Com eles ou *a* eles?

Phillip nunca pensara que chegaria o dia de ter medo de uma mulher, mas, Deus era sua testemunha, Eloise Bridgerton assustava-o a sério.

O brilho naqueles olhos era realmente diabólico.

— Miss Bridgerton — disse ele, cruzando os braços —, peço desculpa, mas tenho de perguntar: o que pretende fazer aos meus filhos?

— Estou a pesar as minhas opções.

Ele ponderou aquela afirmação.

— Posso contar que eles ainda estejam vivos amanhã de manhã?

— Oh, sim! — respondeu Eloise. — Vivos e com todos os membros intactos, garanto-lhe.

Phillip fitou-a alguns instantes e depois deixou os lábios abrirem-se num sorriso lento e satisfeito. Tinha a impressão de que a vingança de Eloise Bridgerton, qualquer que ela fosse, seria exatamente o que os filhos precisavam. Com certeza alguém com sete irmãos saberia como causar estragos da maneira mais astuta, dissimulada e engenhosa.

– Muito bem, Miss Bridgerton – declarou ele, quase contente pelos filhos terem despejado um balde de farinha sobre ela –, deixo-os nas suas mãos.

Uma hora mais tarde, logo depois de ele e Eloise se sentarem para jantar, a gritaria começou.

Phillip até deixou cair a colher; os gritos de Amanda possuíam um tom mais amedrontado do que o habitual.

Eloise nem sequer interrompeu o movimento de levar a colher de sopa de tartaruga aos lábios.

– Ela está bem – murmurou, limpando delicadamente a boca com o guardanapo.

O rápido matraquear de pezinhos retumbou acima deles, indicando que Amanda corria em direção às escadas.

Phillip soergueu-se na cadeira.

– Talvez eu deva...

– Eu pus um peixe na cama dela – anunciou Miss Bridgerton, não propriamente sorridente, mas ainda assim com um ar muito satisfeito.

– Um peixe? – repetiu ele.

– Muito bem, foi um peixe bastante grande.

O girino que tinha em mente rapidamente se transformou num tubarão cheio de dentes afiados e ele sentiu-se subitamente sem ar.

– Hum... onde é que arranjou o peixe? – não pôde deixar de perguntar.

– Foi Mrs. Smith – explicou ela, como se a cozinheira se pusesse a distribuir enormes trutas todos os dias.

Obrigou-se a sentar. Não ia a correr salvar Amanda. Queria muito; afinal de contas, não deixava de ter aquele estranho instinto paternal e ela gritava como se o fogo do inferno já lhe tocasse os dedos dos pés.

Mas a filha tinha feito a sua cama; agora chegara a hora de se deitar na que Miss Bridgerton lhe tinha empestado. Mergulhou a colher na sopa, ergueu-a alguns centímetros e depois parou.

— E o que pôs na cama de Oliver?

— Nada.

Ele arqueou uma sobrancelha interrogativa.

— Vou mantê-lo em *suspense* — explicou ela com descontração.

Phillip dirigiu-lhe um aceno de cabeça impressionado. Ela era boa.

— Eles vão retaliar, sabe disso — disse, sentindo-se obrigado a avisá-la.

— Estarei preparada — declarou Eloise com ar despreocupado. Ergueu os olhos, encarando-o e deixando-o momentaneamente assustado com aquele olhar tão direto. — Acho que eles sabem que me convidou a vir cá com o propósito de me pedir em casamento.

— Eu nunca lhes disse nada.

— Pois não — murmurou ela —, não faria isso.

Phillip lançou-lhe um olhar incisivo, incapaz de perceber se ela o quisera insultar.

— Não sinto necessidade de manter os meus filhos informados sobre os meus assuntos pessoais.

Eloise encolheu os ombros, um movimento ligeiro e delicado que ele achou irritante.

— Miss Bridgerton, eu não preciso dos seus conselhos sobre como educar os meus filhos — afirmou.

— Eu não disse uma palavra sobre esse assunto — devolveu ela —, embora possa salientar que me parece estar algo desesperado por lhes encontrar uma mãe, o que pode ser um indicador de que *realmente* precisa de ajuda.

— Até concordar em assumir esse papel, pode guardar essas opiniões para si — rosnou ele.

Eloise fuzilou-o com um olhar gélido e voltou a atenção para a sopa. No entanto, duas colheradas depois encarou-o com ar desafiador e disse:

— Eles precisam de disciplina.

– Acha que não sei disso?

– E também precisam de amor.

– Eles têm amor – resmungou ele.

– E de atenção.

– Também a têm.

– A *sua* atenção.

Phillip podia ter consciência de estar longe de ser um pai perfeito, mas era o que faltava deixar que outra pessoa o dissesse.

– Suponho que tenha chegado à conclusão de tal estado de negligência vergonhosa nestas *doze horas* em que está cá.

Ela bufou de desdém.

– Não foram precisas doze horas para os ouvir esta manhã a pedir para que passasse uns reles minutos com eles.

– Eles não fizeram nada disso – replicou ele, mas sentiu as pontas das orelhas a aquecer, como sempre acontecia quando mentia.

Era verdade: *não* passava tempo suficiente com os filhos e sentia-se envergonhado por ela ter conseguido descobrir isso em tão pouco tempo.

– Eles praticamente imploraram para que o senhor não ficasse tão ocupado *o dia todo* – disparou ela. – Se passasse um bocadinho mais de tempo com eles…

– Não sabe nada sobre os meus filhos – sibilou ele. – E não sabe nada sobre mim.

Eloise levantou-se de rompante.

– Isso é evidente – respondeu, dirigindo-se para a porta.

– Espere – chamou ele, levantando-se. Maldição. Como tinha aquilo acontecido? Há apenas uma hora, estava convencido de que Eloise se tornaria sua mulher e agora ela estava praticamente de malas aviadas para regressar a Londres.

Soltou um suspiro frustrado. Nada tinha mais capacidade de lhe mudar o humor do que os filhos ou discutir sobre eles. Ou, para ser mais preciso, discutir as suas falhas como pai.

– Peço desculpa – disse ele, sendo sincero. Ou, pelo menos, sincero o suficiente para não querer que ela se fosse embora. – Por favor – estendeu a mão –, não vá.

— Recuso-me a ser tratada como uma imbecil.

— Se há coisa que aprendi nestas doze horas em que está cá — disse ele, repetindo propositadamente as palavras anteriores — é que não tem nada de imbecil.

Ela ficou a observá-lo uns segundos e depois pousou a mão na dele.

— Pelo menos — continuou Phillip, sem se importar se soava suplicante —, tem de ficar até a Amanda aparecer.

As sobrancelhas de Eloise arquearam-se de curiosidade.

— Certamente vai querer saborear a vitória — murmurou ele, acrescentando para si próprio: — Se fosse eu, queria.

Ela permitiu que ele a reconduzisse até à cadeira, mas só ficaram mais um minuto sozinhos pois logo Amanda entrou na sala a gritar, com a ama no seu encalço.

— Pai! — lamuriou-se Amanda, atirando-se para o colo do pai.

Phillip abraçou-a acanhadamente. Há algum tempo que não o fazia e tinha-se esquecido de como era.

— O que aconteceu? — perguntou, dando-lhe uma palmadinha nas costas.

Amanda afastou o rosto da posição em que estava, enterrado no pescoço do pai, e agitou um dedo furioso na direção de Eloise.

— *Foi ela!* — exclamou, como se estivesse a referir-se ao próprio belzebu.

— Miss Bridgerton? — perguntou Phillip.

— Ela pôs um peixe na minha cama!

— E tu despejaste-lhe farinha pela cabeça abaixo — contrapôs ele com ar severo —, por isso eu diria que estão quites.

A boquinha de Amanda escancarou-se.

— Mas é o meu pai!

— Isso é verdade.

— Devia ficar do meu lado!

— Sim, se tiveres razão.

— Foi um *peixe* — soluçou ela.

— Sim, eu sinto o cheiro. Imagino que queiras tomar um banho.

– Eu não quero tomar banho! – lamentou-se. – Quero que a castigue!

Phillip sorriu.

– Ela já é um bocadinho crescida para castigos, não achas?

Amanda ficou a olhar para Eloise, horrorizada e incrédula, até que, por fim, com o lábio inferior a tremer, disse, sufocada:

– Diga-lhe que se vá embora. *Agora!*

Phillip pousou Amanda no chão, bastante satisfeito com o progresso daquele interlúdio. Talvez fosse a presença calma de Miss Bridgerton, mas tinha a impressão de estar com mais paciência do que habitualmente. Não sentia vontade de gritar com Amanda ou de a mandar para o quarto para não ter de se aborrecer.

– Lamento muito, Amanda, mas Miss Bridgerton é minha convidada, não tua, e fica o tempo que eu quiser.

Eloise pigarreou. Muito alto.

– Ou o tempo que ela quiser ficar – emendou Phillip.

Todo o rosto de Amanda se franziu.

– O que não significa – acrescentou ele rapidamente – que possas torturá-la na tentativa de a forçares a ir-se embora.

– Mas…

– Nada de mas.

– Mas…

– O que foi que eu disse?

– Mas ela é *má*!

– Eu acho-a muito inteligente – respondeu Phillip. – Eu é que devia ter posto um peixe na tua cama há meses.

Amanda recuou horrorizada.

– Vai já para o teu quarto, Amanda.

– Mas cheira mal.

– A culpa disso é só tua.

– Mas a minha cama…

– Vais ter de dormir no chão – respondeu ele.

Com o rosto trémulo, ou melhor, com o corpo todo a tremer, ela arrastou-se até à porta.

– Mas… mas…

– Sim, Amanda? – perguntou Phillip, no que achou ser um tom incrivelmente paciente.

– Mas ela não castigou o Oliver – sussurrou a menina. – Não é justo. A farinha foi ideia dele.

Phillip ergueu as sobrancelhas.

– Bem, a ideia não foi *só* minha – insistiu Amanda –, foi dos dois.

Phillip soltou um riso abafado.

– Se fosse a ti não me preocupava com o Oliver, Amanda. Ou antes – corrigiu, usando os dedos para afagar o queixo com um ar pensativo –, ficava *muito* preocupado. Suspeito que Miss Bridgerton também tem planos para ele.

Isso pareceu deixar Amanda satisfeita, que murmurou um quase impercetível «Boa noite, pai» antes de permitir que a ama a tirasse da sala.

Phillip voltou a atenção para a sopa, sentindo-se muito satisfeito consigo mesmo. Não se lembrava da última vez que emergira de um desentendimento com um dos gémeos a sentir que tinha lidado com tudo corretamente. Depois de uma colherada de sopa e ainda a segurar a colher, olhou para Eloise e disse:

– O pobre Oliver deve estar a tremer como varas verdes.

Eloise parecia estar a esforçar-se para não rir.

– Não vai conseguir dormir.

Phillip concordou com a cabeça.

– Nem um minuto, diria eu. E tenha cuidado. Aposto que vai colocar algum tipo de armadilha à porta.

– Ah, mas eu não pretendo torturar o Oliver esta noite – disse ela com um gesto jovial da mão. – Isso seria demasiado óbvio. Prefiro o efeito surpresa.

– Sim, posso ver que sim – disse ele com uma risada.

A resposta de Eloise foi uma expressão presunçosa.

– Quase me apetece deixá-lo em perpétua agonia, só que não seria justo para com a Amanda.

Phillip estremeceu.

— Eu odeio peixe.

— Eu sei. Disse-mo numa carta.

— Ai disse?

Ela assentiu com a cabeça.

— Até estranhei que Mrs. Smith tivesse peixe cá em casa, mas suponho que os criados gostem.

Deixaram-se ficar em silêncio, mas era uma quietude confortável, de um certo companheirismo. Enquanto comiam, prato atrás de prato, e enquanto conversavam sobre tudo e nada ao mesmo tempo, Phillip pensou que o casamento talvez não devesse ser uma coisa assim tão difícil.

Com Marina sempre se sentira a andar pela casa com pezinhos de lã, sempre com medo de que ela se deixasse afundar numa das suas depressões, sempre desiludido quando ela parecia desistir da vida e quase desaparecer.

Mas talvez o casamento fosse afinal algo mais simples. Talvez devesse ser assim. Sociável. Confortável.

Não se lembrava da última vez que falara com alguém sobre os filhos ou sobre a sua educação. Esse fardo fora sempre só dele, mesmo quando Marina era viva. Ela própria tinha sido um fardo, e ele ainda se digladiava com a culpa que sentia pelo alívio de ela finalmente ter desaparecido.

Mas Eloise…

Olhou para o lado oposto da mesa, para a mulher que entrara tão inesperadamente na sua vida. O cabelo dela refulgia em tons quase vermelhos à luz bruxuleante da vela e os olhos, quando ela o apanhou a fitá-la, cintilaram de vida e uma pitada de malícia.

Phillip começava a perceber que Eloise era exatamente o que precisava. Inteligente, obstinada, mandona… não eram características que os homens geralmente procurassem numa mulher, mas Phillip estava tão desesperado por alguém capaz de viver em Romney Hall e pôr tudo no seu devido lugar… Nada estava bem, desde a casa aos filhos, passando pelo manto pesado e silencioso que parecia suspenso no ar enquanto Marina era viva e que, infelizmente, não tinha desaparecido, nem mesmo depois da sua morte.

Phillip cederia de bom grado parte do seu poder de marido a uma mulher, desde que ela fosse capaz de corrigir tudo o que estava mal. Ficaria felicíssimo em desaparecer para a estufa e deixá-la encarregar-se de tudo o resto.

Será que Eloise Bridgerton estaria disposta a assumir esse papel?

Por Deus, esperava que sim.

CAPÍTULO 5

...mãe, imploro-te, TENS de castigar a Daphne. Não é JUSTO que seja só eu a ir para a cama sem sobremesa. Ainda para mais durante uma semana. Uma semana é muito tempo. Especialmente porque foi ~~tudo~~ quase tudo ideia da Daphne.

De Eloise Bridgerton para a mãe,
deixado na mesa de cabeceira de Violet Bridgerton
quando Eloise tinha dez anos.

❧

Era estranho como tanta coisa podia mudar num só dia, pensou Eloise.

Porque naquele momento, enquanto Sir Phillip lhe fazia a visita guiada pela casa, mostrando-lhe com aparato a galeria de retratos, mas na verdade apenas prolongando o tempo juntos, ela pensava...

Afinal ele podia dar um marido perfeitamente aceitável.

Não era a maneira mais poética de formular um conceito que deveria estar repleto de romance e paixão, mas o namoro deles não era normal, e considerando que só lhe restavam dois anos para fazer trinta, Eloise não podia dar-se ao luxo de ser fantasista.

Mas, ainda assim, havia ali um quê...

À luz das velas, Sir Phillip parecia ainda mais atraente, talvez até um pouco perigoso. A superfície irregular do seu rosto parecia mais marcada, a luz bruxuleante conferindo-lhe sombras e emprestando-lhe um ar mais esculpido, quase como as estátuas que vira no Museu Britânico. Ali ao lado dele, sentindo a mão grande e possessiva encostada ao cotovelo, parecia-lhe que toda aquela presença a envolvia.

Era estranho e emocionante, e até um pouco assustador.

Mas gratificante, também. Cometera uma loucura, fugindo de casa a coberto da noite para se encontrar com um homem que nunca conhecera. Era um alívio pensar que talvez não se tivesse enganado redondamente, que talvez tivesse arriscado o seu futuro e vencido.

Nada teria sido pior do que ser obrigada a regressar furtivamente a Londres, admitir o fracasso e ter de explicar a toda a família o que tinha feito.

Não queria ter de admitir que se tinha enganado, nem a si própria nem a qualquer outra pessoa.

Mas principalmente a si mesma.

Sir Phillip provara ser uma companhia muito agradável ao jantar, mesmo não sendo tão prolixo ou conversador como aquilo a que estava acostumada.

Mas obviamente possuía um certo desportivismo que Eloise considerava essencial em qualquer marido. Aceitara, a até exprimira admiração pela tática do «peixe na cama» de Amanda. Muitos dos homens que Eloise conhecia em Londres teriam ficado escandalizados pelo facto de uma senhora de tão elevada educação pensar sequer em recorrer a tais táticas desleais.

E talvez, quem sabe, a relação entre eles pudesse dar certo. O casamento com Sir Phillip parecia um plano completamente descabido se se pusesse a pensar nisso de maneira racional, mas, no fim de contas, ele não era um *completo* estranho: há mais de um ano que trocavam correspondência.

— Este é o meu avô — declarou Phillip com suavidade, apontando para um grande retrato.

— Era muito bem-parecido — comentou Eloise, mesmo mal podendo vê-lo à luz fraca. Apontou para a imagem à direita. — Este é o seu pai?

Phillip assentiu uma vez, com brusquidão, os cantos dos lábios apertando-se.

– E onde está o seu retrato? – perguntou ela, pressentindo que ele não queria falar sobre o pai.

– Está ali.

Eloise seguiu-o até junto do retrato de um jovem Phillip de talvez doze anos, posando com alguém que só poderia ser um irmão.

O irmão mais velho.

– O que lhe aconteceu? – perguntou ela, já que era óbvio que só poderia estar morto. Se fosse vivo, Phillip não poderia ter herdado a casa ou o baronato.

– Waterloo. – Foi a resposta sucinta.

Num impulso, Eloise pousou a mão sobre a dele.

– Sinto muito.

Por um momento achou que ele não fosse dizer nada, mas, finalmente, ele disse baixinho:

– Ninguém sente mais do que eu.

– Como é que ele se chamava?

– George.

– Devia ser muito jovem quando ele morreu – comentou ela, fazendo a contagem regressiva até 1815 e as contas de cabeça.

– Vinte e um. O meu pai morreu duas semanas depois.

Eloise ficou a reflectir na informação. Ela deveria ter-se casado aos vinte e um. Todas as jovens da sua posição social já deviam estar casadas com essa idade. Seria de pensar que tal conferiria uma certa dose de maturidade, mas agora vinte e um parecia-lhe uma idade incrivelmente jovem e inexperiente, inocente, até, para se herdar um fardo pesado que nunca se pensara receber.

– A Marina era noiva dele – anunciou Phillip.

Eloise sentiu a respiração escapar-lhe ofegante dos lábios e virou-se para ele, deixando cair a mão.

– Não sabia – disse.

Ele encolheu os ombros.

– Não tem importância. Quer ver o retrato dela?

– Sim – respondeu Eloise, descobrindo que queria mesmo muito ver Marina.

Elas eram primas, embora distantes, e tinham passado muitos anos desde a última vez que se viram. Eloise lembrava-se de cabelo escuro e olhos claros, azuis, talvez, mas era tudo. Ela e Marina eram da mesma idade, por isso punham-nas juntas nas reuniões familiares, mas Eloise não se lembrava de terem muita coisa em comum. Mesmo quando eram pouco mais velhas do que Amanda e Oliver, as diferenças eram notórias. Eloise era uma criança exuberante, sempre a subir às árvores e a escorregar pelos corrimãos, sempre atrás dos irmãos mais velhos, a pedir que a deixassem participar em tudo o que faziam.

Marina era mais quieta, quase contemplativa. Eloise lembrava-se de a puxar certa vez pela mão, tentando convencê-la a ir brincar lá para fora. Mas Marina quis ficar sentada com um livro.

No entanto, Eloise reparara na página em que ela ia e ficara convencida de que Marina nunca fora além da página trinta e dois.

Talvez fosse um facto estranho para se lembrar, mas é que aos nove anos de idade achara tão surpreendente que alguém optasse por ficar dentro de casa com um livro, quando o sol brilhava lá fora, e depois nem sequer o lia. Passara o resto da visita a cochichar com a irmã, Francesca, tentando descobrir exatamente o que fazia Marina com o livro.

– Lembra-se dela? – perguntou Phillip.

– Muito pouco – respondeu Eloise, sem saber porque não quis partilhar aquela memória com ele.

E de qualquer maneira, era a verdade. Aquela era a soma das lembranças que tinha de Marina: uma semana de abril há mais de vinte anos, aos cochichos com Francesca enquanto Marina olhava para um livro.

Eloise deixou Phillip conduzi-la até ao retrato de Marina. Posara sentada, numa espécie de diva, com as saias vermelho-escuro artisticamente dispostas em volta. Uma Amanda mais novinha estava no seu colo e Oliver encontrava-se de pé ao lado, numa dessas poses que os meninos eram sempre forçados a assumir: um ar grave e severo, como se fossem adultos em miniatura.

– Ela era muito bonita – disse Eloise.

Phillip fitou a imagem da mulher já morta e, como se precisasse de uma grande força de vontade, virou a cabeça e afastou-se.

Será que ele a amara? Será que ainda a amava?

Marina deveria ter sido mulher do irmão; tudo parecia sugerir que ela fora oferecida a Phillip por obrigação.

Mas isso não queria dizer que ele não a amasse. Talvez fosse secretamente apaixonado por ela já quando estava noiva do irmão. Ou talvez se tivesse apaixonado depois de estarem casados.

Eloise olhou de soslaio para o perfil de Phillip enquanto este olhava sem ver uma pintura na parede. Havia emoção no rosto dele ao olhar para o retrato de Marina. Não sabia exatamente o que ele sentira por ela, mas estava certa de que ainda havia ali alguma coisa. Afinal, ainda só tinha passado um ano, lembrou-se. Um ano podia ser o período oficial de luto, mas não era assim tanto tempo para superar a morte de um ente querido.

Então Phillip virou-se. Os olhos encontraram os dela, que percebeu estar embasbacada a olhar para ele, hipnotizada pelos traços marcados daquele rosto. Os lábios abriram-se de surpresa e Eloise quis desviar o olhar, achando que deveria corar e gaguejar por ter sido apanhada, mas não foi capaz. Ficou ali, paralisada, sem fôlego, sentindo um calor estranho propagar-se pela pele.

Ele estava a três metros de distância, no mínimo, e a sensação era de que estavam a tocar-se.

– Eloise – sussurrou ele, ou pelo menos ela achou que sim; foi mais a visão dos lábios a formar a palavra do que o ter realmente ouvido a voz.

E então o momento perdeu-se. Talvez tivesse sido o sussurro ou o rangido de uma árvore agitada pelo vento lá fora. O certo é que Eloise foi finalmente capaz de se mexer, de pensar, e virou-se muito depressa para o retrato de Marina, fixando os olhos no rosto sereno da prima falecida.

– As crianças devem sentir a falta dela – comentou Eloise, sentindo necessidade de dizer alguma coisa, qualquer coisa que pudesse retomar a conversa e fazê-la recuperar a compostura.

Por um momento, Phillip não disse nada. E então, por fim, afirmou:

– Sim, eles sentem a falta dela há muito tempo.

Eloise achou a formulação muito estranha.

– Sei como se sentem – disse. – Eu também era muito novinha quando o meu pai morreu.

À distância, ele olhou para ela.

– Não sabia.

Ela encolheu os ombros.

– Não é algo de que fale muito. Aconteceu há muito tempo.

Phillip cruzou o espaço que os separava em passos lentos e metódicos.

– Demorou muito tempo a superar?

– Não sei se é algo que somos capazes de superar. Pelo menos, não completamente. Mas não penso nele todos os dias, se é isso que quer saber.

Eloise virou costas ao retrato de Marina; estava a olhar para ele há muito tempo e começava a sentir-se estranhamente intrusiva.

– Acho que foi mais difícil para os meus irmãos mais velhos – continuou. – Para o Anthony, que é o meu irmão mais velho e que já era um jovem quando aconteceu, foi particularmente difícil. Eles eram muito próximos. E para a minha mãe, é claro. – Olhou para ele. – Os meus pais amavam-se muito.

– Como é que a sua mãe reagiu à morte dele?

– A princípio chorou muito – respondeu Eloise. – Tenho a certeza de que não era suposto sabermos. Ela procurava sempre fazê-lo no quarto à noite, quando achava que já estávamos todos a dormir. Mas sentia uma falta terrível dele, e não deve ter sido nada fácil, com sete filhos.

– Pensei que eram oito.

– A Hyacinth ainda não tinha nascido. A minha mãe estava grávida de cerca de oito meses.

– Meu Deus. – Achou tê-lo ouvido murmurar.

«Meu Deus» era a expressão certa. Eloise não fazia ideia de como a mãe tinha conseguido aguentar.

– Foi inesperado – explicou. – Ele foi picado por uma abelha. Uma abelha! Consegue imaginar uma coisa dessas? Foi picado por uma abelha e depois… bem, não preciso de o aborrecer com pormenores. Vamos sair daqui – disse ela rapidamente. – Está demasiado escuro para vermos os retratos em condições.

Era uma mentira óbvia. Estava *realmente* muito escuro, mas para Eloise isso não tinha qualquer importância. Falar sobre a morte do pai fazia-a sentir-se sempre um bocadinho estranha e não lhe apetecia nada estar ali cercada de pinturas de pessoas mortas.

– Gostava de ver a estufa – sugeriu ela.

– Agora?

Posto daquela forma, parecia um pedido estranho.

– Amanhã, então – concordou. – Quando houver mais luz.

Os lábios de Phillip curvaram-se num leve sorriso.

– Podemos ir agora.

– Mas não vamos conseguir ver nada.

– Não vamos conseguir ver tudo – corrigiu ele –, mas há luar e podemos levar uma lanterna.

Ela lançou um olhar duvidoso pela janela.

– Está frio.

– Pode ir buscar um casaco. – Ele inclinou-se com um brilho nos olhos. – Não está com medo, pois não?

– Claro que não! – respondeu ela, sabendo que era uma provocação, mas ainda assim deixando-se levar.

Phillip arqueou uma sobrancelha de forma ainda mais provocadora.

– Devo informá-lo que sou a mulher menos covarde que irá alguma ver conhecer.

– Não tenho a mínima dúvida – murmurou ele.

— Agora está a ser paternalista.

Ele riu-se por entre dentes.

— Muito bem — disse ela com ar resoluto –, mostre-me o caminho.

— Está tão quentinho! – exclamou Eloise quando Phillip fechou a porta da estufa depois de ela entrar.

— Na verdade, costuma ser ainda mais quente – explicou. – O vidro permite que o sol aqueça o ar, mas, tirando esta manhã, os últimos dias tem sido muito nublados.

Phillip tinha o hábito de ir até à estufa durante a noite, ficando a trabalhar à luz de uma lanterna quando não conseguia dormir. Ou, antes de ficar viúvo, para se manter ocupado e evitar pensar em ir ao quarto de Marina.

Mas nunca convidara ninguém para o acompanhar à noite; até durante o dia trabalhava quase sempre sozinho. Agora via tudo pelos olhos de Eloise: a magia, na maneira como o luar nacarado lançava sombras sobre as folhas e ramagens. Durante o dia, um passeio pela estufa não era muito diferente de um passeio por qualquer zona florestal de Inglaterra, com exceção do estranho e raro feto ou da bromélia importada.

Mas agora, com o manto da noite a enganar a visão, era como se estivessem algures numa selva secreta e isolada, com magia e surpresas à espreita ao virar de cada esquina.

— O que é isto? – perguntou Eloise, espreitando para dentro de oito vasos pequenos de barro, alinhados ao longo da bancada.

Phillip pôs-se ao lado dela, absurdamente contente pela curiosidade aparentemente verdadeira. A maioria das pessoas apenas fingia interesse, ou nem se dava ao trabalho de fingir e fugia o mais depressa possível.

— É uma experiência em que tenho estado a trabalhar – disse ele –, com ervilhas.

— Do tipo que comemos?

– Sim. Estou a tentar desenvolver uma estirpe que cresça mais gorda dentro da vagem.

Ela voltou a espreitar para dentro dos vasos. Ainda não havia brotos; ele só plantara as sementes há uma semana.

– Curioso... – murmurou. – Não fazia ideia que era possível fazer uma coisa dessas.

– Eu não sei se é possível – admitiu Phillip. – Já estou a tentar há um ano.

– Sem sucesso? Isso deve ser muito frustrante.

– Eu tive algum sucesso – admitiu ele –, mas não tanto quanto gostaria.

– Houve um ano que tentei cultivar rosas – contou Eloise. – Morreram todas.

– Cultivar rosas é mais difícil do que a maioria das pessoas pensa – explicou ele.

Os lábios dela retorceram-se ligeiramente.

– Já reparei que as tem em abundância.

– Tenho um jardineiro.

– Um botânico com um jardineiro?

Não era a primeira vez que ouvia esse comentário.

– Não é diferente de uma modista com uma costureira.

Ela refletiu por um momento e depois embrenhou-se mais na estufa, parando para observar de perto várias plantas e repreendê-lo por não a acompanhar com a lanterna.

– Estamos um bocadinho déspotas esta noite – brincou ele.

Ela virou-se, apanhou-o a sorrir... meio a sorrir, pelo menos... e retribuiu com um sorriso malévolo.

– Eu prefiro que me chamem gestora.

– Uma mulher com jeito para gerir, então?

– Fico surpreendida que não tenha deduzido isso pelas minhas cartas.

– Porque acha que a convidei? – respondeu.

– Precisa de alguém para gerir a sua vida? – perguntou Eloise, atirando as palavras por cima do ombro enquanto se afastava dele com ar coquete.

Ele queria alguém que lhe gerisse os filhos, mas aquele não parecia o melhor momento para os trazer à baila. Não quando ela o olhava como se...

Como se quisesse ser beijada.

Phillip tinha dado dois passos lentos e predatórios na direção de Eloise antes sequer de se aperceber do que fazia.

– O que é isto? – perguntou ela, apontando para alguma coisa.

– Uma planta.

– Eu sei que é uma planta – disse, rindo-se. – Se eu... – Mas então ergueu o olhar, captou o brilho nos olhos dele e calou-se.

– Posso beijá-la? – perguntou ele.

Não o faria se ela dissesse que não, mas não lhe deu grande oportunidade de o fazer, reduzindo a distância entre ambos antes que ela pudesse responder.

– Posso? – repetiu, tão perto que ela sentiu as palavras sussurradas nos próprios lábios.

Concordou com um gesto de cabeça, um movimento curto mas seguro, e ele roçou a boca na dela, com toda a suavidade e meiguice, como alguém deveria beijar a mulher com quem pensava casar.

Mas, então, as mãos dela ergueram-se, tocando-lhe o pescoço e... meu Deus... ele queria mais.

Muito mais.

Aprofundou o beijo, ignorando a exclamação de surpresa quando lhe separou os lábios com a língua. Mas até isso não era o que ele queria. Queria senti-la, sentir-lhe o calor, a vitalidade a percorrer-lhe o corpo todo, a envolvê-lo, a penetrá-lo, a tornar-se parte dele.

Abraçou-a, pousando uma das mãos na parte superior das costas dela, enquanto a outra descia, ousada, até à curva exuberante das nádegas. Pressionou-a contra si, com força, sem se importar que ela sentisse a prova do seu desejo. Fazia tanto tempo... tanto tempo, e ela era tão suave e doce nos seus braços.

Desejava-a.

Queria-a por inteiro, mas mesmo com a mente nublada de paixão sabia que tal iria ser impossível naquela noite, por isso estava decidido a ter a segunda melhor coisa, que era senti-la, desfrutar da sensação de a ter nos braços, o calor do corpo dela encostado ao seu.

E ela correspondia. Hesitante, a princípio, como se não tivesse a certeza do que fazia, mas depois com mais ardor, emitindo leves sons inocentemente sedutores que lhe escapavam da garganta.

Estava a deixá-lo louco. *Ela* deixava-o louco.

– Eloise, Eloise – sussurrou, a voz rouca e áspera de desejo.

Mergulhou uma mão no cabelo dela e, ao libertá-lo do penteado, um caracol espesso de cor castanha soltou-se, formando um arabesco sedutor no colo. Os lábios dele desceram de imediato para o pescoço, saboreando-lhe a pele e exultando ao senti-la arquear o corpo para trás para lhe dar maior acesso. Então, quando começava a afundar-se naquela pele, dobrando os joelhos para conseguir deslizar os lábios lentamente pela clavícula, ela afastou-se de repente.

– Sinto muito – disse ela bruscamente, as mãos voando para o decote do vestido, embora ele não estivesse nem um pouco fora do sítio.

– Eu, não – devolveu ele sem rodeios.

Os olhos dela arregalaram-se face à franqueza dele. Phillip não se importou. Nunca fora pessoa de palavras rebuscadas, e o melhor talvez fosse ela ficar a saber já, antes que fizessem qualquer coisa permanente.

E então ela surpreendeu-o.

– Foi só uma expressão – disse.

– Desculpe?!

– Eu disse que sentia muito. Mas não é verdade. Foi só uma expressão.

Eloise parecia espantosamente calma, com um ar quase professoral, para uma mulher que tinha acabado de ser tão profundamente beijada.

— As pessoas passam a vida a dizer coisas assim só para preencher o silêncio – continuou ela.

Phillip começava a perceber que Eloise não era o tipo de mulher que gostasse de silêncios.

— É como quando…

Ele beijou-a novamente.

— Sir Phillip!

— Por vezes, o silêncio é uma coisa boa – disse ele com um sorriso de satisfação.

Eloise ficou boquiaberta.

— Está a dizer que eu falo de mais?

Ele encolheu os ombros, demasiado divertido a provocá-la para fazer outra coisa.

— Quero que saiba que tenho sido *muito mais* calada aqui do que sou em casa.

— Isso é difícil de imaginar.

— Sir Phillip!

— Calma – disse ele, pegando na mão dela e voltando a fazê-lo com mais firmeza quando ela tentou fugir. – Estamos mesmo a precisar de um pouco mais de barulho por estas bandas.

Eloise acordou na manhã seguinte como se ainda estivesse envolta num sonho. Não esperara que ele a beijasse.

E também não esperara gostar tanto.

O estômago roncou alto e decidiu descer até à sala de pequeno-almoço. Não fazia ideia se Sir Phillip estaria lá. Seria madrugador? Ou será que gostava de ficar na cama até ao meio-dia? Parecia-lhe absurdo não saber estes pormenores quando considerava seriamente casar-se com ele.

E se ele lá estivesse, à espera dela enquanto comia um prato de ovos escalfados, o que lhe diria? O que se diz a um homem depois de a língua dele nos ter acariciado a orelha?

Não importava que a carícia tivesse sabido realmente muito bem. Estava muito para além do escandaloso.

E se ela entrasse e mal conseguisse articular um «Bom dia»? Ele certamente ia achar divertido, depois de ter feito pouco da sua loquacidade na noite anterior.

Quase desatou a rir. Logo ela, que era capaz de manter uma conversa sobre nada em particular e que o fazia com frequência, ficar sem saber o que dizer quando visse Sir Phillip Crane.

Claro, ele *tinha*-a beijado. Isso mudava tudo.

Atravessando o quarto, verificou primeiro se a porta estava bem fechada antes de a abrir. Não achava que Oliver e Amanda fossem tentar o mesmo truque duas vezes, mas era melhor prevenir. Não apreciava nada a ideia de outro banho de farinha. Ou pior. Após o incidente do peixe, eles provavelmente andariam a pensar em algo mais líquido. Líquido e malcheiroso.

Cantarolando baixinho, saiu para o corredor e virou à direita para descer as escadas. O dia parecia promissor; quando olhou pela janela do quarto viu que o sol decidira espreitar por entre as nuvens de manhã e…

– Oh!

O grito escapou-lhe da garganta ao precipitar-se para a frente, o pé ficando para trás, preso em algo que havia sido amarrado a toda a largura do corredor. Nem teve hipótese de tentar recuperar o equilíbrio. Seguia apressada, como era seu hábito, e quando caiu, caiu desamparada.

E sem sequer ter tempo de esticar as mãos para amortecer a queda.

As lágrimas vieram-lhe aos olhos. E o queixo… céus, o queixo ardia como se estivesse em fogo. Um dos lados, pelo menos. Só conseguira virar ligeiramente a cabeça para o lado antes de cair.

Gemeu algo incoerente, o género de ruído que fazemos quando a dor é tanta que somos incapazes de a guardar dentro de nós. Continuou à espera que a dor diminuísse, pensando que seria como quando damos uma topada, que pulsa sem piedade durante uns segundos e que, depois de a surpresa passar, esmorece até nada mais restar do que uma dor torpe.

Mas a dor não acalmava. Nem a do queixo, nem a do lado da cabeça, nem a do joelho, nem a da anca.

Sentia-se derrotada.

Devagar, com grande esforço, conseguiu pôr-se de gatas e depois sentar-se. Encostou-se contra a parede e levou a mão à face, soltando a respiração às rajadas pelo nariz para tentar controlar a dor.

– Eloise!

Phillip. Nem se deu ao trabalho de olhar para cima, não queria mexer-se da posição enroscada em que se encontrava.

– Eloise, meu Deus! – exclamou ele, subindo os últimos degraus de três em três até junto dela. – O que aconteceu?

– Eu caí.

Não tinha a intenção de choramingar, mas foi assim que saiu.

Com uma ternura que parecia deslocada num homem daquele tamanho, ele pegou-lhe na mão que estava encostada à face.

As palavras que ele disse a seguir não eram muitas vezes pronunciadas na presença de Eloise.

– Precisa de pôr um pedaço de carne nisso – declarou ele.

Ela olhou-o com olhos lacrimejantes.

– Estou ferida?

Phillip abanou a cabeça muito sério.

– É capaz de ficar com um olho negro. Ainda é muito cedo para dizer.

Ela tentou sorrir, mostrar uma expressão mais ligeira, mas simplesmente não conseguiu.

– Dói muito? – perguntou ele com brandura.

Eloise assentiu com a cabeça, perguntando-se porque é que o som da voz dele lhe dava vontade de chorar ainda mais. Lembrou-se de em pequena ter caído de uma árvore. Tinha torcido o tornozelo, uma entorse forte, mas tinha conseguido não chorar até chegar a casa.

Mas bastara um olhar da mãe para desatar a soluçar.

Phillip tocou-lhe no rosto com delicadeza, a expressão tornando-se muito séria quando Eloise se encolheu.

– Eu vou ficar bem – assegurou ela. E ficaria. Daí a uns dias.

– O que aconteceu?

Claro que ela sabia exatamente o que acontecera. Algo tinha sido amarrado a toda a largura do corredor de maneira a fazê-la tropeçar e cair. Não era preciso ser muito inteligente para adivinhar quem eram os responsáveis.

Mas Eloise não queria pôr os gémeos em apuros. Pelo menos não o género de apuros em que provavelmente ficariam se Sir Phillip lhes deitasse as mãos. Não achava que eles tivessem a intenção de magoar alguém.

Mas Phillip já reparara no pedaço de fio, firmemente esticado e amarrado às pernas de duas mesas, que tinham sido arrastadas para o centro do corredor quando Eloise tropeçou.

Eloise viu-o ajoelhar-se, pegar no fio e torcê-lo nos dedos. Olhou para ela, e não havia perguntas na sua expressão, mas a afirmação da mais triste verdade.

– Não o vi – disse ela, apesar de ser bastante óbvio.

Sem tirar os olhos dela, Phillip continuou a torcer o fio até ele esticar completamente e rebentar.

Eloise prendeu a respiração. Aquele momento era quase aterrador. Phillip não parecia consciente de ter rebentado o fio, mal se dando conta da sua força.

Ou da força da sua ira.

– Sir Phillip – sussurrou ela, mas ele nem a ouviu.

– Oliver! – gritou. – Amanda!

– Com certeza eles não tinham intenção de me magoar – começou Eloise, sem saber porque estava a defendê-los. Eles tinham-na magoado, era verdade, mas ela pressentia que a punição dela seria consideravelmente menos dolorosa do que qualquer outra vinda do pai.

– Não quero saber qual era a intenção deles – disparou Phillip. – Veja como ficou tão perto das escadas. E se tivesse rolado por elas abaixo?

Eloise olhou para as escadas. Estavam perto, mas não perto o suficiente para rolar por ali abaixo.

— Eu não acho que...

— Eles têm de responder por isto – disse, num tom de voz perigosamente baixo e a tremer de raiva.

— Eu vou ficar bem – insistiu Eloise.

A dor pungente já tinha dado lugar a uma dor mais torpe. Mas ainda doía, tanto que, quando Sir Phillip a levantou nos braços, ela soltou um queixume.

E a fúria dele cresceu.

— Vou levá-la para a cama – disse, num tom áspero e seco.

Eloise não ofereceu resistência.

Uma criada apareceu no patamar e arquejou quando viu a nódoa negra que já escurecia no rosto de Eloise.

— Traga-me alguma coisa para isto – ordenou Sir Phillip. – Um pedaço de carne. Qualquer coisa.

A criada acenou com a cabeça e saiu a correr. Phillip levou Eloise para o quarto.

— Magoou-se em mais algum sítio? – perguntou ele.

— Na anca – admitiu Eloise quando ele a deitou por cima das cobertas da cama. – E no cotovelo.

Ele abanou a cabeça com ar severo.

— Acha que partiu alguma coisa?

— Não – apressou-se ela a responder. – Não, eu...

— Vou precisar de confirmar, mesmo assim – disse ele, afastando os protestos dela e começando a examinar-lhe o braço com gestos suaves.

— Sir Phillip, eu...

— Os meus filhos quase a mataram – disse, sem um traço de humor nos olhos. – Eu diria que podemos dispensar esse *sir*.

Eloise engoliu em seco ao vê-lo atravessar o quarto até à porta, os passos largos e poderosos.

— Tragam-me os gémeos imediatamente – ordenou, provavelmente a algum criado que andaria por ali no corredor.

Eloise sabia que era impossível as crianças não o terem ouvido chamá-las aos gritos, mas também não podia culpá-los por tentarem adiar o julgamento às mãos do pai.

– Phillip – disse ela, tentando convencê-lo a regressar ao quarto com o som da sua voz –, deixe-os comigo. Eu fui a pessoa lesada e...

– Eles são meus filhos – retorquiu ele com severidade – e serei eu a puni-los. Deus sabe que há muito o devia ter feito.

Eloise olhou-o e sentiu o horror crescer dentro de si. Ele quase tremia de fúria, mas, ao passo que ela podia com todo o prazer dar-lhes umas boas sapatadas no rabo, não achava que ele estivesse em condições de aplicar fosse que castigo fosse naquele estado de nervos.

– Eles magoaram-na – disse Phillip em voz baixa. – Não posso permitir uma coisa dessas.

– Eu vou ficar bem – voltou ela a assegurar-lhe. – Daqui a poucos dias, nem sequer vou...

– A questão não é essa – cortou ele. – Se eu tivesse... – Parou, e tentou novamente: – Se eu não tivesse...

Parou, sem palavras; encostou-se à parede, inclinou a cabeça para trás, os olhos postos no teto como se procurasse alguma coisa; o quê, ela não sabia. Respostas, talvez. Como se alguém pudesse encontrar respostas com um simples levantar de olhos.

Ele virou-se, olhou para ela, a expressão sombria, e Eloise viu algo naquele rosto que não esperava ver.

Foi então que percebeu: toda aquela raiva na voz, o corpo a tremer, nada daquilo era dirigido aos filhos. Não inteiramente, pelo menos.

Aquela expressão, a tristeza nos olhos... era aversão a ele próprio.

Ele não culpava os filhos.

Culpava-se a si mesmo.

CAPÍTULO 6

...não devias tê-lo deixado beijar-te. Quem sabe que género de liberdades tentará tomar da próxima vez que se encontrarem? Mas o que está feito está feito, julgo eu, por isso só me resta perguntar: Foi bom?

De Eloise Bridgerton para a irmã, Francesca,
metido por baixo da porta do quarto desta
na noite em que a mesma conheceu o conde de Kilmartin,
com quem se casaria dois meses depois

Quando as crianças entraram no quarto, meio arrastadas e meio empurradas pela ama, Phillip forçou-se a permanecer rígido na sua posição contra a parede, com medo de perder a cabeça e lhes bater se desse um passo em frente.

E com mais medo ainda de não se arrepender por lhes ter batido.

Em vez disso limitou-se a cruzar os braços e a fitá-los, deixando-os sofrer sob o calor da sua fúria, enquanto tentava descobrir o que diabo iria dizer-lhes.

Foi Oliver o primeiro a falar.

— Pai? — disse com a voz a tremer.

Phillip respondeu a única coisa que lhe veio à mente, a única coisa que parecia importar.

– Estão a ver Miss Bridgerton?

Os gémeos assentiram com a cabeça, mas não chegaram a olhar para ela. Pelo menos não para a cara dela, que começava a ficar roxa à volta do olho.

– Notam alguma coisa fora do normal?

Eles não responderam, mantendo um silêncio forçado até que uma criada apareceu na porta com um «*Sir?*»

Phillip mandou-a entrar com um aceno de cabeça e aproximou-se para pegar no pedaço de carne que ela trouxera para o olho de Eloise.

– Têm fome? – disse, virando-se para os filhos. Como não recebeu resposta, continuou: – Ótimo. Porque, infelizmente, nenhum de nós vai comer este bife, pois não?

Atravessou o quarto até junto da cama e sentou-se com suavidade ao lado de Eloise.

– Ponha isto – disse, ainda demasiado irritado para que a voz não lhe saísse rude.

Ignorando os esforços dela para ajudar, ele colocou-lhe o pedaço de carne no olho e pôs por cima um pano para que ela não tivesse de sujar os dedos para o segurar.

Quando terminou, aproximou-se do sítio onde os gémeos estavam encolhidos e pôs-se à frente deles, de braços cruzados. E esperou.

– Olhem para mim – ordenou, ao ver que nenhum deles tirava os olhos do chão.

Quando o fizeram, ele viu o terror nos olhos dos filhos e sentiu-se terrivelmente mal, mas não sabia de que outra forma deveria agir.

– Nós não quisemos magoá-la – sussurrou Amanda.

– Oh, não quiseram? – repreendeu, abarcando os dois com uma fúria palpável. A voz era gelada, mas o rosto mostrava claramente a sua ira, e até Eloise se encolheu na cama.

– Então não acharam que ela podia magoar-se ao tropeçar no fio? – prosseguiu Phillip, o sarcasmo emprestando-lhe um ar controlado que era ainda mais assustador. – Ou talvez tenham concluído corretamente que o fio em si não causaria nenhuma lesão, mas não vos ocorreu que ela podia magoar-se seriamente ao cair?

Eles não disseram nada.

Ele olhou para Eloise, que tinha tirado a carne da face e tocava na maçã do rosto com todo o cuidado. O hematoma no olho parecia piorar a cada minuto que passava.

Os gémeos tinham de aprender que não podiam continuar assim. Precisavam de aprender a tratar as pessoas com mais respeito. Precisavam de aprender…

Phillip, interiormente, praguejou. Eles precisavam de aprender *alguma* coisa.

Fez um gesto com a cabeça indicando a porta.

– Venham comigo. – Saiu para o corredor, virou-se para trás e rosnou: – Já!

Ao levá-los do quarto, rezou para conseguir controlar-se.

Eloise tentou não ouvir, mas não conseguiu impedir-se de ficar de ouvido aguçado. Não sabia para onde Phillip estava a levar os filhos; podia ser para o aposento ao lado, para o quarto deles ou lá para fora. Mas uma coisa era certa. Eles iam ser castigados.

E embora fosse da opinião que eles *deviam* ser punidos, que o que tinham feito era indesculpável e que tinham idade suficiente para perceber isso, ainda assim sentia-se estranhamente preocupada com eles. Eles pareciam aterrorizados quando Phillip os levou e não lhe saía da cabeça a pergunta que Oliver deixara escapar no dia anterior: «Vai bater-nos?»

Encolhera-se ao dizê-lo, como se estivesse à espera do golpe.

Certamente Sir Phillip não… Não, isso era impossível, pensou Eloise. Uma coisa era dar uma palmada às crianças numa situação como aquela, mas com certeza ele não tinha o hábito de bater nos filhos.

Ela não poderia ter-se enganado tanto acerca de uma pessoa. Tinha-o deixado beijá-la na noite anterior, até retribuíra o beijo.

Certamente teria sentido que havia algo errado, teria sentido uma crueldade intrínseca se Phillip fosse o género de pessoa que batia nos filhos.

Finalmente, depois do que achou uma eternidade, Oliver e Amanda entraram no quarto, um atrás do outro, de ar triste e olhos vermelhos, seguidos por um Sir Phillip de expressão sombria, cuja função era claramente a de fazer as crianças andarem num ritmo superior ao de um caracol.

As crianças arrastaram-se até à cabeceira da cama e Eloise virou a cabeça para poder vê-las. Não via nada do olho esquerdo com a carne a tapá-lo e, obviamente, fora esse o lado que os gémeos escolheram.

— Pedimos desculpa, Miss Bridgerton — resmonearam eles.

— Mais alto — veio a diretiva bem marcada do pai.

— Pedimos desculpa.

Eloise anuiu com um aceno de cabeça.

— Não vai voltar a acontecer — acrescentou Amanda.

— É um alívio ouvir isso — respondeu Eloise.

Phillip pigarreou.

— O pai diz que devemos compensá-la — disse Oliver.

— Há… — Eloise não sabia exatamente como iriam eles fazer tal coisa.

— Gosta de doces? — perguntou Amanda de repente.

Eloise olhou para ela, piscando o olho bom, confusa.

— De doces?

Amanda sacudiu o queixo para cima e para baixo.

— Bem, sim, suponho que sim. Haverá alguém que não goste?

— Eu tenho uma caixa de rebuçados de limão. Estou a guardá-los há meses. Pode ficar com eles.

Eloise engoliu em seco, lutando para desfazer o nó na garganta ao ver a expressão torturada de Amanda. Algo se passava com aquelas crianças. Não sabia bem o quê, mas alguma coisa não batia certo nas suas vidas. Com tantos sobrinhos e sobrinhas, Eloise já vira crianças felizes suficientes para o saber.

– Muito obrigada, Amanda – disse ela, com o coração apertado –, mas podes ficar com os rebuçados de limão.

– Mas temos de lhe dar alguma coisa – insistiu Amanda, lançando um olhar medroso ao pai.

Eloise estava prestes a dizer-lhe que não era preciso, mas, ao observar o rosto de Amanda, percebeu que era. Em parte porque Sir Phillip tinha obviamente insistido, e Eloise não queria minar-lhe a autoridade contrariando-o. Mas também porque os gémeos precisavam de compreender o conceito de fazer as pazes.

– Muito bem – decidiu Eloise. – Podem dar-me uma tarde.

– Uma tarde?

– Sim. Assim que eu me sentir melhor, tu e o teu irmão podem dar-me uma tarde. Há muita coisa aqui em Romney Hall que ainda não conheço e imagino que os dois conhecem todos os cantos da casa e dos jardins. Podem fazer-me uma visita guiada. Isto, é claro, desde que me prometam que não haverá partidas de qualquer espécie – acrescentou ela, porque valorizava a sua saúde e bem-estar.

– Nada de partidas – respondeu Amanda muito depressa, voltando a baixar o queixo num gesto de seriedade. – Eu prometo.

– Oliver – rosnou Phillip, quando o filho não respondeu com rapidez suficiente.

– Não vamos pregar partidas nessa tarde – murmurou Oliver.

Phillip atravessou a sala e pegou no filho pelo colarinho.

– Nunca! – corrigiu Oliver em voz estrangulada. – Prometo! Vamos deixar Miss Bridgerton totalmente em paz.

– Não totalmente, espero – disse Eloise, olhando de soslaio para Phillip, à espera que ele o soubesse interpretar como *Pode pousar a criança*. – Afinal de contas, ficam a dever-me uma tarde.

Amanda ofereceu-lhe um sorriso hesitante, mas a carranca de Oliver manteve-se firme.

– Agora podem sair – ordenou Phillip e as crianças fugiram porta fora.

Os dois adultos permaneceram em silêncio um minuto ainda, ambos de olhos fixos na porta com expressões cansadas e vazias.

Eloise sentia-se esgotada e circunspecta, quase como se tivesse sido atirada para uma situação que não compreendia muito bem.

Uma explosão de riso nervoso quase lhe escapou dos lábios. O que tinha ela na cabeça? É claro que tinha sido atirada para uma situação que não compreendia e estaria a enganar-se a si própria se achasse que sabia o que estava a fazer.

Phillip aproximou-se da cama, mas quando lá chegou, a postura era rígida.

– Como se sente? – perguntou a Eloise.

– Estou capaz de vomitar se não tirar esta carne daqui – disse ela com toda a franqueza.

Ele pegou no prato onde viera a carne e estendeu-lho. Eloise pousou o bife, fazendo uma careta ao ouvir o chapinhar húmido que ele fez.

– Acho que gostaria de lavar o rosto – disse ela. – O cheiro é bastante intenso.

Ele assentiu com a cabeça.

– Primeiro, deixe-me ver como está o olho.

– Tem muita experiência com este género de coisas? – perguntou ela, olhando para o teto, quando ele lhe pediu para olhar para cima.

– Alguma. – Fez uma pressão ligeira com o polegar no cimo da maçã do rosto. – Olhe para a direita.

Ela obedeceu.

– Alguma?

– Eu pratiquei boxe na universidade.

– Era bom?

Phillip virou-lhe a cabeça para o lado.

– Olhe para a esquerda. Suficientemente bom.

– O que significa *isso*?

– Feche os olhos.

– O que é que isso *quer dizer*? – insistiu ela.

– Não está a fechar o olho.

Ela assim fez, fechando os dois, porque sempre que piscava um olho, acabava por o apertar com muita força.

– O que é que isso quer dizer?

Não podia vê-lo, mas sentiu-o fazer uma pausa.

– Já alguém lhe disse que consegue ser um pouco teimosa?

– Constantemente. É o meu único defeito.

Ela ouviu-lhe o sorriso na respiração.

– O único, há?

– O único que vale a pena comentar. – Eloise abriu os olhos.
– Não respondeu à minha pergunta.

– Já me esqueci qual foi.

Ela abriu a boca para repetir, mas percebeu que ele estava a
brincar e então fez um ar carrancudo.

– Volte a fechar os olhos – disse Phillip. – Ainda não terminei.
– Quando ela obedeceu à ordem, ele acrescentou: – *Suficientemente
bom* significa que nunca tive de lutar se não quisesse.

– Mas não era o campeão – supôs ela.

– Já pode abrir os olhos.

Ela assim fez e pestanejou quando percebeu como ele estava
perto.

Phillip deu um passo atrás.

– Não, não era o campeão.

– Porque não?

Ele encolheu os ombros.

– Não me empenhava o suficiente.

– Como é que ele está? – perguntou Eloise.

– O olho?

Ela assentiu com a cabeça.

– Acho que não há nada a fazer para impedir o hematoma.

– Acho que não bati com o olho – disse ela, deixando escapar
um suspiro frustrado. – Quando caí. Pensei que tinha batido com
a face.

– Não precisa de bater com o olho para o afetar. Vejo perfeitamente no seu rosto que acertou aqui – e tocou-lhe na maçã do
rosto, exatamente no sítio certo, mas o gesto foi tão suave que ela
nem sentiu dor – e fica perto o suficiente para que o sangue se
espalhe para a zona do olho.

– Vou meter medo durante semanas – lamuriou-se ela.

– Pode não demorar semanas.

– Eu tenho irmãos – argumentou ela, atirando-lhe um olhar de quem sabia o que estava a dizer. – Já vi olhos negros. O Benedict teve um que só desapareceu completamente dois meses depois.

– O que lhe aconteceu? – perguntou Phillip.

– O meu outro irmão – respondeu ela com ironia.

– Não diga mais nada – disse ele. – Eu também tive um irmão.

– Umas criaturas abrutalhadas, todos eles – resmungou ela baixinho, mas era evidente na voz o amor que sentia.

– O seu provavelmente não vai demorar tanto tempo a desaparecer – disse ele, ajudando-a a levantar-se para que pudesse ir até ao lavatório.

– Mas pode.

Phillip assentiu e, depois de ela espalhar água no rosto para retirar o cheiro a carne, acrescentou: – Precisamos de lhe arranjar uma dama de companhia.

Eloise estacou.

– Tinha-me esquecido completamente.

Ele deixou passar vários segundos antes de responder: – Eu não.

Ela pegou numa toalha e limpou o rosto com pancadinhas leves.

– Peço desculpa. A culpa é minha, é claro. Tinha-me dito na carta que ia mandar vir uma acompanhante. Na minha pressa de sair de Londres, nem me lembrei de que precisava de tempo para tratar de tudo.

Phillip observou-a com atenção, imaginando se ela se dera conta que tinha cometido um deslize e dito mais do que provavelmente pretendia. Era difícil imaginar uma mulher como Eloise, extrovertida, inteligente e extremamente conversadora, a ter segredos, mas ela mantivera a boca razoavelmente fechada quanto às suas razões para vir para o Gloucestershire.

Dissera que estava à procura de um marido, mas ele suspeitava que as suas razões tinham tanto a ver com o que ela deixara para trás, em Londres, como com o que esperava encontrar ali.

E então ela disse... *na minha pressa*.

Porque saíra à pressa? O que teria acontecido?

– Eu já contactei a minha tia – disse ele, ajudando-a a voltar para a cama, mesmo sendo evidente que ela queria fazê-lo sozinha. – Enviei-lhe uma carta na manhã em que chegou. Mas duvido que ela consiga estar aqui antes de quinta-feira. Ela vive perto, em Dorset, mas não é o género de pessoa capaz de deixar a casa de um momento para o outro. Tenho a certeza de que vai precisar de tempo para fazer as malas e preparar todas aquelas coisas – agitou a mão no ar num gesto de pouco caso – que as mulheres precisam de preparar.

Eloise assentiu, com uma expressão séria.

– São só quatro dias. E a casa tem uma grande quantidade de empregados. Não estamos propriamente sozinhos numa cabana de caça no meio do nada.

– Todavia, a sua reputação pode ficar seriamente comprometida se as pessoas ficarem a saber da sua visita.

Ela soltou um longo suspiro e depois ergueu os ombros num gesto fatalista.

– Bem, não há nada que eu possa fazer sobre isso agora. – Apontou para o olho. – Se regressasse agora, o meu aspeto causaria mais comentários do que o facto de ter saído.

Phillip concordou com um gesto lento de cabeça, embora a mente voasse noutra direção. Haveria alguma razão para ela ser tão indiferente à própria reputação? Não frequentara a sociedade durante muito tempo, mas a experiência que tinha era que as mulheres solteiras, independentemente da idade, estavam sempre preocupadas com a reputação.

Seria possível que a reputação de Eloise tivesse sido arruinada antes de lhe bater à porta?

Ou, mais precisamente, ele importava-se?

Franziu o sobrolho, ainda incapaz de responder a esta última pergunta. Sabia o que queria... não, melhor, sabia do que *precisava*... numa mulher, e tinha pouco a ver com pureza e castidade e todos esses ideais que as jovens de boas famílias eram obrigadas a encarnar.

Ele precisava de alguém que pudesse assumir a liderança e tornar-lhe a vida mais fácil e simples. Alguém que gerisse a casa e fosse mãe para os seus filhos. Estava francamente satisfeito por ter encontrado em Eloise uma mulher por quem sentia desejo físico também, mas mesmo se ela fosse uma velha horrorosa... pois muito bem, não se importaria de se casar com uma velha com a condição de que ela fosse pragmática, eficiente e boa para os seus filhos.

Mas se tudo isso fosse verdade, porque se sentia ligeiramente incomodado com a possibilidade de Eloise ter tido um amante?

Não, incomodado não era a palavra certa. Não lhe ocorria a palavra certa para aquele sentimento. Irritado, talvez, tal como se ficava irritado com uma pedra no sapato ou um leve escaldão.

Era a sensação de algo não estar certo. Não terrível ou catastroficamente errado, mas apenas de não estar... *certo*.

Viu-a recostar-se nas almofadas.

– Quer que saia para a deixar descansar? – indagou.

Eloise suspirou.

– Acho que sim, embora eu não esteja cansada. Pisada, talvez, mas não cansada. Ainda nem são oito horas da manhã.

Phillip olhou para o relógio pousado numa prateleira.

– Nove.

– Oito, nove – disse ela, descartando a diferença com um gesto. – Seja como for, ainda é de manhã. – Olhou ansiosamente pela janela. – E finalmente não está a chover.

– Prefere repousar no jardim? – perguntou ele.

– Preferia *passear* no jardim – respondeu, petulante –, mas a anca ainda me dói um pouco. Acho melhor ficar a descansar um dia.

– Mais do que um dia – disse ele com uma certa rispidez.

– Talvez tenha razão, mas posso garantir que não serei capaz disso.

Phillip sorriu. Eloise não era o tipo de mulher que optaria por passar os dias calmamente sentada numa sala de estar, a bordar ou a costurar, ou o que quer que fosse que as mulheres faziam com agulhas e linhas.

Observou-lhe o desassossego. Não era o tipo de mulher que optaria por ficar quieta, ponto final.

– Quer levar um livro? – perguntou.

O olhar dela turvou-se, desiludida. Phillip sabia que ela esperava que ele a acompanhasse até ao jardim, e parte dele também queria, mas alguma coisa lhe dizia que era melhor afastar-se, quase como se fosse uma medida de autoproteção. Ainda se sentia confuso, cheio de culpa por ter tido de dar um castigo físico aos filhos.

Parecia que não passavam duas semanas sem que eles fizessem algo que exigia punição, e não sabia mais o que fazer. No entanto, era um ato que lhe custava horrores. Detestava fazê-lo, odiava, dava-lhe voltas ao estômago sempre que era obrigado a fazê-lo, mas que outra atitude podia tomar quando eles se portavam tão mal? As pequenas coisas, ele procurava deixar passar, mas quando colavam o cabelo da precetora aos lençóis enquanto ela dormia, como poderia deixar passar *isso*? Ou daquela vez que tinham partido uma prateleira inteira de vasos de terracota na estufa? Eles alegaram que fora um acidente, mas Phillip sabia que era mentira. E a expressão nos olhos deles ao afirmar inocência mostrara bem que nem eles acreditavam que o pai fosse realmente acreditar.

Portanto disciplinara-os da única maneira que sabia, apesar de, até agora, ter conseguido evitar usar qualquer outra coisa que não fosse a própria mão. Isto quando decidia fazer alguma coisa, porque, metade do tempo, mais de metade, aliás, ficava tão assombrado pelas memórias do género de disciplina praticada pelo seu próprio pai que só conseguia fugir aos tropeções, a tremer e a transpirar, aterrorizado com a comichão que sentia na mão com vontade de lhes dar umas boas sapatadas nos traseiros.

Tinha receio de ser demasiado indulgente. E provavelmente era, já que as crianças não pareciam melhorar o seu comportamento. Tentava convencer-se de que precisava de ser mais severo, e certa vez chegou mesmo a ir aos estábulos buscar o chicote…

Estremeceu com a lembrança. Foi após o incidente da cola; tiveram de cortar o cabelo de Miss Lockhart para conseguir libertá-la, e ele ficara tão furioso, tão inacreditável e esmagadoramente furioso, tão cego que só queria puni-los, obrigá-los a comportarem-se, ensiná-los a ser boas pessoas; então agarrou no chicote...

Mas foi como se lhe queimasse as mãos, e deixou-o cair, horrorizado, cheio de medo do homem que se tornaria se realmente o usasse.

As crianças tinham ficado impunes um dia inteiro. Phillip tinha fugido para a estufa, a tremer de nojo de si próprio, odiando-se pelo que quase tinha feito.

E pelo que não era capaz de fazer.

Conseguir que os filhos fossem pessoas melhores.

Não sabia como ser um pai para eles. Isso era óbvio. Não sabia como e talvez simplesmente não tivesse queda para a tarefa. Talvez alguns homens nascessem a saber o que dizer e como agir e outros simplesmente não conseguissem fazer um bom trabalho, não importava o quanto se esforçassem.

Talvez fosse preciso ter um bom pai para depois se ser um bom pai.

O que fazia dele alguém condenado à nascença.

Agora ali estava ele, a tentar compensar as suas deficiências com Eloise Bridgerton. Talvez pudesse finalmente parar de se sentir tão culpado por ser um pai tão mau se, pelo menos, pudesse dar-lhes uma boa mãe.

Mas nunca nada era assim tão simples, e Eloise, em apenas um dia, conseguira virar-lhe a vida do avesso. Nunca esperara desejá-la, pelo menos não com a intensidade que sentia sempre que relanceava um olhar na direção dela. E quando a vira no chão... porque é que o seu primeiro pensamento fora de pavor?

Um medo imenso pelo bem-estar dela e, para ser honesto, um medo imenso de que os gémeos a pudessem ter convencido a ir-se embora.

Quando a pobre Miss Lockhart tinha sido colada à cama, o primeiro sentimento de Phillip fora zangar-se com os filhos. Mas no caso de Eloise, dedicara-lhes apenas um breve pensamento até ter a certeza de que ela não ficara gravemente ferida.

Não fora sua intenção preocupar-se tanto com ela, só queria uma boa mãe para os filhos. E agora não sabia o que fazer com tal sentimento.

Por isso, mesmo que uma manhã no jardim com Miss Bridgerton soasse o paraíso, alguma coisa não o deixava permitir-se esse prazer.

Precisava de ficar sozinho. Precisava de pensar. Ou melhor, de *não* pensar, pois pensar só o deixava furioso e confuso. Precisava de enfiar as mãos na terra e podar algumas plantas, afastar-se de tudo até que a sua mente parasse de lhe gritar todos os problemas.

Precisava de escapar.

E se isso fizesse dele um covarde, pois que fosse.

CAPÍTULO 7

...nunca estive tão entediada em toda a minha vida. Colin, tens de voltar para casa. É tudo interminavelmente chato sem ti e acho que não sou capaz de suportar um momento mais deste tédio. Por favor, volta, pois começo claramente a repetir-me e nada pode ser mais entediante.

De Eloise Bridgerton para o irmão, Colin,
durante a sua quinta temporada como debutante,
carta enviada (mas nunca recebida)
enquanto Colin viajava pela Dinamarca

Eloise passou o dia inteiro no jardim, descansando numa *chaise-longue* extremamente confortável que estava convencida ter sido importada de Itália, uma vez que, pela sua experiência, nem os ingleses nem os franceses faziam a mínima ideia do que era mobiliário moderno mas confortável.

Não que tivesse o hábito de passar muito tempo a refletir sobre a manufatura de cadeiras e sofás, mas ali sozinha no jardim de Romney Hall não havia muitos outros temas sobre os quais ponderar.

Não, nada mais. Nada mais para refletir, a não ser sobre a *chaise-longue* confortável onde se encontrava sentada, e talvez sobre o facto de Sir Phillip ser um bruto mal-educado por tê-la deixado sozinha um dia inteiro depois de os seus dois monstrinhos, cuja

124

existência, acrescentou ao raciocínio com um floreio mental, ele nunca se dignara revelar nas suas cartas, lhe terem provocado um olho negro.

O dia estava perfeito, com um céu azul e uma brisa leve, e Eloise não tinha absolutamente nada em que pensar.

Nunca estivera tão entediada na vida.

Não era da sua natureza ficar sentada a ver as nuvens passar. Preferia muito mais estar ali fora a *fazer* alguma coisa: a dar um passeio, a inspecionar uma sebe, qualquer coisa, mas não ficar ali sentada como uma inútil na *chaise-longue* a olhar à toa para o horizonte.

Mas se *tinha* mesmo de ficar ali, então, pelo menos, poderia fazê-lo na companhia de outra pessoa. Talvez as nuvens pudessem ser mais interessantes se não estivesse tão sozinha, se estivesse ali alguém a quem pudesse dizer: *Meu Deus, aquela parece mesmo um coelho, não acha?*

Mas não, tinha sido abandonada ali. Sir Phillip estava enfiado na sua estufa (conseguia vê-lo dali, até o via a andar de um lado para o outro de vez em quando), e mesmo que tivesse vontade de se levantar e ir ter com ele, quanto mais não fosse pelo facto de as plantas serem mais interessantes do que as malditas nuvens, não estava disposta a dar-lhe a satisfação de ir atrás dele.

Não depois de ele a ter rejeitado de forma tão abrupta esta tarde. Deus do céu, o homem tinha praticamente fugido dela. Fora muito estranho. Ela começava a pensar que os dois se estavam a dar muito bem e, de repente, ele tivera aquela reação abrupta, inventando uma desculpa sobre precisar de trabalhar e fugira do quarto como se ela tivesse uma doença contagiosa.

Homem odioso.

Pegou no livro que escolhera na biblioteca e levantou-o com determinação à frente do rosto. Ia ler aquela maldita coisa nem que isso a matasse.

Claro que era a mesma promessa que fizera das últimas quatro vezes que tentara. Até agora não conseguira ler mais do que uma frase de cada vez, um parágrafo, vá, se se concentrasse muito, antes de a mente começar a divagar e de o texto se tornar desfocado e, claro, não lido.

Era bem feito, pensou, por estar tão irritada com Sir Phillip que nem prestara atenção na biblioteca, pegando no primeiro livro que lhe viera às mãos.

A Botânica dos Fetos? Onde é que ela tinha a cabeça?

Pior, se ele a visse com aquele livro, com certeza iria achar que o escolhera porque queria aprender mais sobre os interesses dele.

Eloise piscou os olhos de surpresa quando se apercebeu que tinha chegado ao fim da página. Não se lembrava de uma única frase; talvez os olhos só tivessem deslizado pelas palavras sem realmente juntarem as letras.

Aquilo era ridículo. Pôs o livro de lado e levantou-se, dando alguns passos para testar a dor na anca. Abriu um sorriso de satisfação quando percebeu que a dor não era assim tão má, aliás, já só podia ser classificada como um ligeiro desconforto. Caminhou ao longo da massa desordeira de roseiras em direção a norte, inclinando-se para sentir o aroma das rosas. Estavam em botão, afinal ainda era o início da época delas, mas talvez já tivessem perfume e...

– *Que diabo está a fazer?*

Eloise quase caiu em cima da roseira ao virar-se.

– Sir Phillip – disse, como se não fosse perfeitamente óbvio.

Parecia furioso.

– Devia estar sentada.

– Eu estava sentada.

– Pois devia *ficar* sentada.

Ela decidiu que a verdade daria uma excelente explicação.

– Estava entediada.

Ele olhou para a *chaise-longue* à distância.

– Não foi buscar um livro à biblioteca?

Eloise encolheu os ombros.

– Já o acabei.

Phillip arqueou uma sobrancelha, visivelmente descrente.

Ela devolveu-lhe o olhar desconfiado.

– Pois bem, mas precisa de se sentar – declarou ele com rispidez.

– Estou perfeitamente bem. – Deu uma palmadinha suave na anca. – Já quase não dói.

Phillip fitou-a durante algum tempo, a expressão irritada, como se quisesse dizer algo, mas não sabia o quê. Devia ter saído da estufa às pressas, porque estava todo sujo, com os braços, as unhas e a camisa cheios de terra. Estava com um aspeto horrível, pelo menos para os padrões a que Eloise se acostumara em Londres, mas havia algo de quase atrativo nele, ali de pé a repreendê-la, algo de primitivo e elementar.

– Não posso trabalhar se tiver de estar a preocupar-me consigo – resmungou ele.

– Então, não trabalhe – respondeu ela, achando a solução bastante óbvia.

– Estou a meio de uma coisa – resmoneou ele, parecendo, na opinião de Eloise, uma criança amuada.

– Então eu faço-lhe companhia. – E passou por ele, caminhando em direção à estufa.

Sinceramente, como é que ele esperava que fossem capazes de decidir se combinavam se não passavam tempo juntos?

Phillip estendeu a mão para a agarrar, mas lembrou-se que tinha as mãos sujas de terra.

– Miss Bridgerton – disse em tom cortante –, não pode...

– Não precisa de ajuda? – interrompeu ela.

– Não – foi a resposta, e o tom era perentório, não lhe dando hipótese de argumentar.

– Sir Phillip – começou, já sem paciência –, posso fazer-lhe uma pergunta?

Visivelmente assustado com a mudança súbita de conversa, ele limitou-se a assentir com a cabeça, um curto aceno, como os homens gostavam de fazer quando estavam irritados e queriam fingir que estavam no comando.

– Considera-se o mesmo homem de ontem à noite?

Ele olhou-a como se ela fosse louca.

– Não compreendo.

– É que o homem com quem estive a noite passada – disse, mal resistindo à vontade de cruzar os braços enquanto falava –, com quem partilhei uma refeição e que me levou numa visita guiada pela casa e pela estufa, era um homem que se dignou a *falar* comigo e que até pareceu ter gostado da minha companhia, por mais espantoso que possa parecer.

Ele ficou a olhar para ela alguns segundos e então murmurou:

– Eu gosto da sua companhia.

– Então porque é que estou sentada no jardim sozinha há três horas?

– Não foram três horas.

– Não importa há quanto…

– Foram quarenta e cinco *minutos* – declarou ele.

– Seja como for…

– É o que é.

– Bem… – disse ela, principalmente porque suspeitava que ele era capaz de ter razão, o que a punha numa situação constrangedora, por isso dizer «bem» parecia a coisa certa a dizer, sem se humilhar ainda mais.

– Miss Bridgerton – disse, a voz entrecortada como um lembrete de que ainda na noite anterior a tratara por Eloise.

E a beijara.

– Como deve ter adivinhado – continuou em tom brusco – o episódio desta manhã com os meus filhos deixou-me de mau humor. A minha intenção era poupá-la da minha companhia.

– Percebo – disse ela, bastante impressionada com o tom arrogante da própria voz.

– Ainda bem.

Só que tinha a certeza de que realmente *percebia*. Que ele estava a mentir, mais precisamente. Oh, os filhos tinham-no posto de mau humor, isso era verdade, mas não era só isso.

– Vou deixá-lo trabalhar, então – declarou ela, apontando para a estufa com um gesto que tinha a intenção de parecer que o estava a dispensar.

Ele olhou-a, desconfiado.

– E o que pretende fazer?

– Acho que vou escrever umas cartas e depois dar um passeio – respondeu ela.

– Não vai dar passeio nenhum – rosnou ele.

Quase como se realmente se *importasse* com ela, pensou Eloise.

– Sir Phillip – retorquiu ela –, asseguro-lhe que estou perfeitamente bem. Tenho a certeza de que pareço muito pior do que me sinto.

– É bom que pareça muito pior do que se sente – resmoneou ele.

Eloise fez-lhe um ar carrancudo. Afinal de contas, era apenas um olho negro e, portanto, uma mancha temporária na sua aparência, mas ele não tinha necessidade de lhe *lembrar* que estava com um aspeto horrível.

– Não vou atrapalhá-lo – insistiu ela –, afinal isso é o que realmente importa, não é?

Uma veia começou a latejar-lhe na têmpora e Eloise sentiu uma grande satisfação.

– Pode ir – disse ela.

E quando ele não o fez, ela virou-lhe as costas e começou a caminhar, atravessando um portão para outro segmento do jardim.

– Pare imediatamente – ordenou Sir Phillip, aproximando-se dela com um único passo. – *Não* pode ir passear.

Eloise queria perguntar-lhe se ele pretendia amarrá-la, mas conteve-se, temendo que ele pudesse aprovar a sugestão.

– Sir Phillip – começou ela –, não estou a ver como... Oh!

Resmungando algo sobre mulheres doidas (e acrescentando outro adjetivo que Eloise considerava ainda mais gratuito), Sir Phillip ergueu-a nos braços e transportou-a até à *chaise-longue*, onde a depositou sem cerimónias.

— Fique aí — ordenou.

Ela gaguejou, tentando encontrar a voz depois daquela exibição incrível de arrogância.

— Não pode…

— Pelo amor de Deus, mulher, consegue tirar a paciência a um santo.

Eloise ficou a olhá-lo.

— O que será necessário para a manter aqui sossegada? — perguntou com ar impaciente e cansado.

— Não consigo pensar em nada — respondeu, com toda a sinceridade.

— Muito bem — disse ele, o queixo projetado num gesto de fúria teimosa. — Atravesse toda a região a pé. Nade até França, se quiser.

— Do Gloucestershire? — perguntou ela, os lábios contraindo-se.

— Se alguém conseguisse descobrir uma maneira de o fazer — disse ele —, seria a senhora. Tenha um bom dia, Miss Bridgerton.

E então foi-se embora, deixando Eloise exatamente onde estava dez minutos antes. Sentada na *chaise-longue*, tão espantada com a partida súbita dele que até se esquecera que tinha a intenção de se levantar e sair.

Se Phillip ainda não estivesse convencido de que tinha feito figura de urso, a curta missiva de Eloise a informá-lo de que pretendia jantar no quarto teria deixado isso bem claro.

Considerando que ela passara a tarde a reclamar por não ter companhia, a decisão de passar a noite sozinha era um insulto mordaz.

Ele comeu sozinho, em silêncio, como fizera durante tantos meses. Anos, na verdade, já que Marina raramente saía do quarto para jantar, quando era viva. Seria de pensar que estivesse habituado, mas agora sentia-se inquieto e desconfortável, consciente da presença dos criados, que sabiam que Miss Bridgerton havia rejeitado a sua companhia.

Resmungou baixinho enquanto mastigava a carne. Sabia que devia ignorar os criados e viver o dia a dia como se eles não existissem, ou se existissem, como se fossem uma espécie completamente diferente. E embora tivesse de admitir que não tinha grande interesse nas vidas deles fora de Romney Hall, o facto é que eles tinham interesse na sua, e ele detestava ser objeto de mexericos.

O que certamente aconteceria esta noite, quando se reunissem na copa para cear.

Deu uma dentada feroz na carne. Esperava que eles fossem obrigados a comer aquele maldito peixe que saíra da cama de Amanda.

Fez questão de comer o prato de salada e o de aves e até o pudim, embora a sopa e a carne tivessem sido mais do que suficientes. Mas havia a possibilidade de Eloise mudar de ideias e se juntar a ele para o jantar. Não parecia provável, dada a sua teimosia, mas se decidisse dar o braço a torcer, ele queria estar presente para assistir.

Quando se tornou evidente que isso não passava de uma ilusão da sua parte, pensou em ir ao quarto dela, mas até ali no meio do campo esse era um comportamento bastante inadequado e, além do mais, duvidava que ela o quisesse ver.

Bem, isso não era bem verdade. Achava que ela *queria* vê-lo, sim, mas queria-o humilde e a desculpar-se. E mesmo que ele não pronunciasse uma única palavra que se assemelhasse a *peço* ou a *desculpa*, o simples facto de aparecer seria o mesmo que reconhecer que tinha errado.

O que não seria a pior coisa do mundo, considerando que já tinha decidido estar disposto a ajoelhar-se aos pés dela e a suplicar-lhe para que casasse com ele se consentisse em ficar e ser mãe dos seus filhos. Isto, apesar de ter estragado tudo esta tarde... e, para ser sincero, de manhã também.

Mas querer cortejar uma mulher não significava que soubesse fazê-lo.

O irmão é que tinha nascido com todo o charme e elegância; sabia sempre o que dizer e como agir. George nunca teria notado que os criados o olhavam como se fossem coscuvilhar sobre a sua

131

vida daí a dez minutos e, na verdade, até esse ponto era discutível, porque o único comentário que os criados podiam fazer seria algo do tipo: «O nosso patrão é cá um malandro!» Isto dito com um sorriso e um rubor, é claro.

Phillip, por outro lado, era mais calmo, mais pensativo e, certamente, menos adequado para o papel de pai e de suserano. Sempre planeara deixar Romney Hall sem olhar para trás, pelo menos enquanto o pai fosse vivo. George ia casar-se com Marina e ter uma meia dúzia de filhos perfeitos, e Phillip seria o tio abrutalhado e um pouco excêntrico que vivia em Cambridge e que passava o tempo todo enfiado numa estufa a fazer experiências que ninguém entendia ou, na verdade, a que ninguém dava importância.

Era assim que deveria ter sido, mas tudo tinha mudado naquele campo de batalha na Bélgica.

A Inglaterra tinha ganhado a guerra, mas isso pouco conforto trouxera a Phillip, quando o pai o arrastara de volta para o Gloucestershire, determinado a educá-lo para ser o herdeiro perfeito.

Determinado a transformá-lo em George, que sempre tinha sido o filho preferido.

E depois o pai tinha morrido. Bem na frente de Phillip, o coração cedera numa ira violenta, certamente exacerbada pelo facto de o filho já ser grande de mais para ser deitado sobre o joelho e espancado com uma pá.

E foi assim que Phillip se tornara Sir Phillip, com todos os direitos e responsabilidades de um barão.

Direitos e responsabilidades que nunca, nunca quis.

Ele amava os filhos, amava-os mais do que a própria vida, por isso talvez devesse ficar feliz com a forma como tudo tinha terminado, mas continuava a sentir-se como se estivesse a falhar. Romney Hall era próspera, Phillip tinha introduzido várias técnicas agrícolas novas que aprendera na universidade e os campos estavam a dar lucro pela primeira vez desde… Bem, Phillip não sabia desde quando. O certo é que não davam dinheiro na altura em que o pai era vivo.

Mas os campos eram apenas campos. Os filhos eram seres humanos, de carne e osso, e todos os dias se convencia mais de que estava a falhar na educação deles. A cada dia que passava os problemas pareciam piorar (o que o deixava aterrorizado; nada podia ser pior do que o cabelo colado de Miss Lockhart ou o olho negro de Eloise) e não sabia o que fazer. Sempre que tentava falar com eles, parecia dizer a coisa errada. Ou fazer a coisa errada. Ou não fazer nada, tudo porque ficava cheio de medo de perder a paciência.

Exceto daquela vez. Na noite anterior, ao jantar, com Eloise e Amanda. Pela primeira vez na história recente havia lidado com a filha da maneira *certa*. De alguma forma a presença de Eloise tinha-o acalmado, conferindo-lhe uma clareza de pensamento que geralmente não possuía quando se tratava dos filhos. Foi capaz de ver algum humor na situação, quando geralmente não via mais nada senão a sua própria frustração.

O que era mais uma razão para se certificar de que Eloise ficava e se casava com ele. E mais uma razão para não subir ao quarto dela esta noite e tentar fazer as pazes.

Ele não se importava de engolir o sapo, reconhecendo o erro. Que inferno, engoliria uma família inteira de sapos se fosse preciso.

Só não queria tornar a situação pior do que já estava.

Eloise levantou-se bem cedo na manhã seguinte, o que não era de surpreender, já que se arrastara para a cama perto das oito e meia da noite. Arrependera-se do exílio autoimposto logo depois de enviar o bilhete a Sir Phillip informando-o da sua decisão de jantar no quarto.

Ficara muito aborrecida com ele e deixara a irritação toldar-lhe o pensamento. A verdade é que odiava comer sozinha, odiava ficar sentada a uma mesa sem nada para fazer a não ser olhar para a comida e adivinhar em quantas garfadas conseguia comer as batatas. Até Sir Phillip, no seu humor mais obstinado e pouco comunicativo teria sido melhor do que isso.

Além do mais, ainda não estava convencida de não serem talhados um para o outro, e jantarem separados não ia ajudar a esclarecer a sua curiosidade acerca da personalidade e temperamento dele.

Ele podia parecer um urso, e um urso rabugento, mas quando sorria... De repente Eloise compreendeu o que todas aquelas jovens queriam dizer quando desatavam a falar completamente derretidas do sorriso do seu irmão Colin (que Eloise achava bastante comum; afinal era o *Colin*).

Mas quando Sir Phillip sorria, todo ele se transformava. Os olhos escuros assumiam um brilho diabólico, cheio de humor e malícia, como se soubesse algo que ela não sabia. Mas não era isso que lhe fazia o coração bater mais depressa. Afinal Eloise era uma Bridgerton. Já vira muitos brilhos diabólicos e orgulhava-se de lhes ser imune.

Quando Sir Phillip olhava para ela e sorria, havia uma certa timidez, como se não estivesse muito habituado a sorrir a mulheres. Se todas as peças do quebra-cabeças entre eles encaixassem no sítio certo, estava convencida de que ele um dia poderia vir a estimá-la. Mesmo que nunca a amasse, ele iria valorizá-la e não tomá-la como certa.

E era por essa razão que Eloise ainda não estava preparada para fazer as malas e partir, apesar do comportamento dele ter sido bastante rude no dia anterior.

Com o estômago a roncar, desceu até à sala de pequeno-almoço, apenas para ser informada de que Sir Phillip já tinha descido e saído. Eloise tentou não ficar desanimada. Isso não queria dizer que ele estivesse a tentar evitá-la; antes, era perfeitamente possível que tivesse assumido que ela não era uma pessoa madrugadora e tivesse optado por não esperar.

Mas quando foi espreitar à estufa e a encontrou vazia, viu-se num impasse e foi à procura de outra companhia.

Oliver e Amanda deviam-lhe uma tarde, não era? Eloise marchou, decidida, escadas acima. Não havia nenhuma razão para não ser uma manhã.

– Querem ir nadar?

Oliver ficou a olhar para ela como se fosse louca.

– Eu quero – continuou Eloise com um aceno de cabeça. – Vocês não?

– Não – respondeu ele.

– Eu quero – afirmou Amanda, mostrando a língua ao irmão quando ele lhe atirou um olhar feroz. – Eu adoro nadar e o Oliver também. Ele só está zangado de mais para admitir.

– Não acho muito aconselhável eles irem – respondeu a ama, uma mulher de ar severo e idade indeterminada.

– Que disparate – disse Eloise com descontração, sentindo uma aversão imediata pela mulher. Parecia do tipo que puxava ore- lhas e dava reguadas. – Está bastante calor para esta altura do ano e um pouco de exercício vai ser muito saudável.

– Mesmo assim… – continuou a ama, o tom de voz demons- trando irritação por ver a sua autoridade contestada.

– Eu trato de os manter a par das lições enquanto isso – pros- seguiu Eloise, usando o tom de voz que a mãe usava quando queria deixar claro que não admitiria discussão. – Eles estão atualmente sem precetora, não estão?

– Estão, sim – confirmou a ama. – Esses dois monstrinhos colaram…

– Seja qual for o motivo da partida – interrompeu Eloise, muito segura de não querer saber o que eles tinham feito à última precetora –, tenho a certeza que tem sido um fardo monstruoso ter de assumir ambos os papéis nas últimas semanas.

– Meses – corrigiu a ama em tom mordaz.

– Pior, ainda – concordou Eloise. – Seria de pensar que merece uma manhã livre, não seria?

– Bem, não me importaria de uma breve ida à cidade…

– Então está decidido. – Eloise lançou uma olhadela às crian- ças e permitiu-se um momento de autorregozijo. Eles olhavam-na com respeito. – Pode ir – disse ela à ama, apressando-a na direção da porta. – Aproveite a sua manhã.

Fechou a porta atrás de uma ainda desnorteada ama e virou-se para as crianças.

– Foi muito inteligente – disse Amanda, sem fôlego.

Até Oliver não pôde deixar de acenar em concordância.

– Eu odeio a ama Edwards – declarou Amanda.

– Não odeias nada – contrariou Eloise, mas sem grande convicção; ela também não gostara muito da ama Edwards.

– Odiamos, sim – insistiu Oliver. – Ela é horrível.

Amanda assentiu com um gesto de cabeça.

– Quem me dera que a ama Millsby voltasse, mas ela teve de se ir embora para cuidar da mãe. Ela está doente – explicou.

– A mãe dela – explicou Oliver –, não a ama Millsby.

– Há quanto tempo está cá a ama Edwards? – perguntou Eloise.

– Há cinco meses – respondeu Amanda com ar carrancudo. – Cinco longos meses.

– Bem, tenho a certeza de que ela não é assim tão má – disse Eloise, com a intenção de dizer mais, mas calando-se quando Oliver interrompeu…

– Oh, ela é má.

Eloise não queria denegrir outro adulto, especialmente um que devia ter alguma autoridade sobre eles, por isso decidiu que o melhor era contornar o problema, dizendo:

– Mas esta manhã isso não importa porque me têm a mim, não é assim?

Amanda estendeu a mão timidamente e pegou na dela.

– Eu gosto de si – disse ela.

– Eu também gosto de ti – respondeu Eloise, surpreendida pelas lágrimas que lhe assomaram aos olhos.

Oliver não disse nada. Eloise não ficou ofendida. Algumas pessoas precisavam de mais tempo para se habituarem aos outros. Além disso, aquelas crianças tinham todo o direito de serem desconfiadas. Afinal, a mãe tinha-os deixado. Porque morrera, é certo, mas eles eram muito novos; tudo o que sabiam era que a tinham amado e que ela se fora embora.

Eloise lembrava-se bem dos meses após a morte do pai. Agarrava-se à mãe em todas as oportunidades, tentando convencer-se de que se a mantivesse por perto (ou, melhor ainda, se lhe segurasse a mão), a mãe não poderia ir-se embora também.

Era de admirar que aquelas crianças não gostassem da nova ama? Provavelmente tinham sido criados pela ama Millsby desde que nasceram. Perdê-la logo depois da morte de Marina deve ter sido duplamente difícil.

– Sinto muito por lhe termos causado um olho negro – declarou Amanda.

Eloise apertou-lhe a mão.

– Parece muito pior do que é.

– Tem um ar horrível – admitiu Oliver, o rosto começando a mostrar sinais de remorso.

– Pois tem – concordou Eloise –, mas começo a habituar-me a ele. Acho que pareço um soldado que foi para a batalha e... ganhou!

– Não parece que tenha ganhado – disse Oliver, um canto da boca a torcer-se numa expressão de dúvida.

– Que disparate! É claro que ganhei. Qualquer pessoa que consiga chegar a casa depois de uma batalha ganhou.

– Então isso quer dizer que o tio George perdeu? – perguntou Amanda.

– O irmão do vosso pai?

Amanda assentiu. – Ele morreu antes de nós nascermos.

Eloise perguntou-se se eles saberiam que a mãe deveria ter-se casado com ele. Provavelmente não.

– O vosso tio foi um herói – afirmou ela em tom respeitoso.

– Mas o nosso pai não – contrapôs Oliver.

– O vosso pai não pôde ir para a guerra porque tinha muitas responsabilidades aqui – explicou Eloise. – Mas esta é uma conversa muito séria para uma manhã tão bonita, não acham? Devíamos estar lá fora, a nadar e a divertirmo-nos.

Os gémeos foram rapidamente contagiados pelo entusiasmo e pouco tempo depois, já vestidos com os seus trajes de banho, atravessavam os campos em direção ao lago.

– Temos de praticar a aritmética! – exclamou Eloise enquanto eles seguiam aos saltos à sua frente.

E para sua grande surpresa, eles obedeceram. Quem diria que os números podiam ser tão divertidos?

CAPÍTULO 8

...que sorte tu tens em estar na escola. A nós, raparigas, foi-nos apresentada uma nova precetora que é a personificação do suplício. Insiste nas contas de manhã à noite. Agora, a pobre Hyacinth irrompe em lágrimas sempre que ouve a palavra «sete». (Embora deva confessar que não entendo porque é que do um ao seis não lhe provoca a mesma reação.) Já não sei o que podemos fazer. Mergulhar-lhe o cabelo em tinta, suponho. (O de Miss Haversham, não o de Hyacinth, apesar de não descartar essa hipótese.)

De Eloise Bridgerton para o irmão, Gregory,
durante o primeiro ano de estudos deste em Eton

~~~~

Quando Phillip voltou do roseiral, ficou espantado ao encontrar a casa em silêncio e vazia. Era raro o dia em que o ar não explodisse com o som de alguma mesa tombada ou grito indignado.

As crianças... pensou, fazendo uma pausa para saborear o silêncio. Era óbvio que não estavam em casa. A ama Edwards devia tê-las levado para uma caminhada.

Supôs que Eloise ainda estivesse na cama, embora já fossem quase dez horas e ela não parecesse o género de pessoa de se deixar ficar a preguiçar o dia inteiro debaixo das cobertas.

Phillip olhou para as rosas que trazia na mão. Tinha passado uma hora a escolher com todo o cuidado as flores certas. Romney

Hall ostentava três roseirais e ele teve de ir ao mais longínquo para encontrar as variedades de floração precoce. Aí escolhera as rosas meticulosamente, tendo o cuidado de as cortar pelo ponto certo, de modo a incentivar a floração, retirando em seguida todos os espinhos dos caules.

De flores percebia ele. De plantas verdes ainda mais, mas não achava que Eloise achasse um ramo de hera muito romântico.

Foi até à sala de pequeno-almoço, na expectativa de ver ainda tudo preparado aguardando a chegada de Eloise, mas o aparador estava completamente arrumado, indicando que a refeição da manhã já terminara. Phillip mostrou um ar carrancudo, dei-xando-se ficar ali no meio da sala um momento, a tentar descobrir o que fazer a seguir. Era evidente que Eloise já tinha descido e tomado o pequeno-almoço, mas não fazia a mais pequena ideia de onde ela se teria enfiado.

Nesse instante entrou uma criada, de espanador e pano nas mãos. Fez uma vénia rápida quando o viu.

— Vou precisar de um vaso para isto — disse ele, mostrando as flores.

Esperava entregá-las a Eloise diretamente, mas não lhe apete-cia andar toda a manhã de ramo na mão enquanto a procurava.

A criada acenou com a cabeça e preparava-se para sair quando ele a deteve com a pergunta:

— Ah, porventura sabe onde está Miss Bridgerton? Reparei que o pequeno-almoço já foi retirado.

— Saiu, Sir Phillip — respondeu a criada. — Com as crianças.

Phillip pestanejou de surpresa.

— Ela saiu com o Oliver e a Amanda? De livre vontade?

A criada assentiu.

— Muito interessante. — Suspirou, tentando não imaginar a cena. — Espero que eles não a matem.

A criada mostrou um ar alarmado.

— Sir Phillip?

— Foi uma piada… há… Mary?

Não queria terminar a frase com uma pergunta, mas a verdade é que não sabia se esse era o nome dela.

Ela assentiu com a cabeça de tal forma que ele ficou sem ter a certeza se tinha acertado ou se ela estava apenas a ser bem-educada.

– Por acaso sabe para onde eles foram?

– Para o lago, acho. Foram nadar.

Phillip gelou.

– Nadar? – perguntou, a voz soando-lhe incorpórea e oca nos ouvidos.

– Sim. As crianças tinham os fatos de banho vestidos.

Nadar. Meu Deus!

Há um ano que evitava o lago, dando sempre uma volta maior só para não o ver. E tinha proibido terminantemente as crianças de lá irem.

Ou será que não?

Avisara a ama Millsby para não os deixar aproximarem-se da água, mas será que se tinha lembrado de fazer o mesmo aviso à ama Edwards?

Desatou a correr, deixando o chão coberto de rosas.

– O último a entrar é um eremitão! – gritou Oliver, arrancando para a água a toda a velocidade e desatando a rir quando esta lhe chegou à cintura e ele foi forçado a abrandar.

– Eu não sou um eremitão. *Tu* é que és um eremitão! – devolveu Amanda enquanto chapinhava na zona mais rasa.

– És um eremitão *podre*!

– Ai é? Então tu és um eremitão *morto*!

Eloise riu-se enquanto avançava devagar pela água, a poucos metros de distância de Amanda. Não tinha trazido traje de banho (quem iria pensar que podia precisar?), por isso amarrara a saia e o saiote acima dos joelhos, expondo as pernas. Estava a mostrar demasiado as pernas, mas isso pouco importava na companhia de duas crianças de oito anos.

141

Além de que estavam tão entretidos a atormentar-se um ao outro que não repararian nas pernas dela.

Os gémeos tinham-se habituado a ela durante a caminhada até ao lago, rindo e conversando sem parar, pondo Eloise a pensar se o que eles precisavam não seria apenas de um pouco de atenção. Tinham perdido a mãe, a relação com o pai era, no mínimo, distante e, para cúmulo, a querida ama tinha-os deixado. Graças a Deus que podiam contar um com o outro.

E talvez, quem sabe, com ela.

Eloise mordeu o lábio, na dúvida se deveria sequer deixar o pensamento seguir nessa direção. Ainda não decidira se queria casar-se com Sir Phillip e por mais que aquelas duas crianças parecessem precisar dela (e precisavam, tinha a certeza que sim), não podia tomar uma decisão com base em Oliver e Amanda.

Não era com *eles* que se ia casar.

— Não se afastem muito! — avisou, ciente de que Oliver tinha avançado mais para dentro do lago.

Ele fez aquela cara que os meninos fazem quando pensam que estão a ser mimados, mas ela reparou que ele deu dois grandes passos para trás em direção à margem.

— Tem de entrar mais, Miss Bridgerton — disse Amanda, sentando-se no fundo do lago e exclamando: — Oh! Está fria!

— Então porque é que te sentaste? — criticou Oliver. — Já sabias que estava fria.

— Sim, mas os meus pés já se tinham habituado — justificou ela, abraçando os braços contra o corpo. — Já não me parecia tão fria.

— Não te preocupes — disse-lhe o irmão com um sorriso altivo —, o teu traseiro já se habitua, também.

— Oliver! — ralhou Eloise mas ciente de que estragara tudo ao sorrir.

— Ele tem razão! — exclamou Amanda, voltando-se para Eloise com uma expressão de surpresa. — Já não sinto o traseiro, sequer.

— Não me parece que isso seja uma coisa boa — comentou Eloise.

– Devia nadar – provocou Oliver. – Ou, pelo menos, ir até onde a Amanda foi. Ainda mal molhou os pés.

– Não trouxe fato de banho – justificou-se Eloise, mesmo já o tendo explicado, pelo menos, seis vezes.

– Pois eu acho que não sabe nadar – disse ele.

– E eu garanto que sei nadar muito bem – devolveu ela – *e* que não vais conseguir obrigar-me a fazer uma demonstração no meu terceiro melhor vestido de dia.

Amanda olhou para ela e pestanejou várias vezes.

– Gostava de ver o seu primeiro e segundo melhores. Esse vestido é muito bonito.

– Ora, muito obrigada, Amanda – agradeceu Eloise, imaginando quem escolheria a roupa da menina.

A excêntrica ama Edwards, provavelmente. Não havia nada de errado com o que Amanda estava a usar, mas Eloise era capaz de apostar que nunca ninguém tinha pensado em proporcionar-lhe o divertimento de escolher a sua própria roupa. Sorriu para Amanda e disse:

– Se um dia destes quiseres ir às compras, terei todo o prazer em levar-te.

– Oh, eu adoraria – disse Amanda, ofegante. – Mais do que tudo. Obrigada!

– Raparigas… – resmungou Oliver com desdém.

– Um dia vais dar-nos valor – comentou Eloise.

– Há?

Ela balançou a cabeça com um sorriso. Demoraria ainda algum tempo até ele perceber que as meninas serviam para mais do que apenas amarrar-lhes as tranças uma à outra.

Oliver encolheu os ombros e voltou a bater na superfície da água com a palma da mão de maneira a salpicar a irmã com a maior quantidade de água possível.

– Para com isso! – protestou Amanda.

Ele desatou à gargalhada e voltou a atirar-lhe água.

– Oliver!

Amanda levantou-se e avançou em direção a ele com ar ameaçador. Quando achou que andar na água era demasiado lento, mergulhou e começou a nadar. Aos gritinhos e risadas, o irmão fugiu a
nadar, vindo acima apenas o tempo suficiente para respirar e a provocar.

– Ainda te apanho! – rosnou Amanda, parando um momento
na água para descansar.

– Não se afastem muito! – voltou a avisar Eloise, mas percebendo que não havia grande necessidade de o fazer.

Era óbvio que as duas crianças eram excelentes nadadoras. Se
fossem como Eloise e os irmãos, provavelmente nadavam desde os
quatro anos. As crianças Bridgerton haviam passado horas incontáveis no verão a chapinhar no lago perto da casa do Kent, embora o
tempo dedicado à natação tivesse sido reduzido após a morte do
pai. Quando Edmund Bridgerton era vivo, a família passava a
maior parte do tempo no campo, mas depois de ele morrer, acabaram por viver maioritariamente na cidade. Eloise nunca soube se
era porque a mãe preferia a cidade ou se porque a casa no campo
lhe trazia demasiadas recordações.

Eloise adorava Londres e gostava muito de lá viver, mas agora
que estava ali no Gloucestershire, a chapinhar no lago com duas
crianças ruidosas, percebia as saudades que sentia da forma de vida
campestre.

Não que se sentisse pronta a desistir de Londres e de todos os
amigos e diversões que a cidade oferecia, mas começava a pensar
que não precisava de passar *tanto* tempo na capital.

Amanda conseguiu finalmente apanhar o irmão e lançou-se
para cima dele, fazendo os dois mergulharem. Eloise observava-os
com atenção; via uma mão ou um pé subir à superfície até ambos
virem à tona para respirar, rindo, ofegantes, cada um deles prome-
tendo ganhar aquela que era claramente uma guerra extremamente
importante.

– Cuidado! – avisou Eloise, principalmente por achar ser o seu
dever. Era estranho encontrar-se na posição de adulto autoritário;

com os sobrinhos e sobrinhas podia ser a tia divertida e permissiva.

– Oliver! *Não* puxes o cabelo à tua irmã!

Ele assim fez, mas logo em seguida passou a puxar-lhe a gola do fato de banho, o que não devia ser nada confortável para Amanda, que na verdade desatou a tossir, engasgada.

– Oliver! – gritou Eloise. – Para com isso imediatamente!

Ele obedeceu, o que a deixou espantada e contente, ao mesmo tempo, mas Amanda aproveitou o alívio momentâneo para saltar em cima do irmão e, sentando-se nas costas dele, mantê-lo debaixo de água.

– Amanda! – voltou a gritar Eloise.

Amanda fingiu não ouvir.

Ora, bolas! Agora ia ter de ir até lá pôr um fim à luta, e o resultado seria ficar completamente encharcada.

– Amanda, para com isso imediatamente! – gritou, numa última tentativa de salvar o vestido e a dignidade.

Amanda obedeceu e Oliver veio à tona ofegante, ameaçando:

– Amanda Crane, eu vou…

– Não, não vais – interrompeu Eloise em tom severo. – Nenhum dos dois vai matar, mutilar, atacar ou até mesmo abraçar o outro durante pelo menos trinta minutos.

Eles mostraram-se muito chocados por Eloise ter até mencionado a possibilidade de um abraço.

– E então? – perguntou Eloise, exigindo deles uma confirmação.

Os dois ficaram em silêncio até Amanda perguntar:

– Então o que *podemos* fazer?

Boa pergunta. A maioria das memórias de Eloise de nadar no lago envolviam o mesmo tipo de brincadeiras de lutas entre irmãos.

– Talvez seja melhor pormo-nos a secar e a descansar um bocadinho – sugeriu.

Ambos se mostraram horrorizados com tal sugestão.

– Temos de trabalhar mais nas lições – acrescentou Eloise. – Talvez um pouco mais de aritmética. Prometi à ama Edwards que faríamos algo de construtivo.

Aquela sugestão caiu quase tão bem como a primeira.

– Muito bem – disse Eloise. – O que sugerem que façamos?

– Não sei – foi a resposta murmurada de Oliver, acompanhada do encolher de ombros de Amanda.

– Bem, não há nenhuma razão para ficarmos aqui sem fazer nada – concluiu Eloise, pondo as mãos nas ancas. – Além de ser extremamente aborrecido, estamos propensos a…

– *Saiam já do lago!*

Eloise girou nos calcanhares, tão surpreendida pelo rugido furioso que escorregou e caiu na água. Raios e coriscos! Lá se iam as suas boas intenções de manter o vestido seco.

– Sir Phillip – disse ela em voz ofegante, grata por ter conseguido amparar a queda com as mãos e não ter caído de rabo na água. Ainda assim, a frente do vestido estava completamente encharcada.

– Saiam da água – rosnou Phillip, entrando lago adentro com força e velocidade surpreendentes.

– Sir Phillip – voltou a dizer Eloise, com a voz embargada de surpresa enquanto tentava levantar-se –, o que…

Mas ele já tinha pegado em ambos os filhos, puxando-os para a margem. Eloise ficou assombrada com a forma brusca como ele os pousou na relva.

– Eu avisei que nunca vos queria ver perto do lago! – gritou ele, sacudindo-os pelos ombros. – Sabem perfeitamente que devem manter-se longe. Sabem que…

Parou, claramente abalado, e precisando também de recuperar o fôlego.

– Mas isso foi no ano passado – choramingou Oliver.

– Ouviste-me anular a ordem?

– Não, mas pensei…

– Pensaste mal – rosnou Phillip. – Agora voltem para casa. Os dois.

As duas crianças verificaram nos olhos do pai o quão séria era a sua ordem e rapidamente subiram a pequena colina. Phillip ficou parado a vê-los correr, mas assim que ficaram fora do alcance da sua voz, virou-se para Eloise com uma expressão que a fez dar um passo atrás e disse:

— Mas o que é que lhe passou pela cabeça?

Ela ficou uns instantes sem conseguir dizer nada; a pergunta parecia-lhe demasiado ridícula para merecer uma resposta.

— Achei que mereciam divertir-se um pouco — respondeu por fim, provavelmente com mais insolência do que deveria.

— Não quero os meus filhos perto do lago — rosnou ele. — Deixei isso bem claro…

— A mim, não.

— Bem, mas devia…

— Como é que eu ia saber que não queria que eles se aproximassem da água? — perguntou Eloise, interrompendo-o antes que ele pudesse acusá-la de irresponsabilidade ou de outra coisa qualquer. — Eu informei a ama do sítio para onde vínhamos *e* o que pretendíamos fazer, e ela não me deu nenhuma indicação de que era proibido.

Podia ver-lhe no rosto a falta de argumentos válidos, o que o deixava ainda mais furioso. Homens! O dia em que aprendessem a admitir um erro seria o dia em que se tornariam mulheres.

— O dia está quente — continuou ela no tom assertivo que lhe era natural quando estava decidida a não perder uma discussão.

O que, para Eloise, geralmente significava qualquer tipo de discussão.

— Eu estava a tentar aproximar-me deles — acrescentou —, já que não aprecio particularmente a ideia de outro olho negro.

Disse-o para o fazer sentir-se culpado, e deve ter funcionado porque ele corou e murmurou alguma coisa entre dentes que talvez tenha sido uma palavra de concordância.

Eloise fez uma pausa para ver se Phillip dizia mais alguma coisa, ou melhor ainda, se dizia alguma coisa que se aproximasse de uma linguagem inteligível, mas ao ver que não se mexia, limitando-se a olhar para ela, continuou:

— Eu pensei que fazermos juntos algo *divertido* podia funcionar. Deus sabe como as crianças precisam de se divertir — murmurou.

— O que está a tentar dizer? — perguntou ele, a voz irritada e grave.

— Nada — apressou-se ela a responder. — Só que não vi mal nenhum em vir nadar.

— Pô-los em perigo.

— Perigo?! — atirou ela. — Por nadar?

Phillip não respondeu, limitando-se a fitá-la.

— Oh, pelo amor de Deus! — exclamou ela com desdém. — Só teria sido perigoso se eu não soubesse nadar.

— Não me interessa se sabe nadar ou não — retorquiu ele. — Só me interessa é que os meus filhos não sabem.

Ela pestanejou. Várias vezes.

— Sabem, sim — anunciou ela. — Na verdade sabem ambos nadar muito bem. Até pensei que os tinha ensinado.

— O que está a dizer?

Ela inclinou ligeiramente a cabeça, talvez por preocupação, talvez por curiosidade.

— Não fazia ideia de que eles soubessem nadar?

Por um momento, Phillip sentiu-se incapaz de respirar. Os pulmões fecharam-se, a pele arrepiou-se e todo o corpo pareceu paralisar, transformando-se numa estátua.

Era horrível.

Ele era horrível.

De alguma forma, aquele momento parecia cristalizar todos os seus defeitos. Não era o facto de os filhos saberem nadar, era o facto de ele não *saber* que eles sabiam nadar. Como podia um pai não saber uma coisa dessas sobre os próprios filhos?

Um pai devia saber se os filhos eram capazes de montar a cavalo. Devia saber se eles sabiam ler e contar até cem.

E, por tudo o que é mais sagrado, devia saber se eram capazes de nadar.

— Eu… — começou ele, a voz cedendo após uma única palavra. — Eu…

Eloise deu um passo em frente, sussurrando:

— Sente-se bem?

Phillip assentiu com a cabeça, ou pelo menos ela achou que sim. A voz dela ecoava-lhe na cabeça – *sabem sim sabem sim sabem sim* – todavia, o importante não eram as palavras em si, mas o tom. O tom de surpresa, saído até com um toque de desdém.

E ele não *sabia*.

Os filhos iam crescendo e mudando e ele não os conhecia. Via-os, reconhecia-os, mas não sabia quem eles eram.

Sentiu-se engolir uma golfada de ar. Não sabia sequer quais eram as suas cores preferidas.

Cor-de-rosa? Azul? Verde?

Será que isso importava, ou só importava o facto de ele não saber?

À sua maneira, ele era um pai tão terrível como fora o seu. Thomas Crane podia dar grandes tareias aos filhos, mas pelo menos sabia sempre o que eles andavam a fazer. Phillip ignorava-os, evitava-os, fazia de conta... tudo para se manter longe e evitar perder as estribeiras. Tudo para evitar transformar-se no próprio pai.

O problema é que a distância talvez não fosse sempre uma coisa boa.

– Phillip? – sussurrou Eloise, pousando-lhe a mão no braço. – O que se passa?

Ele encarou-a, mas ainda se sentia cego, os olhos pareciam não conseguir focar.

– Acho que devia ir para casa – disse ela, de forma lenta e cautelosa. – Não parece estar bem.

– Eu... – Ele queria dizer que estava bem, mas as palavras não chegaram a sair. A verdade é que não estava bem, não estava nada bem, e já nem sabia quem era.

Eloise mordeu o lábio inferior, abraçou o peito e olhou para o céu quando uma sombra a cobriu.

Phillip seguiu-lhe o olhar e viu uma nuvem tapar o sol, provocando uma queda drástica da temperatura. Olhou para Eloise e assustou-se ao vê-la tremer de frio.

Ele nunca se sentira gelar tanto por dentro.

– Precisa de ir já para casa – disse, agarrando-lhe o braço e tentando levá-la colina acima.

– Phillip! – reclamou ela, tropeçando. – Eu estou bem. É só um pouco de frio.

Ele tocou-lhe a pele.

– Não é só um pouco de frio; está completamente gelada. – Tirou o casaco. – Vista isto.

Eloise não discutiu, mas disse:

– Eu estou bem. Não é preciso *correr*.

A última palavra saiu-lhe meio estrangulada, com ele a puxá-la para a frente, quase a levantando do chão.

– Phillip, *pare*! – queixou-se ela. – Por favor, deixe-me andar.

Ele parou tão de repente que a fez tropeçar, e rodando nos calcanhares, sibilou:

– Recuso-me a ser responsável por apanhar um resfriado tão grande que derive numa pneumonia.

– Mas estamos em maio.

– Quero lá saber! Até podia ser julho. Não pode ficar com essas roupas molhadas.

– Claro que não – respondeu Eloise, tentando soar razoável, já que era bastante claro que discutir o assunto só ia fazê-lo teimar ainda mais. – Mas não vejo por que não possa *andar*. O caminho até casa só demora dez minutos. Não vou morrer.

Nunca lhe passara pela cabeça que o sangue pudesse literalmente desaparecer do rosto de uma pessoa, mas não havia outra forma de descrever a palidez repentina da pele dele.

– Phillip? – perguntou ela, começando a ficar alarmada. – O que se passa?

Por um momento achou que ele não ia responder, mas então ele sussurrou, quase como se não tivesse consciência de que o estava a fazer:

– Não sei.

Ela tocou-lhe no braço e ergueu o olhar para o rosto dele. Parecia confuso, quase aturdido, como se tivesse sido atirado para o meio de um palco e não soubesse as falas da peça. Os olhos estavam abertos e postos nela, mas não lhe pareceu que ele estivesse a ver, tomado por uma lembrança de algo que devia ter sido muito terrível.

Ficou de coração partido por ele. Ela conhecia bem o efeito das más recordações, sabia como eram capazes de nos apertar o coração e nos assombrar os sonhos até sentirmos um medo atroz de apagar a vela.

Aos oito anos, Eloise vira o pai morrer e lembrava-se bem de como gritara e chorara ao vê-lo sufocar e cair ao chão, e de como depois lhe batera no peito quando ele já não podia falar, pedindo-lhe que acordasse e *dissesse* alguma coisa.

Era óbvio que já estava morto nessa altura, mas sabê-lo tornava a memória ainda pior.

No entanto, Eloise tinha conseguido superar. Não sabia como… talvez tudo se devesse à mãe, que ficara ao seu lado todas as noites a segurar-lhe a mão, a dizer-lhe que estava tudo bem, que não havia problema nenhum em falar sobre o pai e que era normal sentir falta dele.

Eloise nunca esquecera, mas já não se sentia angustiada e há mais de uma década que não tinha pesadelos.

Mas Phillip… era outra história. O que quer que lhe tivesse acontecido no passado, ainda o perseguia.

E, ao contrário de Eloise, era obrigado a enfrentar tudo sozinho.

– Phillip – disse ela, tocando-lhe no rosto.

Ele não se mexeu, e se ela não lhe tivesse sentido a respiração nos dedos, teria jurado que se transformara em estátua. Repetiu o nome dele, aproximando-se ainda mais.

Queria erradicar aquele olhar completamente destroçado; queria curá-lo.

Queria fazer dele a pessoa que sabia que ele era bem lá no fundo do coração.

Sussurrou o nome dele uma última vez, oferecendo-lhe naquela simples palavra, compaixão, compreensão e a promessa de auxílio.

Esperava que ele ouvisse, esperava que fosse capaz de escutar tudo o que lhe oferecia.

E então, lentamente, a mão de Phillip cobriu a dela. A pele dele era quente e áspera, e pressionou a mão dela contra o seu rosto, como se tentasse gravar a ferro e fogo o toque dela na memória. Depois fez deslizar a mão dela até à sua boca e beijou-a, com um ardor quase reverente, antes de a fazer descer até ao peito.

Pousando-a no seu coração que batia.

– Phillip? – sussurrou ela, num tom interrogativo, embora soubesse quais as intenções dele.

Com a outra mão ele desceu até ao fundo das costas dela puxando-a para si, com toda a lentidão e segurança, com tal firmeza que ela não foi capaz de recusar. Depois tocou-lhe o queixo e ergueu-lhe o rosto, parando apenas para sussurrar o nome dela antes de lhe aprisionar a boca num beijo de cortar a respiração de tão intenso. Estava faminto, carente, e beijou-a como se morresse sem ela, como se ela fosse o seu alimento, ar, corpo e alma.

Era o género de beijo que nenhuma mulher seria capaz de esquecer, um beijo que Eloise nunca sonhara sequer ser possível.

Phillip puxou-a ainda mais para si, até todo o corpo dela ficar pressionado contra o dele. Uma das mãos percorreram-lhe as costas, descendo para além delas, afagando-a, puxando-a contra ele, até a intimidade a deixar sem ar.

– Quero-a tanto – gemeu ele, as palavras soando-lhe arrancadas da garganta.

Os lábios dele deslizaram da boca para o rosto, descendo para o pescoço, provocando e fazendo cócegas.

Ela sentia-se a derreter. *Ele* estava a derretê-la, até ela não saber quem era ou o que fazia.

Só sabia que o queria a ele. Mais dele. Todo ele.

Só que…

Só que não daquela maneira. Não com ele a usá-la como uma espécie de remédio para lhe sarar as feridas.

– Phillip – disse Eloise, encontrando dentro de si a força necessária para se afastar um pouco. – Não podemos. Não assim.

Por momentos achou que ele não a iria libertar, mas então ele fê-lo, num gesto repentino.

– Desculpe – pediu, respirando com dificuldade.

Parecia confuso, e ela não sabia se era por causa do beijo ou por causa dos acontecimentos tumultuosos daquela manhã.

– Não peça desculpa – afirmou, instintivamente alisando a saia completamente molhada e impossível de alisar. Mas, mesmo assim, continuou a fazê-lo sentindo-se nervosa e pouco à vontade no seu próprio corpo. Se não se mexesse ou obrigasse a algum tipo de movimento, receava lançar-se novamente nos braços dele.

– Tem de voltar para casa – disse Phillip, a voz ainda baixa e rouca.

Eloise sentiu os olhos arregalarem-se de surpresa.

– Não vem comigo?

Ele negou com um movimento da cabeça e disse numa voz estranhamente inexpressiva:

– Não vai morrer de frio. Afinal, estamos em maio.

– Bem, sim, mas…

Ela deixou as palavras perderem-se já que não sabia o que responder. Talvez esperasse ser interrompida por ele.

Virou-se para subir a colina, mas parou ao ouvir a voz dele calma e decidida atrás dela.

– Eu preciso de pensar – declarou.

– Sobre quê?

Não devia ter perguntado, não devia ser intrusiva, mas nunca tinha sido capaz de não se meter onde não era chamada.

– Não sei. – Phillip encolheu os ombros, com ar desamparado. – Sobre tudo, suponho.

Eloise assentiu e continuou o seu caminho de regresso a casa.

Mas aquele olhar sem vida perseguiu-a o dia todo.

CAPÍTULO 9

…todos nós sentimos a falta do pai, especialmente nesta época do ano. Mas considero-te um sortudo por teres tido dezoito anos com ele. Lembro-me de tão pouco… gostava tanto que ele pudesse ter tido a oportunidade de me conhecer melhor e de conhecer a pessoa que me tornei.

De Eloise Bridgerton para o irmão, visconde Bridgerton,
por ocasião do décimo aniversário da morte do pai de ambos

Naquela noite, Eloise chegou propositadamente atrasada ao jantar. Não muito atrasada, não era do seu feitio, especialmente por ser uma característica que não tolerava nos outros. Mas, depois dos acontecimentos daquela tarde, não fazia ideia se Sir Phillip iria sequer aparecer para o jantar e não suportava a ideia de ficar à espera dele na sala de estar, a tentar não girar os polegares e a pensar se iria jantar sozinha.

Passavam, precisamente, dez minutos das sete da tarde quando concluiu que se ele não estivesse à sua espera, era porque não ia aparecer, e assim podia ir diretamente para a sala de jantar e agir como se tivesse planeado comer sozinha.

No entanto, para grande surpresa sua e, sendo sincera, grande alívio, Phillip estava de pé junto à janela quando ela entrou, elegantemente vestido num traje formal que, mesmo não sendo da última moda, era obviamente muito bem confecionado e lhe assentava na perfeição. Eloise percebeu que estava vestido estritamente de preto e branco e perguntou-se se ainda estaria de luto parcial por Marina ou se era apenas a sua preferência. Os irmãos raramente usavam as cores berrantes de pavão, tão populares em certos setores da alta sociedade, e Sir Phillip também não parecia ser desse tipo.

Eloise parou à porta um instante, avaliando-lhe o perfil, perguntando-se se ele a tinha visto. Então ele virou-se, murmurou o nome dela, e atravessou a sala.

— Espero que aceite as minhas desculpas por esta tarde – disse ele, e apesar do tom reservado, ela pôde ver-lhe a súplica nos olhos e sentir o quanto ele desejava o seu perdão.

— Não é necessário pedir desculpa – respondeu rapidamente, e era a verdade, supôs.

Como podia saber se ele deveria pedir desculpa quando nem sequer entendia o que tinha acontecido?

— É, sim – continuou ele, hesitante. – Eu exagerei. Eu...

Eloise não disse nada, limitando-se a observá-lo enquanto ele aclarava a garganta.

Phillip abriu a boca, mas passaram-se alguns segundos até conseguir dizer:

— A Marina quase se afogou naquele lago.

Eloise soltou um arquejo sufocado, só se dando conta que a mão tinha voado para cobrir a boca quando sentiu os dedos nos lábios.

— Ela mal sabia nadar – explicou ele.

— Sinto muito – sussurrou ela. – Estava... – Como perguntar sem parecer curiosidade mórbida? Não havia maneira de evitar e não conseguia conter-se, tinha de saber. – Estava lá?

Ele assentiu tristemente.

— Fui eu que a tirei de lá.

— Que sorte ela teve – murmurou Eloise. – Deve ter ficado apavorada.

Phillip não comentou. Nem sequer fez um gesto de assentimento.

Eloise pensou no pai, pensou em como se sentiu indefesa quando ele caiu desamparado no chão à frente dela. Mesmo em criança, ela era daquelas que têm de estar sempre a *fazer* coisas. Nunca foi uma observadora da vida; sempre quis participar da ação, consertar coisas, até mesmo «consertar» as pessoas. E na única vez que foi realmente importante fazê-lo, só pôde observar, impotente.

– Ainda bem que conseguiu salvá-la – murmurou ela. – Teria sido horrível para si, se não tivesse conseguido.

Phillip lançou-lhe um olhar estranho e ela percebeu como as palavras que dissera eram também estranhas, por isso acrescentou:

– É… muito difícil… quando alguém morre e só podemos ficar a ver, sem poder fazer nada para impedir. – E então, porque o momento parecia pedi-lo, porque se sentia estranhamente ligada àquele homem tão quieto e hirto à sua frente, acrescentou em voz baixa e, talvez, também com um toque pesaroso: – Eu sei.

Ele olhou-a, a pergunta estampada no rosto.

– O meu pai – foi a resposta curta dela.

Não era algo que partilhasse com muitas pessoas; na verdade, a sua melhor amiga, Penelope, era talvez a única pessoa fora da família mais próxima que sabia que Eloise tinha sido a única testemunha da estranha e prematura morte do pai.

– Lamento – murmurou ele.

– Sim – devolveu ela com ar saudoso. – Também eu.

Foi então que Phillip disse uma coisa estranhíssima.

– Eu não fazia ideia que os meus filhos sabiam nadar.

Foi tão inesperado, uma incongruência tão grande que ela só conseguiu piscar os olhos e dizer:

– Desculpe?!

Ele estendeu o braço para a levar para a sala de jantar.

– Eu não fazia ideia que eles sabiam nadar – repetiu ele, o tom sombrio. – Nem sequer sei quem os ensinou.

– E isso é importante? – perguntou Eloise com brandura.

– É – respondeu ele amargamente – porque deveria ter sido *eu* a fazê-lo.

Era difícil olhá-lo diretamente. Não se lembrava de alguma vez ter visto um homem tão dolorido, mas o mais curioso era que aquela expressão de dor lhe aquecia o coração. Qualquer homem que se preocupasse tanto com os filhos, mesmo não sabendo como agir na presença deles, tinha de ser um homem bom. Eloise sabia que tinha tendência para ver o mundo a preto e branco e que, às vezes, era precipitada nos julgamentos que fazia porque não parava para analisar os tons de cinzento, mas disto ela tinha a certeza.

Sir Phillip Crane era um homem bom. Podia não ser perfeito, mas era bom, e o seu coração era verdadeiro.

– Bem – apressou-se ela a dizer, preferindo sempre, como era seu feitio, lidar com os problemas encarando-os e resolvendo-os, em vez de parar para analisar –, agora não há nada a fazer. Eles não podem desaprender o que já sabem.

Ele parou e olhou para ela.

– Tem razão, é claro. – E depois, com mais suavidade: – Mas não importa quem os ensinou; eu devia saber que eles eram capazes.

Eloise concordou, mas a angústia de Phillip era tão óbvia que criticá-lo lhe pareceu inadequado, já para não dizer insensível.

– Ainda vai a tempo – disse em voz baixa.

– De quê? – perguntou ele, o tom trocista dirigido a si próprio. – De os ensinar a nadar de costas para poderem ampliar o repertório?

– Bem, sim – respondeu ela, o tom ligeiramente assertivo, uma vez que não tinha muita paciência para a autocomiseração –, mas também para aprender outras coisas sobre eles. Os seus filhos são encantadores.

Phillip olhou-a com ar de dúvida.

Eloise aclarou a garganta.

– Podem portar-se mal de vez em quando, mas…

Ele ergueu uma sobrancelha.

– Pronto, está bem, muitas vezes – emendou ela –, mas, na verdade, só querem a sua atenção.

– Foram eles que disseram isso?

– Claro que não! – respondeu ela, sorrindo da ingenuidade dele. – Só têm oito anos. Não sabem dizê-lo por estas palavras. Mas, para mim, é evidente.

Chegados à sala de jantar, Eloise sentou-se na cadeira que um dos criados segurava. Phillip sentou-se à frente dela, colocou a mão no copo de vinho, mas logo de seguida afastou-o. Os lábios dele moveram-se muito ao de leve, como se tivesse algo a dizer mas não soubesse como expressá-lo. Finalmente, depois de Eloise beber um gole de vinho, ele perguntou:

– E eles gostaram? De nadar, quero dizer.

Ela sorriu.

– Muito. Devia levá-los.

Phillip fechou os olhos e deixou-se ficar assim; não por muito tempo, mas ainda assim mais do que um simples piscar de olhos.

– Acho que não seria capaz – respondeu.

Eloise assentiu com a cabeça. Compreendia bem o poder das memórias.

– Talvez a outro sítio – sugeriu. – Deve haver um outro lago próximo. Ou até uma simples lagoa.

Ele aguardou que ela pegasse na colher e depois baixou a sua para a sopa.

– É uma boa ideia. Acho que... – Parou e pigarreou. – Acho que podia fazer isso. Vou pensar aonde podemos ir.

Havia algo tão enternecedor na expressão de Phillip... uma certa insegurança, vulnerabilidade. A consciência de, embora sem certezas de estar a fazer a coisa certa, querer ainda assim tentar. Eloise sentiu o coração saltar, falhar uma batida, e a sua vontade era estender a mão até ao outro lado da mesa e tocar na dele. Mas é claro que não podia. Mesmo que a mesa não fosse um pedaço mais comprida do que o seu braço, não podia. Decidiu apenas sorrir e esperar que fosse encorajador.

Phillip comeu um pouco de sopa, depois limpou a boca com o guardanapo e disse: – Espero que venha connosco.

– É claro – confirmou Eloise, encantada. – Ficaria desolada se não fosse convidada.

– Acredito que exagera – disse ele com um toque irónico a bailar-lhe nos lábios –, mas, mesmo assim, seria uma honra e, para ser sincero, ficarei aliviado de a ter comigo. – Perante a expressão curiosa dela, acrescentou: – O passeio será certamente um sucesso com a sua presença.

– Tenho a certeza de que...

Phillip interrompeu-a a meio da frase.

– Todos nós vamos divertir-nos muito mais na sua companhia – declarou com bastante ênfase, tanto que Eloise decidiu parar de discutir o assunto e aceitar graciosamente o elogio. O mais provável era que tivesse razão. Ele e os filhos estavam tão desacostumados de passar tempo juntos que certamente seria um benefício ter Eloise para suavizar a interação.

Eloise descobriu que não se importava nada com a ideia.

– Talvez amanhã – sugeriu ela –, se o tempo se mantiver bom.

– Acho que vai estar – disse Phillip alimentando a conversa. – O ar não me pareceu instável.

Eloise observou-o enquanto comia a sopa, um caldo de frango com vegetais que precisava de mais uma pitada de sal.

– Isso quer dizer que é capaz de prever o tempo? – perguntou ela, bastante certa de que todo o seu ceticismo estava estampado no rosto.

Tinha um primo que achava ser capaz de prever o tempo e sempre que lhe dava ouvidos acabava encharcada até aos ossos ou com os pés congelados.

– Nada disso – respondeu ele –, mas é possível... – Phillip parou e esticou o pescoço, atento. – O que foi isto?

– O que foi o quê? – respondeu Eloise, mas assim que as palavras lhe escaparam dos lábios, ouviu o mesmo que Phillip deveria ter ouvido. Vozes alteradas, soando mais alto a cada segundo que passava. Passos pesados.

A uma sucessão de palavras ofensivas seguiu-se um grito aterrorizado que só podia vir do mordomo…

Foi então que Eloise *soube*.

– Oh, meu Deus! – exclamou ela, perdendo a força com que segurava a colher até a sopa cair de novo no prato.

– O que diabo se passa? – perguntou Phillip, levantando-se, com certeza a preparar-se para defender a casa contra uma invasão.

Só que ele não fazia a mais pequena ideia do tipo de invasores que estava prestes a enfrentar. Do tipo de invasores irritantes, intrometidos e diabólicos que ia conhecer daí a… oh… a cerca de dez segundos.

Mas Eloise, sim. E também sabia que *irritantes*, *intrometidos* e *diabólicos* não significava nada em comparação com *furiosos*, *irracionais* e *francamente grandes* quando se tratava da segurança iminente de Phillip.

– Eloise? – perguntou Phillip, as sobrancelhas erguendo-se num ápice quando ambos ouviram alguém berrar o nome dela.

Ela sentiu o sangue fugir-lhe do corpo. Sentiu mesmo, *sabia* que isso tinha acontecido, mesmo que não pudesse vê-lo numa poça aos seus pés. Não havia maneira de sobreviver a um momento como aquele, não podia sair da situação sem matar alguém, de preferência alguém com quem tinha uma relação muito próxima.

Levantou-se, os dedos a agarrar a mesa. Os passos (que na verdade pareciam mais ser de uma horda raivosa) aproximavam-se.

– Alguém seu conhecido? – perguntou Phillip, com muita ligeireza para alguém que estava prestes a enfrentar a morte.

Eloise assentiu com a cabeça e lá conseguiu a muito custo proferir as palavras:

– Os meus irmãos.

Phillip pensou (enquanto estava encostado à parede com dois pares de mãos a apertar-lhe o pescoço) que Eloise poderia tê-lo avisado com um pouco mais de antecedência.

Não eram precisos *dias*, embora tivesse sido bom, mesmo que insuficiente contra a força coletiva de quatro homens enormes, muito irritados e pelo ar deles, parentes, com toda a certeza.

Irmãos. Devia ter pensado nisso. Provavelmente teria sido melhor evitar cortejar uma mulher com irmãos.

Quatro, para ser mais preciso.

Quatro. Era espantoso não estar já morto.

– Anthony! – gritou Eloise. – Para!

Anthony, ou pelo menos Phillip presumiu que fosse Anthony, já que eles não se tinham exatamente preocupado em fazer as devidas apresentações, apertou mais o pescoço de Phillip.

– Benedict – suplicou Eloise, voltando a atenção para o maior deles todos. – Sê razoável.

O outro, isto é, o outro que também lhe apertava o pescoço (porque havia outros dois, mas esses limitaram-se a ficar parados com ar ameaçador), soltou um pouco o aperto para se virar e olhar para Eloise.

O que foi um grave erro, já que, na pressa de o desfazerem em mil pedaços, nenhum deles tinha ainda olhado para a irmã tempo suficiente para reparar que ela ostentava um olho negro pavoroso.

Algo pelo qual naturalmente iriam pensar *ele* era responsável.

Benedict soltou um grunhido profano e pressionou Phillip contra a parede com tanta força que os pés se levantaram do chão.

Estupendo! É desta que morro, pensou Phillip. O primeiro aperto foi apenas desconfortável, mas este…

– Para! – gritou Eloise, saltando para as costas de Benedict e puxando-lhe o cabelo.

Benedict soltou um berro quando a cabeça lhe foi puxada para trás, mas, infelizmente, o aperto estrangulador de Anthony manteve-se firme, mesmo depois de Benedict ser obrigado a libertá-lo para se desenvencilhar de Eloise.

Eloise que estava a lutar, observou Phillip como pôde dada a falta de oxigénio, como uma Fúria cruzada com virago, cruzada com Medusa. Com a mão direita ainda a puxar o cabelo de

Benedict, ela pôs-lhe o braço esquerdo à volta do pescoço, com o antebraço bem posicionado sob o queixo, empurrando-lho para cima.

– Pelo amor de Deus! – praguejou Benedict, rodando nos calcanhares enquanto tentava libertar-se da irmã. – Alguém que a tire de cima de mim!

Sem grandes surpresas, nenhum dos outros Bridgerton acorreu a ajudar. Na verdade, o que se encontrava encostado à parede parecia bastante divertido com a cena toda.

Phillip começou a sentir a visão turva e a ficar tudo preto nos cantos dos olhos, mas não pôde deixar de admirar a coragem de Eloise. Era rara uma mulher que lutava para ganhar.

O rosto de Anthony apareceu de repente muito perto do dele.

– O… senhor… bateu-lhe? – rosnou.

Como se pudesse falar, pensou Phillip prestes a desmaiar.

– Não! – exclamou Eloise, afastando por instantes a atenção do arrancar de cabelo a Benedict. – É claro que ele não me bateu.

Anthony olhou para ela com uma expressão incisiva enquanto Eloise retomava a agressão a Benedict.

– Não há nada de *claro* nisso.

– Foi um acidente – insistiu ela. – Ele não teve nada a ver com isso. – Ao ver que nenhum dos irmãos dava mostras de acreditar nela, acrescentou: – Oh, pelo amor de Deus! Acham mesmo que eu ia defender alguém que me tivesse batido?

Pareceu resultar e Anthony largou Phillip abruptamente, que prontamente deslizou até ao chão, tentando recuperar o fôlego.

Quatro. Será que ela lhe dissera que tinha quatro irmãos? Certamente que não. Ele nunca teria pensado em casar-se com uma mulher que tivesse quatro irmãos. Só um tolo se acorrentaria a uma família dessas.

– O que é que lhe fizeste? – exigiu saber Eloise, saindo de cima de Benedict e correndo até junto de Phillip.

– O que é que ele te fez *a ti*? – devolveu um dos outros irmãos.

Era o que lhe tinha dado um soco no queixo antes de os outros terem decidido estrangulá-lo, percebeu Phillip.

Ela atirou-lhe um olhar mordaz.

– O que é que *tu* estás a fazer aqui?

– A proteger a honra da minha irmã – disparou ele.

– Como se eu precisasse da tua proteção. Ainda nem sequer tens vinte anos!

Ah, pensou Phillip, devia ser o tal cujo nome começava por «G». George? Não, não era isso. Gavin? Não…

– Tenho vinte e três – retorquiu o rapaz, com toda a irritabilidade de um irmão mais novo.

– E eu tenho vinte e oito – revidou ela. – Não precisei da tua ajuda quando ainda andava de fraldas e certamente não preciso dela agora.

Gregory. Isso mesmo. Gregory. Ela dissera-o numa das cartas. Ah, maldição! Se sabia disso, então também devia saber da chusma de irmãos. A culpa era toda dele.

– Ele quis vir – disse o que estava no canto, o único que ainda não tentara matar Phillip.

Phillip decidiu que gostava mais daquele, especialmente ao vê-lo pôr a mão no antebraço de Gregory para impedir que o jovem se atirasse a Eloise.

O que não era mais do que ela merecia, pensou Phillip um tanto ao quanto ironicamente, ali esparramado no chão. Fraldas, pois sim.

– Pois devias tê-lo proibido – declarou Eloise, alheia à apostasia mental de Phillip. – Fazes ideia de como tudo isto é humilhante?

Os irmãos ficaram a olhar para ela como se ela tivesse enlouquecido, e com toda a razão, na opinião de Phillip.

– Perdeste todo o direito de te sentires humilhada, envergonhada, mortificada ou qualquer outra emoção que não seja incrivelmente estúpida quando fugiste de casa sem dizer uma palavra – rosnou Anthony.

Eloise pareceu acalmar-se um pouco, mas ainda murmurou:

– Como se eu fosse dar ouvidos ao que ele possa ter para dizer.

163

– Ao contrário de nós – resmungou aquele que tinha de ser Colin –, com quem és a mais mansa e obediente das almas.

– Oh, pelo amor de Deus! – resmoneou Eloise entre dentes, soando rude mas bastante atraente às orelhas a arder de Phillip.

A arder? Será que tinha levado algum soco nas orelhas? Era difícil lembrar-se. Quatro contra um tendiam a confundir-lhe a memória.

– O senhor – ameaçou de dedo em riste aquele que Phillip tinha quase a certeza de ser Anthony –, não saia daí.

Como se valesse sequer a pena ponderar tal hipótese.

– E tu – disse Anthony a Eloise, com a voz ainda mais letal, embora Phillip não pudesse ter imaginado possível –, que raio te passou pela cabeça?

Eloise tentou contornar a pergunta com outra pergunta.

– O que vieste aqui fazer?

E conseguiu, porque o irmão respondeu-lhe.

– Impedir a tua ruína – bramiu ele. – Pelo amor de Deus, Eloise, fazes ideia da nossa preocupação?

– E eu a pensar que nem tinham reparado na minha partida – tentou ela brincar.

– Eloise, a mãe está desesperada – disse ele.

Isso aplacou-a num instante.

– Oh, não! – sussurrou ela. – Não pensei nisso.

– Pois não, não pensaste – respondeu Anthony, o tom severo, tal como o que se esperaria de um homem que era o chefe da família há vinte anos. – O que tu merecias era uns bons açoites.

Phillip preparou-se para intervir, porque, sinceramente, não podia tolerar uma surra, mas Anthony acrescentou logo depois: – Ou, pelo menos, um açaime – e Phillip concluiu que ele conhecia a irmã muito bem.

– Onde pensa que vai? – exigiu saber Benedict, e Phillip deu-se conta que devia ter começado a levantar-se antes de voltar a estatelar-se no chão naquela posição bastante impotente.

Phillip olhou para Eloise.

– Talvez fosse altura de fazermos as apresentações?

– Oh! – exclamou Eloise, engolindo em seco. – Sim, é claro. Estes são os meus irmãos.

– Até aí já tinha chegado – respondeu, a voz tão seca como pó.

Ela lançou-lhe um olhar arrependido, que era o mínimo que podia fazer, pensou Phillip, depois de quase ter feito com que ele fosse torturado e morto; em seguida virou-se para os irmãos e indicando um de cada vez, foi apresentando: – Anthony, Benedict, Colin e Gregory. Estes três – acrescentou, apontando para A, B e C – são os mais velhos. Este – apontou com desdém para Gregory – é uma criança.

Gregory parecia prestes a estrangulá-la, o que para Phillip era ótimo, já que desviava as intenções assassinas da *sua pessoa*.

Por fim, Eloise voltou-se para Phillip e disse aos irmãos:

– Sir Phillip Crane, mas imagino que já saibam.

– Deixaste uma carta na escrivaninha – anunciou Colin.

Eloise fechou os olhos em agonia. Phillip achou ter visto os lábios dela formarem as palavras: «estúpida, estúpida, estúpida».

Colin abriu um sorriso sinistro.

– Vê se tens mais cuidado no futuro, se decidires voltar a fugir.

– Vou lembrar-me disso – revidou Eloise, mas com menos ímpeto.

– Agora seria um bom momento para me levantar? – perguntou Phillip a ninguém em particular.

– *Não*.

Era difícil distinguir qual dos irmãos Bridgerton falara mais alto.

Phillip permaneceu no chão. Não costumava achar-se um covarde; costumava pensar que era até bastante experiente com os punhos, mas que inferno, eles eram *quatro*.

Até podia ser *boxeur*, mas não um idiota suicida.

– Como é que arranjaste esse olho? – perguntou Colin com toda a calma.

Eloise fez uma pausa antes de responder:

– Foi um acidente.

Ele ponderou as palavras um momento.

– Importas-te de explicar?

Eloise engoliu com desconforto e olhou de esguelha para Phillip, algo de que ele realmente preferia que ela se abstivesse. Só fazia com que *eles* (como começava a pensar no quarteto) ficassem mais convencidos de ser ele o responsável pela lesão.

Um equívoco que poderia levar à sua morte e desmembramento. Eles não pareciam o tipo de gente que deixasse fosse quem fosse pousar um dedo nas irmãs, muito menos pôr-lhes um olho negro.

– Basta dizer-lhes a verdade, Eloise – disse Phillip, exausto.

– Foram os filhos dele – explicou ela, encolhendo-se ao dizê-lo.

Mas Phillip não se preocupou. Por mais perto que tivessem estado de o estrangular, eles não pareciam o género de magoar crianças inocentes. E certamente Eloise não teria dito nada se achasse que poderia colocar Oliver e Amanda em perigo.

– Ele tem filhos? – perguntou Anthony, dirigindo a Phillip uma expressão ligeiramente menos depreciativa.

Anthony também devia ser pai, concluiu Phillip.

– Dois – respondeu Eloise. – Gémeos. Um menino e uma menina. Têm oito anos.

– Os meus parabéns – murmurou Anthony.

– Obrigado – respondeu Phillip, sentindo-se bastante velho e cansado naquele momento. – Condolências talvez venham mais a propósito.

Anthony olhou-o com curiosidade, quase (mas não completamente) sorrindo.

– Eles não estavam especialmente interessados na minha presença aqui – disse Eloise.

– Crianças inteligentes – foi a resposta de Anthony.

Ela lançou-lhe um olhar muito pouco divertido.

– Montaram uma armadilha com um arame – explicou ela. – Parecida com aquela que o Colin – virou-se para ele lançando-lhe um olhar hostil – montou para mim em 1804.

Os lábios de Colin torceram-se numa expressão de incredulidade.

— Ainda te lembras da *data*?

— Ela lembra-se de tudo — comentou Benedict.

Eloise virou-se para encarar aquele irmão.

Não obstante as dores na garganta, Phillip estava a começar a apreciar a interação.

Eloise voltou-se para Anthony, exibindo um porte de rainha.

— Eu caí — disse ela simplesmente.

— Em cima do olho?

— Na verdade, em cima da anca, mas não tive tempo de me aparar na queda e bati com a cara. Calculo que a contusão se propagou para a zona do olho.

Anthony olhou para Phillip com uma expressão feroz.

— Ela está a dizer a verdade?

Phillip assentiu.

— Juro pela alma do meu irmão. As crianças podem confessar o mesmo se sentir necessidade de os interrogar.

— Claro que não! — disse Anthony com brusquidão. — Eu nunca… — Pigarreou e ordenou: — Pode levantar-se. — Mas o tom que usou já era mais brando e ofereceu a mão a Phillip.

Phillip aceitou-a, já tendo decidido que o irmão de Eloise seria muito melhor como aliado do que como inimigo. Porém olhou de relance para os quatro homens Bridgerton com cautela, mantendo uma postura defensiva. Não teria qualquer hipótese se os quatro decidissem atacá-lo ao mesmo tempo e ainda não estava totalmente convencido de que isso tivesse deixado de ser uma possibilidade.

Ele ia acabar aquele dia morto ou casado e não estava preparado para deixar os irmãos Bridgerton levarem o assunto a votação.

Assim que Anthony silenciou os quatro irmãos mais novos com um simples olhar, virou-se para Phillip e disse:

— Talvez o senhor deva contar-me o que aconteceu.

Pelo canto do olho, Phillip viu Eloise abrir a boca para interromper e fechá-la logo de seguida, sentando-se numa cadeira com

167

uma expressão que, se não dócil, era pelo menos mais branda do que alguma vez esperaria ver-lhe estampada no rosto.

Phillip decidiu que precisava de aprender a fazer aquele olhar penetrante de Anthony Bridgerton. Aquilo poria os filhos na linha num ápice.

— Acho que Eloise não irá interromper-nos agora — disse Anthony em tom moderado. — Pode começar, por favor.

Phillip olhou de relance para Eloise, que parecia prestes a explodir. Mas, ainda assim, manteve-se em silêncio, um feito notável, de facto, para alguém como ela.

Phillip relatou resumidamente os eventos que conduziram à chegada de Eloise a Romney Hall. Falou a Anthony das cartas, começando com a carta de pêsames de Eloise, e de como tinham iniciado uma troca de correspondência amigável, só fazendo uma pausa na história quando Colin abanou a cabeça e murmurou:

— Sempre me interroguei sobre o que ela escrevinhava naquele quarto.

Quando Phillip olhou para ele com curiosidade, Colin ergueu as mãos e acrescentou:

— Os dedos. Estavam sempre manchados de tinta e eu não percebia porquê.

Phillip terminou o relato:

— Por isso, como vê, eu estava à procura de uma mulher. Pelas cartas, ela pareceu-me uma mulher inteligente e sensata. Os meus filhos, como certamente irá perceber caso fique tempo suficiente para os conhecer, conseguem ser um pouco, hum… — tentou encontrar o adjetivo menos indelicado possível — indisciplinados — declarou, satisfeito com a sua escolha das palavras. — Tinha esperanças de que ela viesse a produzir um efeito calmante neles.

— A Eloise? — zombou Benedict, e Phillip percebeu pelas expressões dos outros três irmãos que concordavam com o comentário.

No entanto, embora Phillip pudesse sorrir com o comentário de Benedict sobre a memória prodigiosa de Eloise e até *concordar* com Anthony sobre o açaime, era-lhe evidente que os homens Bridgerton não tinham pela irmã o respeito que ela merecia.

– A vossa irmã – afirmou ele em tom incisivo – tem sido uma influência maravilhosa para os meus filhos e eu agradecia que não a desmerecessem na minha presença.

Provavelmente acabara de decretar a sua própria sentença de morte. Afinal eles eram quatro e ele não estava em posição de ser insultuoso. Mesmo eles tendo atravessado metade do país para proteger a virtude de Eloise, ele não ia de maneira nenhuma ficar de braços cruzados a ouvi-los escarnecer dela.

Não de Eloise. E não na frente dele.

Todavia, notou, com espanto, que nenhum deles replicou e, na verdade, Anthony, que ainda era claramente o líder, fitou-o com um olhar avaliador como se quisesse ver o que estava escondido no seu âmago.

– Temos muito que conversar – declarou Anthony em tom sóbrio.

Phillip assentiu.

– Calculo que precise de falar com a sua irmã também.

Eloise lançou-lhe um olhar agradecido. Ele não ficou surpreendido. Não a via a aceitar ser deixada de fora de qualquer decisão relativa à sua vida. Que diabo, ela não era o tipo de pessoa que aceitasse ficar de fora de nada.

– Sim, preciso – respondeu Anthony. – Na verdade, acho melhor conversar com ela primeiro, se não se importa.

Como se Phillip fosse estúpido o suficiente para discutir com um Bridgerton enquanto os outros três o fitavam com ar ameaçador.

– Por favor, use o meu gabinete – ofereceu. – Eloise pode mostrar-lhe o caminho.

Mais uma pata na poça. Nenhum dos irmãos queria ser recordado de que Eloise estava ali a viver há tempo suficiente para conhecer os cantos à casa.

Anthony e Eloise saíram da sala sem dizer uma palavra, deixando Phillip sozinho com os restantes irmãos Bridgerton.

— Importam-se que me sente? – perguntou Phillip, suspeitando que iria ficar ali preso na sala de jantar durante um bom tempo.

— Faça favor – disse Colin muito expansivo.

Benedict e Gregory limitaram-se a fitá-lo. Colin também não parecia particularmente ansioso para iniciar uma amizade, observou Phillip. Podia ter sido ligeiramente mais amável do que os irmãos, mas os seus olhos mostravam uma perspicácia apurada que Phillip achou não dever subestimar.

— Por favor – disse Phillip, apontando para a comida ainda na mesa –, sirvam-se.

Benedict e Gregory mostraram desconfiança, como se ele lhes tivesse oferecido veneno, mas Colin sentou-se à frente de Phillip e pegou logo num pão tostadinho.

— São muito bons – disse Phillip, mesmo não tendo tido ainda oportunidade de comer.

— Ainda bem – murmurou Colin, ocupado a dar uma dentada. – Estou faminto.

— Como podes pensar em comer? – zangou-se Gregory.

— Eu penso sempre em comer – respondeu Colin, os olhos percorrendo a mesa à procura da manteiga. – O que mais importa na vida?

— A tua mulher – comentou Benedict em voz arrastada.

— Ah, sim, a minha mulher – concordou Colin com um aceno. Virou-se para Phillip, dirigiu-lhe um olhar duro e disse: – Só para que saiba, eu preferia ter passado a noite com a minha mulher.

Phillip não conseguia pensar numa resposta que não parecesse um insulto à ausente Mrs. Bridgerton, por isso limitou-se a fazer um aceno de cabeça e a barrar o seu pão com manteiga.

Colin deu uma enorme dentada e desatou a falar com a boca cheia, quebrando as regras da etiqueta num insulto claro ao anfitrião.

— Só estamos casados há algumas semanas.

Phillip ergueu uma sobrancelha interrogativa.

— Ainda somos recém-casados.

Phillip assentiu, sentindo ser necessário algum tipo de resposta. Colin inclinou-se para a frente.

– Eu *realmente* não queria deixar a minha mulher.

– Percebo – murmurou Phillip, já que a bem da verdade, o que mais podia dizer?

– Percebe o que ele está a tentar dizer? – perguntou Gregory em tom de comando.

Colin virou-se e lançou um olhar frio ao irmão, que era claramente demasiado jovem para dominar a arte da subtileza e da oratória prudente. Phillip esperou até que Colin se virasse para a mesa, ofereceu-lhe um prato de espargos (que ele aceitou) e disse:

– Imagino que sinta saudades da sua mulher.

Houve um momento de silêncio e depois de lançar um último olhar desdenhoso ao irmão, Colin respondeu:

– É verdade.

Phillip olhou para Benedict, uma vez que era o único que não se envolvera na última troca de galhardetes.

Erro crasso. Benedict ocupava-se a fletir as mãos, ainda com ar de quem se arrependia de não o ter estrangulado quando teve oportunidade.

Phillip olhou então para Gregory, cujos braços se encontravam cruzados de raiva sobre o peito. Aliás, todo o corpo parecia tremer de raiva contida, talvez destinada a Phillip ou talvez à própria família, que o estava a tratar como um rapazito inexperiente. O relancear de Phillip não foi recebido com agrado. Gregory projetou um queixo zangado, os dentes cerrados e…

E Phillip fartou-se. Voltou a olhar para Colin.

Colin continuava a comer, tendo até conseguido convencer os criados a trazerem-lhe uma sopa. No entanto, já tinha pousado a colher e encontrava-se agora a analisar a outra mão, fletindo preguiçosamente um dedo de cada vez e murmurando palavra por palavra enquanto apontava cada um deles na direção de Phillip.

– Tenho… saudades… da… minha… mulher.

Phillip finalmente explodiu.

– Mas que inferno! Se a vossa vontade é partirem-me as pernas, não querem acabar com isso de uma vez?

CAPÍTULO 10

...nunca vais saber como és infeliz por só teres irmãs, querida Penelope. Os irmãos são tão mais divertidos.

De Eloise Bridgerton para Penelope Featherington,
depois de um passeio noturno a cavalo em Hyde Park
com os três irmãos mais velhos

❧

— Estas são as tuas opções – disse Anthony, sentado à secretária de Phillip, como se fosse o dono da casa. – Podes casar com ele daqui a uma semana, ou podes casar com ele daqui a duas.

Eloise ficou de boca aberta, horrorizada.

— Anthony!

— Estavas à espera que sugerisse outra alternativa? – perguntou suavemente. – Suponho que possamos esticar para três semanas se me apresentares um motivo suficientemente convincente.

Eloise odiava quando Anthony se punha a falar assim, como se fosse uma pessoa justa e sensata e ela não passasse de uma criança teimosa. Era muito melhor quando desatava num discurso retórico furioso. Assim, pelo menos, podia fingir que ele era louco e que ela era uma pobre inocente enclausurada.

— Não vejo porque te oporias – continuou ele. – Não vieste para cá com a intenção de te casares com ele?

– Não! Eu vim para cá com a intenção de *descobrir* se éramos compatíveis para casar.

– E são?

– Não sei. Só passaram dois dias – concluiu ela.

– E ainda assim – disse Anthony, examinando ociosamente as unhas à luz fraca das velas – é tempo mais do que suficiente para arruinar a tua reputação.

– Alguém sabe que vim para aqui? – apressou-se ela a perguntar. – Fora da família, quero dizer.

– Ainda não – admitiu ele –, mas vão descobrir. Há sempre alguém que acaba por descobrir.

– O plano era ter aqui uma dama de companhia – explicou Eloise, mal-humorada.

– Ai, sim? – perguntou ele num tom coloquial, como se estivesse a perguntar se o jantar deveria ter sido de cordeiro ou sobre uma possível caçada organizada para o entreter.

– Ela está quase a chegar.

– Hum… Infelizmente para ela eu cheguei antes.

– Infelizmente para todos – resmungou Eloise baixinho.

– O que disseste? – perguntou ele, mas voltou a usar aquele tom terrível que deixava bem claro que ouvira cada palavra.

– Anthony – começou Eloise, o nome saindo como uma súplica, mesmo que ela não soubesse o que estava a pedir.

Ele virou-se para ela, os olhos escuros em chamas e uma força tão violenta no olhar que só então ela se deu conta de que devia ficar grata por ele fingir examinar as unhas.

Eloise deu um passo atrás. Qualquer um o faria diante da fúria de Anthony Bridgerton.

Mas quando ele falou, a voz era neutra e contida.

– Conseguiste fazer uma bela cama à francesa – disse ele, a cadência das palavras lenta e precisa. – Infelizmente vais ter de te deitar nela.

– Serias capaz de me obrigar a casar com um homem que nem conheço? – sussurrou ela.

– Será isso verdade? – respondeu Anthony. – Porque ali, na sala de jantar, parecias conhecê-lo muito bem. Não hesitaste em defendê-lo em todas as oportunidades possíveis.

Anthony ia-a encurralando à medida que falava e estava a deixá-la louca.

– Não o suficiente para casar – insistiu ela. – Pelo menos, ainda não.

Mas Anthony não era do género de dar tréguas.

– Se não agora, então quando? Daqui a uma semana? Duas?

– Para! – explodiu ela, cheia de vontade de tapar os ouvidos com as mãos. – Assim não consigo pensar.

– Tu *não* pensas – corrigiu ele. – Se tivesses parado um segundo para pensar, para usar essa pequena porção de cérebro reservada ao senso comum, nunca terias fugido.

Eloise cruzou os braços e desviou o olhar. Não tinha qualquer argumento e isso estava a matá-la.

– O que vais fazer, Eloise? – perguntou Anthony.

– Não sei – murmurou ela, odiando soar tão estúpida.

– Bem – disse ele, ainda naquele tom horrível e contido –, isso coloca-nos num certo dilema, não achas?

– Não podes simplesmente dizer o que queres dizer? – pediu ela, os punhos cerrados contra as costelas. – Tens de terminar tudo com uma pergunta?

Anthony abriu um sorriso vazio de qualquer humor.

– E eu a pensar que ias apreciar que te pedisse opinião.

– Estás a ser paternalista e sabes disso.

Ele inclinou-se para a frente, os olhos a dardejar.

– Fazes alguma ideia do esforço que tenho de fazer para manter a calma?

Eloise achou melhor não arriscar um palpite.

– Tu fugiste na calada da noite – disse ele, levantando-se. – Sem uma palavra, sem sequer deixares um bilhete…

– Eu deixei um bilhete! – explodiu ela.

Ele olhou-a com notória descrença.

– Deixei, sim! – insistiu ela. – Deixei-o pousado na mesinha do átrio de entrada. Mesmo ao lado do vaso chinês.

– E esse tal bilhete misterioso dizia…

– Dizia para não se preocuparem, que eu estava bem e que entraria em contacto dentro de um mês.

– Ah… – fez Anthony com ironia. – *Isso* ter-me-ia deixado muito mais tranquilo.

– Não sei porque não o viste – murmurou Eloise. – Talvez tenha ficado misturado com um monte de convites.

– Com o pouco que sabíamos – continuou Anthony, dando um passo em direção a ela –, achámos que tinhas sido raptada.

Eloise empalideceu. Nunca lhe passara pela cabeça que a família pudesse pensar tal coisa. Nem que o bilhete se pudesse extraviar.

– Sabes o que a mãe fez? – perguntou Anthony, o tom quase sepulcral. – *Depois* de quase desmaiar de preocupação?

Eloise sacudiu a cabeça, com medo da resposta.

– Foi ao banco – prosseguiu Anthony. – E sabes porquê?

– Porque não dizes logo de uma vez? – pediu Eloise, já farta daquelas perguntas.

– Foi lá – disse ele, caminhando em direção a ela de maneira aterradora – para se certificar de que podia contar com todo o capital disponível *caso precisasse de pagar o teu resgate*!

Eloise encolheu-se diante da fúria percetível na voz do irmão mais velho. *Eu deixei um bilhete*, queria dizer mais uma vez, mas sabia que ia soar mal. Ela portara-se pessimamente e fora insensata, e não queria agravar a sua estupidez tentando arranjar desculpas.

– Foi a Penelope que finalmente descobriu o que tinhas feito – disse Anthony. – Pedimos-lhe que revistasse o teu quarto, uma vez que ela provavelmente passou lá mais tempo do que qualquer um de nós.

Eloise assentiu. Penelope fora a sua melhor amiga, ainda era, na verdade, mesmo tendo casado com Colin. As duas tinham passado horas incontáveis no quarto, a conversar sobre tudo e mais alguma coisa. As cartas de Phillip foram o único segredo que Eloise não desvendou à amiga.

— Onde é que ela encontrou a carta? — perguntou Eloise.

Não que tivesse importância, mas a curiosidade falou mais alto.

— Estava caída atrás da tua escrivaninha. — Anthony cruzou os braços. — Juntamente com uma flor prensada.

Eloise achou apropriado.

— Ele é botânico — sussurrou.

— O que disseste?

— Botânico — repetiu ela, mais alto desta vez. — Sir Phillip. Tirou o curso em Cambridge. Ter-se-ia tornado um académico se o irmão não tivesse morrido em Waterloo.

Anthony fez um gesto afirmativo, digerindo a informação e o facto de ela a saber.

— Se me disseres que ele é um homem cruel, capaz de te bater, de te insultar e de te humilhar, não te obrigo a casar. Mas, antes de responderes, quero que peses bem as minhas palavras. Tu és uma Bridgerton. Não me importa com quem te casas ou que nome vais assumir quando estiveres de pé diante de um padre a pronunciar os teus votos. Serás sempre uma Bridgerton, e nós comportamo-nos com honra e honestidade, não porque isso é esperado de nós, mas porque *é o que nós somos*.

Eloise assentiu, engolindo em seco e lutando contra as lágrimas que lhe ardiam nos olhos.

— Por isso pergunto-te agora: existe alguma razão pela qual não te possas casar com Sir Phillip Crane?

— Não — sussurrou ela.

Nem sequer hesitou. Não se sentia preparada para aquilo, ainda não se sentia pronta para o casamento, mas não iria macular a verdade hesitando na resposta.

— Foi o que pensei.

Eloise estava calma, desalentada, sem saber o que fazer ou dizer. Virou-se, ciente de que Anthony certamente se apercebera de que estava a chorar, mas não quis que ele visse as suas lágrimas. — Eu caso-me com ele — disse, engasgando-se nas palavras. — É só que eu… eu queria…

Anthony manteve-se em silêncio um momento, respeitando a angústia da irmã, mas, vendo que ela não continuava, perguntou:

– Querias o quê, Eloise?

– Eu tinha esperança de que fosse uma união de amor – respondeu ela em voz quase inaudível.

– Compreendo – disse ele, a audição excelente, como sempre. – Devias ter pensado nisso antes de fugires, não achas?

Naquele momento odiava-o.

– Tu casaste-te por amor. Devias compreender.

– *Eu* – disse Anthony, o tom de voz mostrando bem que não gostara da tentativa dela de desviar o assunto para ele – casei-me com a Kate depois de termos sido apanhados numa situação comprometedora pela maior coscuvilheira de toda a Inglaterra.

Eloise soltou um longo suspiro, sentindo-se uma idiota. Anthony já estava casado há tantos anos que se tinha esquecido completamente das circunstâncias.

– Eu não amava a minha mulher quando me casei com ela – continuou ele – ou – acrescentou, a voz tornando-se um pouco mais suave, mais grave e nostálgica – se amava, ainda não sabia.

Eloise assentiu.

– Tiveste muita sorte – disse, desejando saber se poderia ter a mesma sorte com Phillip.

E então Anthony surpreendeu-a; sem a repreender ou censurar, respondeu apenas:

– Eu sei.

– Sentia-me perdida – sussurrou ela. – Quando a Penelope e o Colin se casaram… – Deixou-se cair numa cadeira, enterrando a cabeça nas mãos. – Sou uma pessoa horrível. Devo ser uma péssima pessoa, horrível e superficial, porque, quando eles se casaram, eu só consegui pensar em mim.

Anthony suspirou e acocorou-se ao lado dela.

– Tu não és uma pessoa horrível, Eloise. Sabes isso.

Ela ergueu os olhos para ele, perguntando-se quando é que aquele homem, o seu irmão, se tornara tão sábio. Se ele tivesse gritado mais uma palavra, se tivesse passado mais um minuto que fosse a falar com ela naquele tom trocista, ela ter-se-ia ido abaixo. Ido abaixo ou endurecido, mas, de uma maneira ou de outra, algo entre eles teria sido destruído.

No entanto ali estava ele, logo o Anthony, que era arrogante e orgulhoso, todo ele o exemplo do líder nobre que nascera para ser, ajoelhado ao lado dela, a mão pousada sobre a dela, a falar-lhe com uma bondade de partir o coração.

— Fiquei feliz por eles — continuou ela. — Eu *estou* feliz por eles.

— Eu sei que sim.

— Mas o único sentimento que eu devia ter era de alegria.

— Se assim fosse, não serias humana.

— A Penelope tornou-se minha *irmã*. Eu devia ter ficado feliz.

— Não acabaste de dizer que ficaste?

Eloise assentiu com a cabeça.

— E fico. Fico feliz. Eu sei que sim. Não estou só a dizer da boca para fora.

Anthony sorriu com carinho e esperou que ela continuasse.

— É só que, de repente, senti-me tão só, e tão *velha*. — Olhou para o irmão, duvidando se ele seria capaz de entender. — Nunca pensei que iria ficar para trás.

Anthony soltou uma risada suave.

— Eloise Bridgerton, não me parece que alguém se atrevesse *alguma vez* a cometer o erro de te deixar para trás.

Os lábios dela curvaram-se num sorriso trémulo, espantada e maravilhada pelo irmão mais velho ser capaz de dizer *exatamente* a coisa certa.

— Acho que nunca pensei que iria ficar solteirona para sempre — disse ela. — Ou se ficasse, pelo menos a Penelope far-me-ia companhia. Não foi muito simpático da minha parte pensar assim e acho que nunca pensei muito sobre isso, mas…

— Mas foi assim que pensaste — terminou ele, tendo a amabilidade de lhe completar a frase. — Acho que nem a Penelope pensava que um dia iria casar. E para ser sincero, duvido que Colin o pensasse, também. O amor consegue entrar sorrateiramente, sabias?

Eloise assentiu com a cabeça, perguntando-se se o amor lhe entraria um dia de forma sorrateira. Provavelmente não. Ela era o tipo de pessoa que iria precisar de ser chamada a atenção com uma mocada na cabeça.

— Estou feliz por eles se terem casado — afirmou Eloise.

— Eu sei que sim. Eu também estou.

— Sir Phillip — disse ela, fazendo sinal para a porta, embora, na verdade, ele se encontrasse ao fundo do corredor, na sala de jantar. — Já nos correspondíamos há mais de um ano, quando ele mencionou o casamento. E fê-lo de uma maneira tão sensata. Não me pediu em casamento, só perguntou se eu gostaria de o visitar, para ver se poderíamos ter um futuro juntos. Disse a mim mesma que ele era louco, que nunca poderia levar tal oferta em consideração. Quem seria capaz de se casar com alguém que não conhecia? — Soltou uma risadinha trémula. — Então, o Colin e a Penelope anunciaram o noivado. Foi como se todo o meu mundo tivesse ficado virado do avesso. E foi aí que comecei a pensar no assunto. Sempre que olhava para a escrivaninha, para a gaveta onde guardava as cartas, era como se elas fossem fogo e quisessem queimar a madeira.

Anthony não disse nada, apenas lhe apertou mais a mão, como se entendesse.

— Tinha de fazer alguma coisa — prosseguiu ela. — Não podia simplesmente continuar sentada à espera que a vida acontecesse.

Uma risada irrompeu da garganta do irmão.

— Eloise — disse ele —, essa é a última coisa com que me preocuparia por ti.

— Anth...

— Não, deixa-me terminar — pediu ele. — Tu és única, Eloise. A vida nunca te *acontece*. Confia em mim. Eu vi-te crescer, tive de ser teu pai por vezes, quando só queria ser teu irmão.

Os lábios dela entreabriram-se e ela sentiu um aperto no coração. Ele tinha razão. Ele *fora* um pai para ela. Era um papel que nenhum deles quisera que assumisse, mas ele fizera-o durante anos, sem reclamar.

Foi a vez de Eloise lhe apertar a mão, não porque o amava, mas porque só agora se dava conta de quanto o amava.

— *Tu* aconteces à vida, Eloise — disse Anthony. — Tomaste sempre as tuas próprias decisões, controlaste sempre a tua vida. Podes por vezes não te ter sentido assim, mas essa é a verdade.

Ela fechou os olhos um momento, abanando a cabeça ao dizer:

— Bem, eu estava a tentar tomar as minhas próprias decisões quando decidi vir para cá. Parecia-me um bom plano.

— E talvez venhas a descobrir que foi de facto um bom plano — disse Anthony com toda a calma. — Sir Phillip parece-me ser um homem honrado.

Eloise não conseguiu esconder uma expressão impertinente.

— E foste capaz de deduzir isso enquanto tinhas as mãos à volta do pescoço dele?

Anthony atirou-lhe um olhar de superioridade.

— Ficarias espantada com o que os homens conseguem deduzir uns sobre os outros enquanto lutam.

— Chamas àquilo luta? Eram quatro contra um!

Ele encolheu os ombros.

— Eu nunca disse que foi uma luta *justa*.

— És incorrigível.

— Um adjetivo interessante, considerando as *tuas* ações recentes.

Eloise sentiu-se corar.

— Muito bem — disse Anthony, o tom enérgico indicando uma mudança de assunto. — Digo-te o que vamos fazer.

O tom dele era de tal forma determinado que Eloise soube que iria fazer tudo o que ele dissesse.

— Vais fazer as malas imediatamente — disse Anthony — e depois vamos todos para A Minha Casinha onde ficaremos uma semana.

Eloise assentiu. A Minha Casinha era o estranho nome da casa de Benedict, que ficava no Wiltshire, não muito longe de Romney Hall. Benedict vivia lá com a mulher, Sophie, e os três filhos. Não era uma casa particularmente imponente, mas era confortável e capaz de acomodar sem problemas alguns Bridgerton a mais.

– O teu Sir Phillip pode vir visitar-nos todos os dias – continuou Anthony, e Eloise entendeu que aquelas palavras significavam exatamente «O teu Sir Phillip irá visitar-nos todos os dias».

Voltou a assentir.

– Se, ao fim de uma semana, eu determinar que ele é suficientemente bom para se casar com a minha irmã, é isso que vais fazer. Imediatamente.

– Tens a certeza de que és capaz de avaliar o carácter de um homem numa semana?

– Raramente leva mais tempo – declarou Anthony. – Mas se eu não tiver a certeza absoluta, aguardamos mais uma semana.

Ainda assim, Eloise sentiu-se compelida a fazer um reparo:

– Sir Phillip pode não querer casar-se comigo.

Anthony dirigiu-lhe um olhar duro.

– Ele não tem essa opção.

Eloise engoliu em seco.

Uma das sobrancelhas de Anthony subiu num arco arrogante.

– Estamos entendidos?

Ela assentiu com a cabeça. O plano parecia razoável, mais justo, até, do que a maioria dos irmãos mais velhos teria permitido; e se alguma coisa corresse terrivelmente mal, se ela decidisse que não podia casar com Sir Phillip Crane, pois bem, tinha uma semana para descobrir como se livrar do problema. Muita coisa podia acontecer numa semana.

Bastava pensar nesta última.

– Voltamos para a sala de jantar? – sugeriu Anthony. – Imagino que estejas com fome e se demorarmos muito mais tempo, o Colin já terá dado cabo de toda e qualquer comida que o nosso anfitrião tenha em casa.

Eloise concordou.

– Ou isso ou já o mataram.

Anthony fez uma pausa para pensar.

– Poupar-me-ia a despesa do casamento.

– Anthony!

– É uma piada, Eloise – disse ele, balançando a cabeça de cansaço. – Anda. Vamos lá assegurar-nos de que o teu Sir Phillip ainda pertence ao mundo dos vivos.

– E então – estava Benedict a dizer quando Anthony e Eloise entraram na sala de jantar – a rapariga da taberna chegou e tinha o *maior...*

– Benedict! – exclamou Eloise.

Benedict olhou para a irmã com uma expressão extremamente culpada, recolheu as mãos que exemplificavam o tamanho do que era claramente uma mulher incrivelmente dotada, e murmurou:
– Desculpa.

– Tu és casado! – censurou Eloise.

– Mas não é cego – disse Colin com um sorriso.

– E tu também és casado! – acusou ela.

– Mas não sou cego – repetiu ele.

– Eloise – disse Gregory com o que era muito possivelmente o tom paternalista mais irritante que ela já ouvira –, há algumas coisas que é impossível não ver. Especialmente – acrescentou – quando se é homem.

– É verdade – admitiu Anthony. – Eu também vi.

Eloise engasgou-se enquanto olhava de irmão para irmão, à procura de alguma mostra de sanidade naquele covil de disparate. Os olhos recaíram em Phillip, que, pela aparência, já para não mencionar o estado levemente embriagado, tinha formado um vínculo vitalício com os irmãos dela durante o curto espaço de tempo em que estivera com Anthony.

– Sir Phillip? – inquiriu ela, à espera que ele dissesse algo aceitável.

Mas ele apenas lhe ofereceu um sorriso débil.

– Eu sei de quem eles estão a falar – respondeu. – Já estive nessa pousada várias vezes. A Lucy é bastante famosa por estas bandas.

– Até eu já ouvi falar dela – disse Benedict com um aceno cúmplice. – Vivo a apenas uma hora a cavalo. Menos, até, dependendo da velocidade.

Gregory inclinou-se para Phillip, os olhos azuis a brilhar de interesse, e perguntou:

– E então, já...? Alguma vez?

– Gregory!

Eloise praticamente gritou. Aquilo passava realmente das marcas. Não só os irmãos não deviam abordar tais assuntos na presença dela, como a última coisa que queria saber era se Sir Phillip se tinha deitado com a moça da taberna com seios do tamanho de terrinas.

Mas Phillip apenas balançou a cabeça, negando.

– Ela é casada – explicou ele. – E eu também era.

Anthony virou-se para Eloise e sussurrou-lhe ao ouvido:

– Ele serve.

– Fico contente que tenhas esses padrões tão elevados para a tua querida irmã – resmungou ela baixinho.

– Eu disse-te que já vi a Lucy. Eis um homem com excelente autocontrolo – declarou Anthony.

Eloise colocou as mãos nas ancas e encarou o irmão mais velho.

– E tu? Sentiste-te tentado?

– Claro que não! A Kate cortava-me o pescoço.

– Eu não estou a falar sobre o que a Kate faria contigo se o fizesses, embora seja da opinião de que ela não iria começar pelo pescoço...

Anthony fez uma careta. Sabia que era verdade.

– O que quero saber é se te sentiste tentado.

– Não – admitiu ele, abanando a cabeça. – Mas não contes a ninguém. Afinal, eu costumava ser considerado uma espécie de libertino. Não quero que as pessoas pensem que fui completamente amansado.

– És impossível.

Ele abriu um sorriso malandro.

– E, ainda assim, a minha mulher ama-me até à loucura, que é o que realmente importa, não achas?

Eloise supôs que ele tinha razão. Suspirou.

– O que vamos fazer com eles? – perguntou, apontando para o quarteto de homens sentados à volta da mesa de jantar, que se encontrava coberta de pratos vazios.

Phillip, Benedict e Gregory estavam recostados nas cadeiras com ar relaxado e bastante satisfeito. Colin ainda estava a comer.

Anthony encolheu os ombros.

– Quanto a ti, não sei, mas eu vou juntar-me a eles.

Eloise ficou parada à porta, a vê-lo sentar-se e servir-se de vinho. A conversa acerca de Lucy e dos seus enormes seios tinha sido felizmente abandonada, dando lugar ao boxe. Ou, pelo menos, assim lhe pareceu. Phillip estava a demonstrar algum tipo de golpe a Gregory.

De repente deu-lhe um soco na cara.

– Peço desculpa – disse Phillip, batendo nas costas de Gregory. Mas Eloise apercebeu-se da ligeira curva de um sorriso no canto direito da sua boca. – Não vai doer muito tempo, tenho a certeza. O *meu* queixo já está bem melhor.

Gregory resmungou algo que pretendia claramente dizer que não tinha doído, mas não deixou de esfregar o queixo.

– Sir Phillip? – chamou Eloise em voz alta. – Posso dar-lhe uma palavrinha?

– É claro – respondeu ele, levantando-se imediatamente, embora, a bem da verdade, *todos* os homens devessem estar de pé, uma vez que ela não chegara a sair da sua posição no vão da porta.

Phillip aproximou-se.

– Passa-se alguma coisa?

– Eu estava com receio de que eles o matassem – sussurrou ela.

– Oh! – Ele abriu um daqueles sorrisos tortos, resultantes de pelo menos três copos de vinho. – Mas não o fizeram.

– Vejo que não – resmungou ela. – O que aconteceu?

Ele olhou para trás, para a mesa. Anthony comia os escassos restos que Colin tinha deixado (quase de certeza apenas porque não dera conta que lá estavam), e Benedict tinha inclinado a cadeira para trás, tentando equilibrá-la em duas pernas. Gregory cantarolava em surdina, os olhos fechados e um sorriso beatífico estampado no rosto, talvez a pensar em Lucy ou, mais provavelmente, em certas partes grandes e moles de Lucy.

Phillip voltou a encará-la e encolheu os ombros.

– Em que momento é que se tornaram melhores amigos? – perguntou Eloise com paciência exagerada.

– Oh – disse ele, assentindo. – Foi curioso, na verdade. Eu pedi-lhes que me partissem as pernas.

Eloise limitou-se a fitá-lo. Nunca iria entender os homens, por mais que vivesse. Tinha quatro irmãos, por isso deveria entendê-los melhor do que a maioria das mulheres, e talvez tivesse precisado de vinte e oito anos para chegar a essa conclusão, mas os homens eram muito simplesmente aberrações.

Phillip voltou a encolher os ombros.

– Pareceu-me uma boa maneira de quebrar o gelo.

– Claramente.

Ficaram os dois a olhar um para o outro, e ela via que Anthony também fitava ambos. Então, de repente, Phillip pareceu ficar sóbrio.

– Vamos ter de casar – anunciou.

– Eu sei.

– Eles partem-me mesmo as pernas se eu não o fizer.

– E não se ficariam por aí – murmurou Eloise –, mas, ainda assim, uma senhora gostaria de pensar que foi escolhida por um motivo que não o de mera saúde osteopática.

Phillip pestanejou de surpresa.

– Não sou estúpida – resmoneou ela. – Estudei latim.

– Certo – disse ele devagar, tal como os homens fazem quando estão a tentar encobrir o facto de não terem resposta para dar.

– Ou, no mínimo – continuou Eloise, tentando desesperadamente encontrar algo que pudesse ser vagamente interpretado como um elogio –, senão um *outro* motivo, talvez um motivo *adicional*.

– Certo – voltou ele a responder, acompanhando com um aceno de cabeça, mas sem dizer mais nada.

Os olhos dela estreitaram-se.

– Quanto vinho bebeu?

– Só três. – Parou e ficou a pensar. – Talvez quatro.

– Copos ou garrafas?

Phillip pareceu não saber a resposta.

Eloise olhou para a mesa. Havia quatro garrafas de vinho espa-lhadas entre os restos do jantar. Três estavam vazias.

– Não estive fora assim tanto tempo – comentou ela.

Ele encolheu os ombros.

– Era beber com eles ou deixá-los partirem-me as pernas. Pare-ceu-me uma decisão bastante simples.

– Anthony! – chamou ela.

Já estava farta de Phillip. Já estava farta de todos, de tudo, dos homens, de casamento, de pernas partidas e de garrafas de vinho vazias. Mas, acima de tudo, já estava farta dela própria, de se sentir tão sem controlo, tão vulnerável às marés da sua vida.

– Quero ir-me embora – declarou ela.

Anthony assentiu com a cabeça e resmungou, ainda a mastigar o único pedaço de frango que Colin tinha deixado.

– *Agora*, Anthony.

E ele deve ter-lhe ouvido o quebranto da voz, o tom oco que lhe embargou as sílabas, porque se levantou de imediato e disse:
– Claro.

Eloise nunca ficou tão aliviada na vida por ver o interior de uma carruagem.

CAPÍTULO 11

...não consigo respeitar um homem que bebe em demasia.
Por isso tenho a certeza de que irás compreender por que razão
nunca poderia aceitar a proposta de casamento de Mr. Wescott.

De Eloise Bridgerton para o irmão, Benedict,
após recusar a segunda proposta de casamento

— Não! – exclamou com efusividade Sophie Bridgerton, a delicada e quase etérea mulher de Benedict. – Diz-me que eles não fizeram isso!

– Fizeram, pois – disse Eloise em tom firme, recostando-se na espreguiçadeira e beberricando do seu copo de limonada. – E depois embriagaram-se todos!

– Ogres – murmurou Sophie.

O comentário levou Eloise a dar-se conta de que o que realmente lhe tinha tirado a paciência na noite anterior fora o comportamento familiar e aboleimado dos homens. Era óbvio que o que estava mesmo a precisar era de uma mulher sensível com quem pudesse cortar na casaca daquela pandilha.

Sophie fez uma careta de desagrado.

– Não me digas que se puseram outra vez a falar da pobre Lucy.

Eloise soltou uma exclamação de espanto.

– Tu sabes quem ela é?!

– Toda a gente sabe. É impossível não *reparar* quando passamos por ela na rua.

Eloise parou, pensou, tentou imaginar. Não conseguiu.

– Verdade seja dita – disse Sophie, sussurrando por entre os dentes, mesmo não havendo nas imediações vivalma que a pudesse ouvir –, eu tenho pena da mulher. Tanta atenção indesejada e… bem, aquilo tudo não lhe deve fazer nada bem às costas.

Eloise tentou abafar o riso, mas ainda lhe escapou um resfôlego.

– A Posy até chegou uma vez a perguntar-lhe sobre isso!

Eloise ficou de boca aberta. Posy era a meia-irmã de Sophie, que vivera vários anos com os Bridgerton antes de se casar com o bem-disposto vigário que morava a apenas oito quilómetros de Benedict e Sophie. Era também a pessoa mais afável que Eloise alguma vez conhecera e se alguém era capaz de fazer amizade com uma criada casada de grandes seios, era seguramente Posy.

– Ela vive na paróquia do Hugh – explicou Sophie, referindo-se ao marido de Posy. – Por isso é claro que se conhecem.

– O que é que ela respondeu? – quis saber Eloise.

– A Posy?

– Não. A Lucy.

– Oh, não sei. – Sophie fez uma careta. – A Posy não me quis dizer, acreditas? Acho que a Posy nunca me escondeu um segredo em toda a vida. Justificou-se dizendo que não podia trair a confiança de um paroquiano.

Eloise achou a atitude de Posy muito nobre.

– O assunto não me diz respeito, é claro – continuou Sophie, com toda a confiança de uma mulher que sabe que é amada. – O Benedict nunca seria capaz de me trair.

– Claro que não – apressou-se a concordar Eloise.

A história de amor de Benedict e Sophie era lendária na família Bridgerton. Fora uma das razões pelas quais Eloise recusara tantas propostas de casamento. Sempre quis aquele tipo de amor, de paixão e de drama. Queria mais do que: «Tenho três casas, dezasseis cavalos e quarenta e dois cães de caça», a informação que um dos seus pretendentes debitara quando pedira a mão dela em casamento.

– Mas não acho que seja pedir muito que ele mantenha a boca fechada quando ela passa – prosseguiu Sophie.

Eloise estava prestes a concordar com firmeza e veemência quando viu Sir Phillip atravessar o relvado na direção dela.

– É ele? – perguntou Sophie, sorrindo.

Eloise assentiu.

– É muito bem-parecido.

– Suponho que sim – disse Eloise, cautelosa.

– Supões? – bufou Sophie com impaciência. – Não te faças de tímida comigo, Eloise Bridgerton. Eu já fui tua criada pessoal e conheço-te melhor do que ninguém.

Eloise absteve-se de salientar que Sophie tinha sido sua criada pessoal por um total de duas semanas, antes de ela e Benedict terem ganhado juízo e decidirem casar.

– Muito bem – concedeu ela –, ele é muito bem-parecido, para quem gosta do tipo rude e campestre.

– E tu gostas – retorquiu Sophie com impertinência.

Para a vergonha ser completa, Eloise sentiu-se corar.

– Talvez – murmurou.

– E ele trouxe flores – disse Sophie com ar aprovador.

– Ele é botânico – explicou Eloise.

– Isso não torna o gesto menos atencioso.

– Não, só mais fácil.

– Eloise – ralhou Sophie –, para com isso imediatamente.

– Paro com o quê?

– De tentar cercear o pobre homem antes de lhe dares uma oportunidade.

– Não era de todo o que estava a fazer – protestou Eloise, mas sabia que estava a mentir assim que as palavras lhe saíram dos lábios.

Odiava que a família tentasse comandar-lhe a vida, não importava as boas intenções que pudessem ter, e isso deixava-a sempre mal-humorada e inflexível.

– Pois eu acho as flores um gesto muito bonito – declarou Sophie com firmeza. – Não quero saber se ele tem oito mil variedades diferentes à sua disposição. Não falhou a delicadeza de trazer flores.

Eloise assentiu, odiando-se. Queria estar mais bem-disposta, queria ser toda ela sorrisos e alegria e otimismo, mas simplesmente não conseguia.

– O Benedict não me contou todos os pormenores – continuou Sophie, ignorando a angústia de Eloise. – Tu sabes como são os homens. Nunca dizem o que queremos saber.

– O que queres saber?

Sophie olhou para Sir Phillip, calculando o tempo que teria até ele as alcançar.

– Bem, por exemplo, é verdade que não o conhecias antes de fugires?

– Cara a cara, não – admitiu Eloise.

Parecia tão estúpido quando contava a alguém. Quem teria imaginado que ela, uma Bridgerton, fugiria para ir ao encontro de um homem que não conhecia?

– Pois se tudo acabar bem – disse Sophie, em tom prosaico –, dará uma bela história romântica.

Eloise engoliu com desconforto. Ainda era muito cedo para saber se iria «tudo acabar bem». Suspeitava, não, na verdade tinha a certeza de que ia acabar casada com Sir Phillip, mas que tipo de casamento seria? Ela não o amava, pelo menos ainda não, e ele também não a amava; chegara a pensar que não seria assim tão mau, mas agora que estava aqui no Wiltshire, tentando não reparar na forma como Benedict olhava para Sophie, pensava se não teria cometido um erro terrível.

E será que queria mesmo casar-se com um homem que desejava principalmente uma mãe para os filhos?

Se não havia amor, não seria melhor ficar sozinha?

Infelizmente, a única maneira de responder a esta pergunta era casar-se com Sir Phillip e ver como as coisas corriam. Se não corressem bem...

Ela estaria presa.

A maneira mais fácil de escapar de um casamento era a morte e, francamente, isso não estava nos planos de Eloise.

– Miss Bridgerton.

Phillip estava de pé, à frente dela, e estendia-lhe um ramo de orquídeas brancas.

– Trouxe estas para si.

Ela sorriu-lhe, animada pela sensação de nervoso miudinho e ligeira vertigem que lhe tomou o corpo ao vê-lo.

– Obrigada – murmurou, aceitando as flores e sentindo-lhes o aroma. – São maravilhosas.

– Onde é que arranjou orquídeas? – perguntou Sophie. – São lindíssimas.

– Cultivo-as – respondeu ele. – Tenho uma estufa.

– Sim, claro – disse Sophie. – Eloise mencionou que é botânico. Eu também gosto de fazer jardinagem, embora deva confessar que a maior parte do tempo não tenho a menor ideia do que estou a fazer. Os nossos caseiros devem certamente considerar-me a maldição da vida deles.

Eloise pigarreou, ciente de ainda não ter feito as apresentações.

– Sir Phillip – disse ela, apontando para a cunhada –, esta é a Sophie, mulher de Benedict – apresentou.

Ele curvou-se sobre a mão de Sophie, murmurando: – Mrs. Bridgerton.

– É um prazer conhecê-lo – disse Sophie cheia de afabilidade. – E, por favor, trate-me pelo nome de batismo. Sei que o faz com Eloise e, além do mais, sinto que já faz quase parte da família.

Eloise corou.

– Oh! – exclamou Sophie, instantaneamente constrangida. – Não o disse por tua causa, Eloise. Nunca partiria do princípio...

Oh, meu Deus! O que eu quis dizer foi que o disse, porque os homens... – Ambas as faces ficaram de um vermelho escuro e ela baixou os olhos para as mãos. – Bem – balbuciou –, ouvi falar de uma grande quantidade de vinho.

Phillip pigarreou.

– Um detalhe de que prefiro não me lembrar.

– O facto de se lembrar já é em si notável – disse Eloise com doçura.

Ele olhou para ela, a expressão a indicar claramente que não se tinha deixado enganar pelo tom açucarado.

– Muita generosidade sua.

– Dói-lhe a cabeça? – perguntou ela.

Ele fez uma expressão de sofrimento.

– Infernalmente.

Eloise devia preocupar-se. Devia ser amável, especialmente tendo-se ele dado ao trabalho de lhe trazer um ramo de orquídeas raras. No entanto, não podia deixar de sentir que não era mais do que merecia, por isso disse (em voz baixa, mas ainda assim não sendo capaz de evitar): – Bem feito.

– Eloise! – reprovou Sophie.

– Como é que o Benedict se está a sentir? – perguntou-lhe Eloise com voz doce.

Sophie suspirou.

– Tem-se portado como um urso toda a manhã, e o Gregory ainda nem sequer se levantou da cama.

– Parece que, em comparação, eu me saí bem melhor – comentou Phillip.

– À exceção do Colin – respondeu-lhe Eloise. – Ele nunca sofre os efeitos do álcool. E, claro, o Anthony que bebeu pouco ontem à noite.

– Sortudo.

– Gostaria de beber alguma coisa, Sir Phillip? – perguntou Sophie, ajustando o chapéu para proteger mais os olhos. – Do tipo mais benigno e não intoxicante, evidentemente, tendo em conta as circunstâncias. Terei todo o prazer em pedir que alguém lhe traga um copo de limonada.

– Isso seria ótimo, muito obrigado.

Phillip ficou a vê-la levantar-se e subir a suave colina até casa; em seguida, sentou-se no lugar dela, à frente de Eloise.

– É bom vê-la esta manhã – disse, pigarreando.

Ele não era o mais falador dos homens e esta manhã não estava a ser uma exceção, apesar das circunstâncias bastante excecionais que os trouxeram até ali.

– A si também – resmoneou ela.

Ele mexeu-se na cadeira. Era muito pequena para ele, tal como a maioria das cadeiras.

– Devo pedir desculpa pelo meu comportamento na noite passada – disse muito hirto.

Eloise fitou aqueles olhos escuros um momento antes de desviar o olhar para um pedaço de relva ao lado dele. Parecia sincero, e provavelmente estava a ser. Ela não o conhecia bem, certamente não o suficiente para se casar com ele, embora esse ponto fosse agora discutível, mas ele não parecia o tipo de homem de apresentar falsas desculpas. Ainda assim não se sentia pronta para cair nos braços dele, cheia de gratidão, por isso, ao responder, fê-lo com frugalidade.

– Eu tenho irmãos. Estou acostumada com isso.

– Talvez, mas eu não. Asseguro-lhe que não tenho o hábito de me encharcar em álcool.

Ela assentiu com a cabeça, aceitando o pedido de desculpas.

– Estive a pensar – começou ele.

– Eu também.

Phillip pigarreou, ajeitou o lenço do pescoço, como se tivesse ficado subitamente muito apertado.

– É perfeitamente claro que vamos ter de nos casar.

Nada que ela não soubesse já, mas a maneira como ele o disse soava terrível. Talvez fosse a falta de emoção na voz, como se ela fosse um problema que ele tivesse de resolver. Ou talvez fosse a naturalidade com que o disse, como se ela não tivesse escolha (que, na verdade, não tinha, mas não queria que lhe lembrassem isso).

Fosse o que fosse, fê-la sentir-se estranha, com comichões, como se precisasse rapidamente de mudar de pele.

Passara toda a vida de adulta a fazer as suas próprias escolhas, achando-se a mais sortuda das mulheres por ter uma família que lhe permitira fazê-lo. Talvez fosse por isso que agora lhe parecia tão insuportável ser obrigada a enveredar por um caminho antes de se sentir pronta.

Ou talvez fosse insuportável por ser ela a única responsável por ter posto toda aquela farsa em movimento. Estava furiosa consigo mesma e isso fazia-a portar-se de maneira arrogante com os outros.

– Vou esforçar-me por fazê-la feliz – disse ele em voz rouca. – E as crianças precisam de uma mãe.

Ela abriu um sorriso débil. Quisera tanto que o seu casamento fosse mais do que apenas por causa das crianças.

– Tenho a certeza de que será uma grande ajuda – insistiu ele.

– Uma grande ajuda – repetiu ela, odiando o modo como soava.

– Não concorda?

Ela assentiu com a cabeça, principalmente por recear abrir a boca e desatar a gritar.

– Ainda bem – disse ele. – Então está tudo resolvido.

Está tudo resolvido. Para o resto da sua vida, aquela seria a sua grande proposta de casamento. *Está tudo resolvido.* E o pior era que não tinha o direito de reclamar. Fora ela que fugira sem dar tempo suficiente para que Phillip mandasse vir uma dama de companhia. Fora ela que tivera tanta ânsia de decidir o seu próprio destino. Fora ela que agira sem pensar, e agora tudo o que tinha para mostrar era...

Está tudo resolvido.

Engoliu em seco.

– Excelente.

Ele olhou para ela, confuso.

– Não fica feliz?

195

– Claro que sim – respondeu ela, sem emoção.

– Não parece feliz.

– Estou feliz – protestou.

Phillip resmungou algo entre dentes.

– O que disse? – perguntou Eloise.

– Nada.

– Disse alguma coisa.

Phillip dirigiu-lhe um olhar impaciente.

– Se fosse para ouvir, tê-lo-ia dito em voz alta.

Ela engasgou-se de choque.

– Então devia ter ficado calado.

– Algumas coisas são impossíveis de calar – resmungou Phillip.

– O que foi que *disse*? – exigiu ela saber.

Phillip passou a mão pelo cabelo.

– Eloise…

– Acabou de me insultar?

– Quer realmente saber?

– Uma vez que parece que vamos casar – provocou ela –, sim, quero saber.

– Não me lembro das palavras exatas – retorquiu ele, já completamente farto de todo o interrogatório –, mas acho que talvez tenha pronunciado as palavras *mulheres* e *insensatez* na mesma frase.

Não devia tê-lo dito. Phillip *sabia* que não o devia ter feito; teria sido rude em qualquer circunstância, e era especialmente errado naquele momento. Mas Eloise teimara em provocá-lo e ele não conseguiu ficar-se. Era como se ela lhe tivesse espetado uma agulha na pele e decidisse enterrá-la cada vez mais fundo por puro divertimento.

Afinal, porque estava ela tão mal-humorada? Ele só se limitara a relatar os factos. Eles *tinham* de casar e, francamente, Eloise devia ficar contente; se havia a possibilidade de ter ficado comprometida, pelo menos isso acontecera com um homem que estava disposto a assumir a responsabilidade e a casar-se com ela.

196

Não esperava gratidão. Afinal a culpa era tanto dele como dela; fora ele que tomara a iniciativa de a convidar. Mas seria demasiado esperar um sorriso e um pouco de boa disposição?

— Ainda bem que tivemos esta conversa — disse Eloise, de repente. — Foi muito bom.

Ele levantou o olhar de imediato, desconfiado.

— Acho que não percebi.

— Foi muito benéfico — explicou ela. — Uma pessoa deve sempre compreender o cônjuge antes de se casar e…

Phillip soltou um resmungo. Aquilo não ia acabar bem.

— Além de que — acrescentou Eloise bruscamente, mostrando um ar feroz ao resmungo dele — é certamente prudente que eu saiba quais os seus sentimentos acerca do meu sexo.

Ele era o tipo de pessoa que normalmente fugia dos conflitos, mas aquilo também já era de mais.

— Se bem me lembro — retorquiu — eu nunca lhe disse exatamente o que penso das mulheres.

— Eu deduzi — devolveu ela. — A palavra «insensatez» apontou-me a direção certa.

— Ai, sim? — disse ele em voz arrastada. — Bem, acho que o meu pensamento se alterou.

Ela semicerrou os olhos.

— O que quer dizer com isso?

— Quero dizer que mudei de ideias. Decidi que não tenho dificuldades com as mulheres em geral. A *Eloise* é que é insuportável.

Ela recuou, notoriamente ofendida.

— Nunca ninguém lhe disse que é insuportável? — perguntou ele, achando difícil de acreditar.

— Ninguém que não fosse da minha família — resmungou ela.

— Deve viver no meio de uma sociedade muito educada.

Phillip voltou a contorcer-se na cadeira; francamente, já ninguém faz cadeiras para homens de grande estatura?

— Ou isso — continuou com maus modos — ou simplesmente apavorou toda a gente à sua volta até conseguir que lhe satisfizesse todos os caprichos.

Ela corou e ele não conseguiu discernir se era por ter ficado embaraçada com a avaliação perfeita da sua personalidade ou apenas por estar tão furiosa.

Provavelmente ambas.

– Peço desculpa – murmurou ela.

Ele encarou-a com espanto evidente.

– Como?!

Certamente não tinha ouvido bem.

– Eu pedi desculpa – repetiu ela, deixando claro que não ia repetir as palavras uma terceira vez, por isso era bom que ele abrisse os ouvidos.

– Oh! – conseguiu Phillip exclamar, demasiado aturdido para dizer outra coisa. – Obrigado.

– De nada. – O tom dela era menos que gracioso, mas parecia estar a esforçar-se.

Por um momento ele não disse nada. Mas depois não conseguiu conter-se mais.

– Porquê? – perguntou.

Eloise olhou para cima, obviamente irritada por o assunto não ter acabado ali.

– Tinha mesmo de perguntar? – resmoneou ela.

– Bem, sim.

– Peço desculpa – grunhiu ela – porque estou com um humor péssimo e tenho estado a portar-me mal. E se me perguntar *de que forma* é que tenho estado a portar-me mal, eu juro que me levanto e me vou embora e nunca mais me põe os olhos em cima, porque asseguro-lhe, este pedido de desculpas já é suficientemente difícil sem eu ter de me explicar ainda mais.

Phillip decidiu que não podia esperar mais dela.

– Obrigado – agradeceu em tom suave.

Conseguiu ficar calado um minuto, muito possivelmente o minuto mais longo da sua vida, mas então decidiu que o melhor era ir em frente e dizer o queria dizer.

– Se a faz sentir-se melhor – disse-lhe –, eu já tinha decidido que nós combinávamos antes mesmo de os seus irmãos chegarem.

Já estava a planear pedi-la em casamento. Da maneira certa, com anel e tudo o mais que é de bom-tom fazer. Não sei. Há muito tempo que não peço alguém em casamento e, seja como for, a última vez não foi em circunstâncias normais.

Ela olhou para ele, a surpresa estampada nos olhos... e talvez uma certa gratidão também.

– Lamento que os seus irmãos tenham aparecido e acelerado todo o processo sem lhe dar tempo para se preparar – acrescentou ele –, mas não lamento que esteja a acontecer.

– Não? – sussurrou ela. – A sério?

– Vou dar-lhe o tempo que precisar – continuou ele –, nos limites do razoável, é claro. Mas não posso... – Lançou um olhar rápido para o cimo da colina; Anthony e Colin desciam sem pressa em direção a eles, seguidos por um criado com uma bandeja de comida. – Não posso falar pelos seus irmãos. Atrevo-me a dizer que eles não vão querer esperar o tempo que a Eloise porventura gostaria. E, para ser franco, se fosse minha irmã, já a teria obrigado a casar ontem à noite.

Eloise olhou para os irmãos, no cimo da colina; ainda estavam a, pelo menos, meio minuto de distância. Ela abriu a boca, mas depois fechou-a em óbvia reflexão. Por fim, alguns segundos depois, durante os quais Phillip quase pôde ver as engrenagens da mente dela a girarem furiosas, ela deixou escapar:

– Porque é que decidiu que combinávamos?

– Perdão?

Era uma tática para empatar, obviamente. Ele não esperava uma pergunta tão direta.

Embora só Deus soubesse porque não. Afinal era de Eloise que se tratava.

– Porque é que decidiu que combinávamos? – repetiu ela, a voz contundente e inegável.

Mas é óbvio que faria a pergunta daquela maneira. Não havia nada de subtil ou de negável em Eloise Bridgerton. Ela nunca contornaria um problema quando podia simplesmente enfrentar sem medo e apontar o dedo para o cerne da questão.

– Eu... há... – Ele tossiu, pigarreou.

– Não sabe – afirmou ela, parecendo desapontada.

– Claro que sei – protestou ele.

Nenhum homem gostava que lhe dissessem que não sabia o que estava a dizer.

– Não, não sabe. Se soubesse, não estaria aí sentado a engasgar-se com o ar.

– Meu Deus, mulher, não existe um osso caridoso nesse seu corpo? Um homem precisa de tempo para formular uma resposta.

– Ah! – Ouviu-se a voz cordial de Colin Bridgerton. – Aqui está o feliz casal.

Phillip nunca ficara tão aliviado por ver outro ser humano.

– Bom dia – disse ele aos dois irmãos Bridgerton, extraordinariamente satisfeito por ter escapado ao interrogatório de Eloise.

– Com fome? – perguntou Colin ao sentar-se na cadeira ao lado de Phillip. – Tomei a liberdade de pedir na cozinha que preparassem o pequeno-almoço para comermos ao ar livre.

Phillip olhou para o criado e perguntou-se se devia oferecer ajuda. O pobre homem parecia prestes a ceder sob o peso da bandeja.

– Como te sentes esta manhã? – perguntou Anthony, sentando-se no banco almofadado ao lado de Eloise.

– Bem – respondeu ela.

– Com fome?

– Não.

– Bem-disposta?

– Não contigo.

Anthony virou-se para Phillip.

– Geralmente ela é mais conversadora.

Phillip ficou a pensar se Eloise iria bater no irmão. Seria bem feito.

A bandeja com o pequeno-almoço foi pousada na mesa de forma ruidosa, seguindo-se as desculpas servis do criado por ser tão desajeitado, e depois a garantia de Anthony de que não havia problema e que nem o próprio Hércules seria capaz de transportar comida suficiente para suprir os desejos de Colin.

Os dois irmãos Bridgerton serviram-se. Em seguida, Anthony virou-se para Eloise e Phillip e declarou:

– Os dois parecem-me bem adaptados um ao outro esta manhã.

Eloise virou-se para ele com hostilidade declarada.

– Quando é que chegaste a essa conclusão?

– Só precisei de um momento – disse ele, encolhendo os ombros. Olhou para Phillip. – Na verdade foi o peguilhar. Todos os bons casais o fazem.

– Fico feliz ao ouvir isso – murmurou Phillip.

– A minha mulher e eu temos muitas vezes esse género de conversas antes de ela cair em si e concordar comigo – disse Anthony afavelmente.

Eloise atirou-lhe uma expressão impertinente.

– É claro que a minha mulher pode oferecer uma interpretação diferente – acrescentou com um encolher de ombros. – Eu *deixo* que ela pense que estou a cair em mim e a concordar com a maneira de pensar dela. – Virou-se para Phillip e sorriu. – É mais fácil assim.

Phillip olhou de relance para Eloise. Ela parecia estar a esforçar-se imenso para ficar calada.

– Quando é que chegou? – perguntou-lhe Anthony.

– Há apenas alguns minutos – respondeu Phillip.

– Sim – disse Eloise. – Ele propôs-me casamento, creio que fiques feliz por saber.

Phillip desatou a tossir de tão espantado que ficou com o anúncio repentino.

– Desculpe?! – conseguiu dizer.

Eloise virou-se para Anthony.

– Ele disse: «Vamos ter de casar».

– Bem, ele tem razão – respondeu Anthony, fitando-a diretamente. – Vão ter de casar. E dou-lhe os meus cumprimentos por não se ter posto com rodeios. Achei que fosses gostar de uma conversa direta.

– Alguém quer um scone? – perguntou Colin. – Não? Mais fica para mim, então.

Anthony virou-se para Phillip e disse:

– Ela só está um pouco irritada porque odeia que lhe digam o que fazer. Daqui a uns dias passa-lhe.

– Estou perfeitamente bem, muito obrigada – disparou Eloise.

– Sim – murmurou Anthony –, nota-se.

– Não tens mais onde *estar*? – perguntou Eloise. Entre dentes.

– Uma pergunta interessante – respondeu o irmão. – Poder-se-ia dizer que eu deveria *estar* em Londres, com a minha mulher e os meus filhos. Na verdade, se eu tivesse outro lugar para *estar*, imagino que seria esse. Mas, curiosamente, parece-me que estou aqui. No Wiltshire. Onde nunca imaginei vir a estar, quando há três dias acordei na minha cama tão confortável *em Londres*. – Ele sorriu com brandura. – Mais alguma pergunta?

Ela ficou em silêncio.

Anthony entregou um envelope a Eloise.

– Chegou isto para ti.

Eloise olhou para a carta e Phillip viu que ela reconheceu imediatamente a caligrafia.

– É da mãe – disse Anthony, embora fosse claro que ela já sabia.

– Quer ler? – perguntou Phillip.

Eloise abanou a cabeça.

– Agora não.

Ele percebeu que a resposta significava que não queria lê-la na presença dos irmãos.

E, de repente, soube o que tinha de fazer.

– Mr. Bridgerton – disse a Anthony, levantando-se –, posso pedir um momento a sós com a sua irmã?

– Acabou de ter um momento a sós com ela – salientou Colin entre dentadas de *bacon*.

Phillip ignorou-o. – Senhor?

– É claro – disse Anthony –, se ela concordar.

Phillip agarrou na mão de Eloise e puxou-a até ela se levantar.

– Ela concorda – disse ele.

– Hum… ela realmente parece muito cordata – comentou Colin.

Phillip concluiu naquele instante que *todos* os Bridgerton deviam ser açaimados.

– Venha comigo – disse ele a Eloise, não lhe dando hipótese de discutir.

O que, naturalmente, ela faria, uma vez que se tratava de Eloise; nunca se limitaria a sorrir educadamente e obedecer quando havia a possibilidade de discussão.

– Aonde vamos? – perguntou ela sem fôlego, depois de ele a ter afastado da família a passos tão largos que foi obrigada a correr para o acompanhar na caminhada pelo relvado.

– Não sei.

– Não *sabe*?

Phillip parou tão rapidamente que Eloise chocou contra ele. Foi muito bom, na verdade. Ele podia sentir cada pedacinho dela, desde os seios até às coxas, embora tivesse recuperado muito rapidamente e recuado antes que ele pudesse saborear o momento.

– É a primeira vez que cá venho – disse ele, explicando-lhe como se ela fosse uma criança pequena. – Eu teria de ser vidente para saber para onde vou.

– Oh! – disse ela. – Bem, então, mostre o caminho.

Ele puxou-a de volta para casa, entrando por uma porta lateral.

– Para onde é que isto dá? – indagou.

– Para dentro – respondeu Eloise.

Phillip lançou-lhe um olhar sarcástico.

– Atravessa o gabinete da Sophie e depois vai dar ao corredor – explicou Eloise.

– E a Sophie está no gabinete?

– Duvido. Ela não tinha ido buscar limonada?

– Ótimo.

Phillip abriu a porta, resmungando um agradecimento rápido por se encontrar destrancada, e espreitou lá para dentro. A sala estava vazia, mas a porta para o corredor estava aberta; ele atravessou o gabinete e fechou-a. Quando se virou, Eloise ainda estava de pé na porta aberta para o exterior, observando-o com uma mistura de curiosidade e divertimento.

– Feche a porta – ordenou ele.

As sobrancelhas dela ergueram-se de imediato.

– Desculpe?!

– Feche-a.

Não era um tom de voz que usasse muitas vezes, mas depois de um ano a boiar perdido no meio da correnteza que era a sua vida, finalmente assumia o controlo.

E sabia exatamente o que queria.

– Feche a porta, Eloise – disse ele em voz baixa, aproximando-se lentamente dela.

Os olhos dela arregalaram-se.

– Phillip? – sussurrou ela. – Eu…

– Não fale – disse ele. – Só feche a porta.

Mas ela estava petrificada, a olhar para ele como se não o conhecesse. E, na verdade, não. Que inferno, já nem ele tinha assim tanta certeza de se conhecer.

– Phillip…

Ele foi por trás dela, fechou a porta e trancou-a com um clique alto e ominoso.

– O que está a fazer? – perguntou ela.

– Estava preocupada se combinamos ou não – disse ele.

Os lábios dela entreabriram-se.

Ele deu um passo em frente.

– Acho que está na hora de lhe mostrar que sim.

CAPÍTULO 12

...e como é que soubeste que tu e o Simon estavam bem um para o outro para se casarem? Porque eu juro que não conheci um único homem sobre o qual possa dizer o mesmo, e isso depois de três longas temporadas no Mercado Matrimonial.

De Eloise Bridgerton para a irmã, a duquesa de Hastings,
após recusar a terceira proposta de casamento

❦

Eloise ainda teve tempo para respirar, pouco, é certo, antes de a boca dele se apossar da sua. E ainda bem que o fez porque ele não dava mostras de a pretender largar até... oh... ao próximo milénio.

Mas então, de repente, ele recuou, as mãos enormes segurando-lhe o rosto. E ficou a olhar para ela.

Apenas a olhar para ela.

– O que foi? – perguntou, incomodada com o escrutínio.

Eloise sabia que era atraente, mas não era nenhuma beleza lendária, e Phillip estava a examiná-la como se quisesse catalogar-lhe cada um dos traços.

– Só queria olhar para si – sussurrou ele, acariciando-lhe o rosto e traçando depois com o polegar a linha do queixo. – Está sempre em movimento. Não consigo simplesmente *vê-la*.

Eloise sentiu as pernas bambas, os lábios entreabriram-se, mas não conseguiu pô-los a funcionar, não conseguiu fazer mais nada além de fitar aqueles olhos escuros.

– É tão linda – murmurou ele. – Sabe o que pensei quando a vi pela primeira vez?

Ela abanou a cabeça, ansiosa por ouvir as palavras.

– Pensei ser capaz de me afogar nesses olhos. Pensei… – Phillip aproximou-se ainda mais, as palavras agora sopradas – ser capaz de me afogar em *si*.

Eloise sentiu-se oscilar para ele.

Phillip tocou-lhe os lábios, fazendo-lhe cócegas na pele macia com o dedo indicador. O gesto enviou-lhe ondas de prazer pelo corpo todo até ao seu âmago, lugares proibidos até mesmo para ela.

Nesse instante percebeu que nunca antes compreendera realmente o poder do desejo. Nunca antes o compreendera de todo.

– Beije-me – sussurrou ela.

Ele sorriu.

– Sempre a dar-me ordens.

– Beije-me.

– Tem a certeza? – murmurou Phillip, a boca curvando-se num sorriso brincalhão. – É que se o fizer, posso não ser capaz de…

Eloise agarrou-o pela nuca e puxou-o para baixo.

Ele riu-se contra os lábios dela, os braços apertando-a com uma força intransigente. Ela abriu a boca, acolhendo de bom grado a invasão, gemendo de prazer quando a língua dele entrou, explorando a quentura interior. Phillip mordiscou e lambeu, ateando lentamente um fogo dentro dela, enquanto a puxava mais e mais contra si até o calor do seu corpo vencer a barreira da roupa e a envolver numa névoa de desejo.

As mãos dele deslizaram para as costas, descendo ferventes até às nádegas, onde apertaram e massajaram, forçando-a a subir mais até…

Ela arquejar. Tinha vinte e oito anos, idade suficiente para já ter ouvido sussurros indiscretos. Sabia o que significava sentir aquela rigidez contra ela. Só não esperava que fosse uma sensação tão quente, tão insistente.

Recuou de repente, o movimento mais instinto do que qualquer outra coisa, mas ele recusou-se a deixá-la ir e, puxando-a para mais perto, soltou um gemido rouco e roçou o corpo dela contra ele. – Quero tanto estar dentro de ti – suspirou-lhe ao ouvido.

As pernas dela cederam de vez.

Não teve qualquer importância, é claro; ele limitou-se a segurá-la com mais força ainda e deitou-a no sofá, descendo em seguida aquele seu corpo enorme para o dela até ela sentir a pressão contra as almofadas macias de cor creme. Phillip era pesado, mas a sensação do peso dele sobre ela era arrebatadora e Eloise só conseguiu recostar a cabeça para trás quando os lábios dele deixaram os seus para traçar um rasto descendente ao longo do seu pescoço.

– Phillip – gemeu ela e depois novamente, como se o nome dele fosse a única palavra que lhe restara.

– Sim – grunhiu ele –, sim.

As palavras pareciam sair-lhe rasgadas da garganta, e ela não fazia ideia do que ele estava a dizer, apenas que fosse o que fosse a que ele dizia sim, ela queria também. Ela queria tudo. Tudo o que ele quisesse, tudo que fosse possível.

Ela queria o possível e o impossível, também. Não havia mais razão, apenas sensação. Apenas desejo e aquela sensação esmagadora do *agora*.

Não se tratava do ontem nem do amanhã. Tratava-se do agora, e ela queria tudo.

Sentiu a mão dele no tornozelo, áspera e calejada, subir pela sua perna até alcançar o começo da meia. Phillip não fez nenhuma pausa, nada que implicitamente sugerisse um pedido de permissão, mas ela deu-lha assim mesmo, abrindo as pernas com urgência até ele se acomodar melhor entre elas, permitindo-lhe mais espaço para carícias, mais espaço para lhe atear a pele.

Ele foi subindo, subindo, parando de vez em quando para acariciar e ela achou-se capaz de morrer pela angústia da espera.

Sentia-se em chamas, a arder por ele, e simultaneamente sentia-se estranha e húmida e tão completamente diferente de si mesma que se achou capaz de se dissolver numa poça de nada.

Ou evaporar completamente. Ou talvez até explodir.

E então, quando estava plenamente convencida de que nada poderia ser mais estranho, que nada a poderia deixar ainda mais enredada em confusão, ele tocou-a.

Tocou-a.

Tocou-a onde ninguém jamais a tinha tocado, onde nem ela se atrevia a tocar. Tocou-a tão intimamente, com tanta ternura que Eloise teve de morder o lábio para não gritar o nome dele.

E quando Phillip deslizou um dedo para dentro dela, Eloise soube que todo o seu corpo e mente já não lhe pertenciam.

Era dele.

Mais tarde, muito mais tarde, voltaria a ser ela de novo, voltaria a ter controlo, a ter todos os seus poderes e faculdades restituídos, mas por enquanto ela era dele. Naquele momento, enquanto durasse, vivia para ele, para tudo o que ele era capaz de a fazer sentir, para cada suspiro de prazer, para cada gemido de desejo.

– Oh, Phillip – suspirou ela, o nome saindo como uma súplica, uma promessa, uma pergunta. Era tudo o que ela precisava de dizer para se certificar de que ele não parava. Ela não fazia ideia aonde tudo aquilo iria levar, se voltaria a ser a mesma pessoa quando tudo terminasse, mas a *algum* sítio havia de chegar. Não podia continuar naquele estado para sempre. Era como que um novelo que não parava de apertar, tão tenso que se sentia a ponto de rebentar.

Estava perto do fim. Tinha de estar.

Sentia que precisava de alguma coisa. Precisava de libertação e sabia que só ele lha poderia dar.

Arqueou o corpo contra o dele, impulsionando-o com uma força que nunca imaginara possuir, chegando a levantar os dois do sofá de tanta urgência. As mãos dela encontraram-lhe os ombros, enterrando os dedos nos músculos, deslizando depois para o fundo das costas, num esforço para o puxar ainda mais contra ela.

– Eloise – gemeu Phillip em voz rouca, deslizando a outra mão por baixo da saia até encontrar as nádegas. – Fazes alguma ideia…

E então ela não soube o que ele fez, talvez Phillip também não soubesse, mas Eloise sentiu o corpo inteiro ficar incrivelmente tenso. Não conseguia falar, não conseguia nem respirar, a boca abrindo-se num grito silencioso de surpresa e êxtase e uma centena de outras coisas, todas ao mesmo tempo. E quando pensou que não seria capaz de sobreviver nem um segundo mais, sentiu todo o corpo estremecer e sucumbir debaixo dele, ofegante de cansaço, tão mole e exausto que não seria capaz de mexer o dedo mindinho se quisesse.

– Oh, meu Deus! – disse ela finalmente, a blasfémia as únicas palavras que lhe passavam na mente. – Oh, meu Deus!

As mãos dele apertaram-lhe as nádegas.

– Oh, meu Deus!

Uma mão subiu para lhe acariciar o cabelo. Os gestos eram gentis, dolorosamente suaves, apesar de todo o corpo dele estar rígido e tenso.

Eloise deixou-se ficar ali deitada, imaginando se algum dia seria capaz de voltar a mexer-se, respirando contra a pele dele enquanto lhe sentia a respiração na têmpora. Por fim, ele mexeu-se e saiu de cima dela, murmurando alguma coisa sobre ser pesado de mais, e quando ela olhou para o lado, viu-o ajoelhado junto do sofá, alisando-lhe a saia com todo o cuidado.

Um gesto carinhoso e distinto em comparação com a recente atitude devassa dela.

Eloise escrutinou-lhe o rosto, sabendo que devia ter o sorriso mais idiota do mundo estampado na cara.

– Oh, Phillip! – suspirou ela.

– Onde é a casa de banho? – perguntou ele com voz rouca.

Ela pestanejou, percebendo pela primeira vez o ar tenso dele.

– A casa de banho? – repetiu.

Muito hirto, ele assentiu com a cabeça.

Ela apontou para a porta que dava para o corredor.

– Depois de sair, é só virar à direita – informou ela.

Era difícil de acreditar que ele precisasse de se aliviar logo após um encontro tão extasiante, mas quem era ela para tentar entender o funcionamento do corpo masculino?

Phillip foi até à porta, agarrou na maçaneta e virou-se para trás.

– Acreditas em mim agora? – perguntou, uma das sobrancelhas subindo num arco incrivelmente arrogante.

Eloise entreabriu os lábios, perplexa.

– Acerca de quê?

Ele sorriu. Devagar. E tudo que disse foi: – Nós combinamos.

Phillip não fazia ideia de quanto tempo Eloise precisaria para se recompor e restaurar a aparência. Deixara-a naquele sofá do pequeno gabinete de Sophie Bridgerton com um ar deliciosamente desalinhado. Nunca compreendera os meandros da higiene pessoal feminina, e sabia que nunca iria compreender, mas tinha a certeza de que ela ia precisar, pelo menos, de arranjar o penteado.

Quanto a ele, precisou de menos de um minuto na casa de banho para se libertar, de tão hirto que estava do encontro com Eloise.

Meu Deus, ela era magnífica.

Há tanto tempo que não estava com uma mulher. Sabia que quando finalmente encontrasse uma mulher com quem desejasse partilhar uma cama o seu corpo iria reagir intensamente. Há tantos anos que só podia contar com a mão para satisfazer as suas necessidades, que um corpo feminino lhe parecia o paraíso.

E só Deus sabia as vezes que ele tinha sonhado com um.

Mas aquele encontro tinha sido diferente, não fora nada do que imaginara que seria. Ficara louco por ela. Por *ela*. Pelos sons que lhe escaparam da garganta, pelo cheiro da pele, pela forma como o seu próprio corpo parecia encaixar perfeitamente nas curvas do dela. Mesmo tendo de terminar o assunto sozinho, ainda sentiu mais, e mais intensamente, do que alguma vez imaginou ser possível.

Pensara que qualquer corpo feminino servisse, mas agora era-lhe bastante óbvio que havia uma razão para nunca se ter valido dos serviços das prostitutas e criadas que manifestaram essa vontade. Havia uma razão para nunca ter encontrado uma discreta viúva.

Ele precisava de mais.

Ele precisava de Eloise.

Queria afundar-se nela e nunca mais sair.

Queria ser dono dela, para poder possuí-la e depois recostar-se e deixá-la torturá-lo até ele gritar de prazer.

Já tivera as suas fantasias. Bolas, qualquer um tinha. Mas agora a sua fantasia tinha um rosto e receava começar a andar por aí com uma ereção constante se não aprendesse a controlar os pensamentos.

Precisava de casar. E depressa.

Grunhiu e lavou rapidamente as mãos no lavatório. Ela não sabia que o tinha deixado naquele estado. Nem sequer se apercebeu. Apenas olhou para ele com aquele sorriso feliz, demasiado enlevada na sua própria paixão para perceber que ele estava prestes a explodir.

Abriu a porta, atravessando apressado o longo chão de mármore e dirigiu-se novamente para o relvado. Em breve teria tempo de sobra para explodir. E quando tal acontecesse, ela acompanhá--lo-ia.

O pensamento trouxe-lhe um tal sorriso aos lábios que quase o mandou de volta para a casa de banho.

— Ah, aqui está ele — disse Benedict Bridgerton ao ver Phillip aproximar-se. Phillip viu a arma que ele tinha na mão e estacou, pensando se deveria ficar preocupado. Benedict não podia saber o que acabara de acontecer no gabinete da mulher, ou podia?

Phillip engoliu em seco, refletindo. Não, não, era impossível. E, além do mais, Benedict sorria.

Claro, ele podia ser do género de gostar de abater a tiro o saqueador da inocência da irmã...

– Hum, bom dia – cumprimentou Phillip, lançando uma olhadela a todos os outros, para tentar avaliar a situação.

Benedict acenou em saudação e disse:

– Sabe atirar?

– É claro – respondeu Phillip.

– Ótimo! – Com a cabeça indicou a direção de um alvo. – Junte-se a nós.

Phillip reparou, aliviado, que o alvo parecia estar firme no seu lugar, o que indicava que não seria *ele* a desempenhar esse papel.

– Não trouxe pistola – anunciou.

– Pois claro que não – respondeu Benedict. – Porque deveria? Somos todos amigos aqui. – As sobrancelhas ergueram-se. – Não somos?

– Esperemos que sim.

Os lábios de Benedict curvaram-se num sorriso, mas não era do tipo que inspirasse confiança a qualquer um quanto ao seu bem-estar.

– Não se preocupe com a pistola – disse ele. – Nós emprestamos-lhe uma.

Phillip aceitou com um movimento da cabeça. Se era assim que tinha de provar a sua virilidade aos irmãos de Eloise, pois muito bem. Ele era tão bom atirador quanto o melhor deles. Aquela tinha sido uma das atividades viris que o pai insistira que ele aprendesse. Passara horas incontáveis nos terrenos de Romney Hall, de braço estendido até os músculos queimarem, prendendo a respiração enquanto apontava a arma para qualquer que fosse o alvo que o pai desejasse atingir. Cada tiro era acompanhado de uma oração fervorosa para conseguir cumprir o objetivo.

Se acertasse no alvo, o pai não lhe batia. Era tão simples... e desesperado... quanto isso.

Foi até uma mesa onde havia várias pistolas, murmurando cumprimentos a Anthony, Colin e Gregory. Sophie estava sentada a uns nove metros de distância, de nariz enfiado num livro.

– Vamos a isto, então – disse Anthony –, antes que a Eloise volte. – Olhou para Phillip. – Onde está a Eloise?

– Foi ler a carta da mãe – mentiu Phillip.

– Estou a ver. Bem, então não vai demorar muito – disse Anthony com uma careta. – É melhor despacharmo-nos.

– Talvez ela queira responder – disse Colin, pegando numa arma e examinando-a. – Assim dá-nos mais uns minutos. Sabes como é a Eloise. Está sempre a escrever uma carta a alguém.

– Pois é – respondeu Anthony. – Foi o que nos meteu nesta confusão, não é assim?

Phillip limitou-se a fitá-lo com um sorriso inescrutável. Estava demasiado satisfeito consigo próprio naquela manhã para morder qualquer isco que Anthony Bridgerton decidisse lançar.

Gregory escolheu uma arma.

– Mesmo que ela responda, não vai demorar muito. Ela é diabolicamente rápida.

– A escrever? – indagou Phillip.

– Em tudo – respondeu Gregory muito sério. – Vamos atirar.

– Porque estão tão ansiosos para começar sem Eloise? – perguntou Phillip.

– Hum… por nada – disse Benedict, precisamente no momento em que Anthony resmungou: – Quem é que disse isso?

Todos eles o tinham feito, é claro, mas Phillip não quis lembrar-lhes.

– Primeiro os mais velhos, companheiro – brincou Colin, dando uma palmada amistosa nas costas de Anthony.

– Estás muito simpático – resmungou Anthony, aproximando-se da linha de giz que alguém tinha traçado na relva.

Levantou o braço, mirou e disparou.

– Muito bem – disse Phillip, assim que o criado trouxe o alvo.

Anthony não tinha acertado no centro, mas ficara a apenas uns dois centímetros e meio.

– Obrigado – agradeceu, pousando a pistola. – Que idade tem?

Phillip surpreendeu-se com a pergunta inesperada, mas respondeu:

– Trinta.

Anthony apontou com a cabeça para Colin.

– É depois do Colin, então. Fazemos sempre estas coisas pela idade. É a única maneira de manter tudo sob controlo.

– Por quem sois – disse Phillip, observando a vez de Benedict e de Colin dispararem. Ambos eram bons atiradores, nenhum deles totalmente certeiro, mas o suficiente para matar um homem, se tal fosse o seu objetivo.

O que, felizmente, não parecia ser, pelo menos, não naquela manhã.

Phillip escolheu uma pistola, testou o peso com a mão e aproximou-se da linha de giz. Só recentemente deixara de pensar no pai de cada vez que fazia mira a um alvo. Levou anos, mas finalmente conseguiu perceber que na verdade gostava de atirar, que não tinha de ser uma tarefa árdua. E de repente, a voz do pai, tantas vezes no recôndito da sua mente, sempre a gritar, sempre a criticar, desapareceu.

Levantou o braço, os músculos firmes como rocha, e disparou.

Semicerrou os olhos na direção do alvo. Parecia bom. O criado trouxe-o. A pouco mais de um centímetro do centro, no máximo. Até agora, fora o que acertara mais perto.

O alvo voltou a ser posicionado e foi a vez de Gregory, que ficou empatado com Phillip.

– Fazemos cinco séries – explicou Anthony a Phillip. – Jogamos ao bota-fora e, em caso de empate, os líderes enfrentam-se.

– Percebo – disse Phillip. – Por algum motivo em particular?

– Não – respondeu Anthony, pegando na arma. – Sempre fizemos assim.

Colin olhou para Phillip muito sério.

– Nós levamos os nossos jogos muito a sério.

– Começo a perceber.

– Sabe esgrimir?

– Não muito bem – confessou Phillip.

Um pequeno sorriso contorceu a boca de Colin.

– Excelente.

– Calados! – exclamou Anthony, olhando irritado para eles. – Estou a tentar concentrar-me.

– Essa tua necessidade de silêncio vai ser péssima num momento de crise – comentou Colin.

– Cala-te! – rosnou Anthony.

– Se fôssemos atacados – continuou Colin, uma das mãos a gesticular de forma expressiva enquanto desenrolava o fio da imaginação –, haveria muito barulho e, sinceramente, é muito perturbador pensar...

– Colin! – berrou Anthony.

– Não te prendas por mim – disse Colin.

– Eu vou matá-lo – declarou Anthony. – Alguém se importa que eu o mate?

Ninguém se importou, embora Sophie tivesse levantado o olhar e dito qualquer coisa sobre sangue e sujidade e não querer ter de limpar.

– É um excelente fertilizante – disse Phillip, solícito, já que, afinal, era a sua área de especialização.

– Ah! – fez Sophie, assentindo e voltando para o livro. – Matem-no, então.

– Que tal é o livro, querida? – perguntou Benedict em voz alta.

– Muito bom.

– Querem fazer o favor de *estar calados*? – rosnou Anthony, mas, logo depois, com um ligeiro rubor, virou-se para a cunhada e murmurou em jeito de desculpa: – Tu, não, é claro, Sophie.

– Obrigada pela isenção – disse ela alegremente.

– Não te atrevas a ameaçar a minha mulher – disse Benedict com voz de veludo.

Anthony virou-se para o irmão e trespassou-o com o olhar.

– Devíeis ser todos arrastados e esquartejados – resmungou.

– À exceção da Sophie – lembrou Colin.

Anthony olhou-o com uma expressão mortífera.

– Tens noção de que esta arma está carregada, não tens?

– Ainda bem que o fratricídio é considerado muito além dos limites do razoável.

Anthony fechou a boca com força e virou-se para o alvo.

– Segunda série – gritou ele, fazendo mira.

– *Espeeeraaa!*

Os quatro homens Bridgerton deixaram os ombros cair, viraram-se e desataram a resmungar ao verem Eloise descer a colina a correr.

– Estão a fazer tiro ao alvo? – exigiu ela saber, parando de repente.

Ninguém respondeu. Também não era preciso. Era bastante óbvio.

– Sem mim?

– Não estamos a atirar – disse Gregory. – Só estamos aqui de pé, com armas.

– Perto de um alvo – acrescentou Colin, prestativo.

– Estão a atirar.

– É claro que estamos a atirar – disparou Anthony. Fez um gesto para a direita com a cabeça. – A Sophie está sozinha. Devias ir fazer-lhe companhia.

Eloise pôs as mãos nas ancas.

– A Sophie está a ler um livro.

– E é um bom livro – salientou Sophie, voltando a atenção para as páginas.

– Tu também devias ler um livro, Eloise – sugeriu Benedict. – São muito instrutivos.

– Eu não preciso de instrução – retorquiu ela. – Dá-me uma arma.

– Não te vou dar uma arma – respondeu Benedict. – Não temos suficientes para todos.

– Podemos partilhar – devolveu Eloise. – Já tentaste partilhar? É muito instrutivo.

Benedict fez uma cara muito pouco apropriada para um homem da sua idade.

– Acho que o que o Benedict estava a tentar dizer é que já não é possível ele ser mais instruído – disse Colin.

– Por certo – concordou Sophie, sem levantar os olhos do livro.

– Aqui tem – disse Phillip, magnânimo, entregando a sua arma a Eloise –, fique com a minha.

Os quatro homens Bridgerton resmungaram, mas Phillip percebeu que gostava de os irritar.

– Obrigada – agradeceu Eloise com graciosidade. – Pelo berro de Anthony a dizer «segunda série» deduzo que cada um de vós já tenha disparado uma vez?

– Isso mesmo – respondeu Phillip. Olhou para os irmãos dela, todos com expressões abatidas. – O que se passa?

Anthony limitou-se a abanar a cabeça.

Phillip olhou para Benedict.

– Ela é uma aberração da Natureza – resmungou Benedict baixinho.

Phillip olhou para Eloise com interesse renovado. Ela não lhe parecia particularmente aberrante.

– Eu desisto – murmurou Gregory. – Ainda não tomei o pequeno-almoço.

– Vais ter de tocar a pedir mais comida – disse Colin. – Eu já dei cabo de tudo.

Gregory soltou um suspiro irritado.

– Como irmão mais novo, é um milagre não ter morrido à fome – queixou-se.

Colin encolheu os ombros.

– Já sabes que tens de correr se quiseres comer.

Anthony olhou para os dois, com repulsa.

– Até parece que cresceram num orfanato – comentou.

Phillip mordeu o lábio para conter o riso.

– Afinal, vamos atirar, ou não? – protestou Eloise.

– *Tu*, certamente que sim – disse Gregory, deixando-se cair contra uma árvore. – Eu vou-me embora, comer.

No entanto ficou, a observar a irmã com uma expressão entediada, vendo-a levantar o braço e, sem sequer dar mostras de apontar, disparar.

Phillip pestanejou de surpresa quando o criado trouxe o alvo. Centro do alvo.

– Onde é que aprendeu a fazer isso? – perguntou ele, tentando não ficar embasbacado.

Eloise encolheu os ombros.

– Não sei dizer. Sempre fui capaz de o fazer.

– Uma aberração da Natureza – murmurou Colin. – Claramente.

– Eu acho esplêndido – elogiou Phillip.

Eloise olhou para ele com olhos brilhantes.

– Acha mesmo?

– Claro. Se alguma vez precisar de defender a minha casa, sei quem mandar para a linha de frente.

Ela abriu um enorme sorriso.

– Onde está o próximo alvo?

Gregory atirou os braços ao ar, desgostoso.

– Eu desisto. Vou buscar qualquer coisa para comer.

– Traz para mim também – pediu Colin.

– É claro – resmungou Gregory.

Eloise virou-se para Anthony.

– É a tua vez agora?

Ele tirou-lhe a arma das mãos e pousou-a na mesa para ser recarregada.

– Como se isso importasse.

– Temos de fazer todos as cinco séries – disse ela com ar autoritário. – Foste tu que estabeleceste as regras.

– Eu sei – respondeu Anthony em tom desolado.

Levantou o braço e disparou, mas era óbvio que não estava concentrado porque o tiro falhou o alvo por mais de doze centímetros.

– Nem sequer te estás a esforçar! – acusou Eloise.

Anthony virou-se para Benedict e disse:

– Detesto praticar tiro ao alvo com ela.

– É a tua vez – disse Eloise a Benedict.

Ele assim fez, tal como Colin, os dois fazendo um pouco mais de esforço do que Anthony, mas ainda assim sem acertar em cheio no alvo.

Phillip aproximou-se da linha de giz, parando apenas para ouvir Eloise dizer:

– Não decida desistir, por favor.

– Nem sonharia – murmurou ele.

– Ainda bem. Não é nada divertido jogar com quem *não sabe perder* – disse ela, atirando as três últimas palavras com bastante veemência na direção dos irmãos.

– O objetivo é esse – contrapôs Benedict.

– Fazem sempre isto – explicou Eloise a Phillip. – Atiram mal até eu decidir que não vale a pena jogar e *depois* divertem-se sozinhos.

– Fique quieta – pediu Phillip, contraindo os lábios. – Estou a fazer mira.

– Oh!

Fechou a boca com entusiasmo, observando com interesse enquanto ele se concentrava no alvo.

Phillip disparou, permitindo-se um sorriso lento e satisfeito enquanto o alvo era trazido.

– Perfeito! – exclamou Eloise, batendo palmas. – Oh, Phillip, foi maravilhoso!

Anthony resmungou qualquer coisa baixinho, que com certeza não devia dizer na presença da irmã, e acrescentou para Phillip:

– Vai casar-se com ela, não é? Porque, francamente, se a tirar das nossas mãos e a deixar fazer tiro ao alvo consigo, só para que não nos incomode, eu prometo duplicar o dote dela.

Phillip já tinha a certeza absoluta de que se casaria com ela mesmo sem dote, mas limitou-se a sorrir e a responder:

– Negócio fechado.

CAPÍTULO 13

...e como certamente podes imaginar, ficaram todos possuídos por um mau-humor impossível de aturar. É minha culpa eu ser tão superior? Não me parece. Pelo menos, não mais do que é culpa deles terem nascido homens e, consequentemente, sem o mínimo de bom senso ou de boas maneiras intrínsecas.

De Eloise Bridgerton para Penelope Featherington,
depois de infligir uma pesada derrota a seis homens (três
fora da família) numa partida de tiro ao alvo

No dia seguinte, Eloise viajou até Romney Hall para almoçar, juntamente com Anthony, Benedict e Sophie. Colin e Gregory declararam que os irmãos tinham a situação suficientemente controlada e decidiram regressar a Londres, Colin para os braços da mulher e Gregory para o que quer que os jovens solteiros da alta sociedade fazem para preencher o quotidiano.

Eloise ficou aliviada; adorava os irmãos, mas, na verdade, os quatro de uma só vez era mais do que qualquer mulher devia ser obrigada a suportar.

Sentia-se otimista ao descer da carruagem; o dia anterior tinha corrido muito melhor do que seria de esperar. Mesmo se Phillip não a tivesse levado para o gabinete de Sophie para lhe provar que «combinavam» (Eloise já só conseguia pensar nessas palavras entre aspas), o dia teria sido um sucesso. Phillip tinha-se portado lindamente contra a força coletiva dos irmãos Bridgerton, deixando-a muito satisfeita e extremamente orgulhosa.

Curioso como não lhe tinha ocorrido até então que nunca poderia casar-se com um homem que não fosse capaz de enfrentar cada um dos seus irmãos e sair ileso.

Mas Phillip tinha enfrentado os quatro ao mesmo tempo. Impressionante.

É claro que Eloise ainda tinha reservas quanto ao casamento. Como poderia não ter? Ela e Phillip tinham desenvolvido um sentimento de respeito mútuo e prometedor até de carinho, mas não estavam apaixonados e Eloise não tinha maneira de saber se alguma vez ficariam.

Ainda assim, estava convencida de que fazia a coisa certa ao casar-se com ele. Não que tivesse outra escolha, é claro; era casar-se com Phillip ou enfrentar a total ruína do seu bom nome e uma vida solitária. Mas, mesmo assim, achava que ele daria um bom marido. Era honesto e honrado, e se por vezes era quieto de mais, pelo menos parecia ter sentido de humor, característica que Eloise achava essencial em qualquer futuro marido.

E quando ele a beijava…

Bem, era bastante óbvio que ele sabia exatamente como transformar os joelhos dela em manteiga.

E o resto do corpo também.

Eloise era, por natureza, uma mulher pragmática. Sempre fora e sabia que apenas paixão não era suficiente para sustentar um casamento.

Mas, pensou com um sorriso malicioso, também não fazia mal nenhum.

Phillip consultou o relógio sobre a lareira pela décima quinta vez em quinze minutos. Os Bridgerton deveriam chegar ao meio-dia e meia e já passavam cinco minutos da hora marcada. Não que cinco minutos fosse motivo de preocupação quando se era obrigado a viajar por estradas rurais, mas, ainda assim, era extremamente difícil manter Oliver e Amanda limpos e arrumados e, principalmente, bem-comportados, enquanto aguardavam com o pai na sala de estar.

— Detesto este casaco — resmungou Oliver, puxando o pequeno casaco.

— Está muito pequeno — explicou Amanda.

— Eu *sei* — respondeu ele, com evidente desdém. — Se não me estivesse pequeno, não me teria queixado.

Phillip pensou que o filho teria encontrado qualquer outra coisa sobre a qual se queixar, mas não lhe pareceu haver razão para expressar tal opinião.

— O teu vestido também te está pequeno — continuou Oliver. — Consigo ver-te os tornozelos.

— A ideia é verem-se os tornozelos — disse Amanda, franzindo a testa e olhando para as pernas.

— Não tanto.

Ela voltou a olhar para baixo, desta vez com uma expressão aflita.

— Só tens oito anos — disse Phillip num tom cansado. — O vestido está perfeitamente adequado. — Ou pelo menos assim esperava, do pouco que sabia dessas coisas.

Eloise, pensou, o nome ecoava-lhe na mente como a resposta às suas preces. Eloise saberia dessas coisas. Saberia se o vestido de uma criança era demasiado curto e quando é que uma menina devia começar a usar o cabelo apanhado e até se um menino devia estudar em Eton ou em Harrow.

Eloise saberia todas essas coisas.

Graças a Deus.

— Acho que estão atrasados — anunciou Oliver.

— Eles não estão atrasados — respondeu Phillip automaticamente.

— Acho que *estão* atrasados — insistiu Oliver. — Eu já sei ver as horas, sabia?

Phillip não sabia, o que o deixou deprimido. Era como o caso da natação. Demasiado parecido, aliás.

Eloise, voltou a lembrar-se. Quaisquer que fossem as suas falhas como pai, ia compensar tudo isso ao casar-se com a mãe perfeita para eles. Pela primeira vez desde que nasceram, estava a tomar a decisão certa para o bem dos filhos e a sensação de alívio era quase irresistível.

Eloise. Mal podia esperar que ela chegasse.

Diabos, mal podia esperar para se casar com ela. Como é que se obteria uma licença especial? Nunca fora o tipo de informação que achasse preciso saber, mas a última coisa que queria era esperar semanas pela publicação dos banhos.

Os casamentos não costumavam ser realizados nas manhãs de sábado? Conseguiriam casar-se já no próximo sábado? Só faltavam dois dias, mas se conseguissem obter a licença especial…

Phillip apanhou Oliver pela gola quando este tentava fugir da sala a correr.

— Não — disse com firmeza. — Vais esperar aqui por Miss Bridgerton. E vais fazê-lo sossegado, sem asneiras e com um sorriso estampado no rosto.

Oliver fez pelo menos uma tentativa de sossegar à menção do nome de Eloise, mas o «sorriso» (obedecendo à ordem do pai) era um esgar medonho que deixou Phillip a achar que acabara de ter um encontro com uma górgone anémica.

— Isso não foi um sorriso — notou Amanda imediatamente.

— Foi, sim.

— Não. Os teus lábios nem sequer se curvaram…

Phillip suspirou, tentando alhear-se do som. Falaria já esta tarde com Anthony Bridgerton sobre a licença especial. Parecia-lhe o tipo de coisa que o visconde saberia.

Mal podia esperar que chegasse sábado. Podia deixar os gémeos entregues a Eloise durante o dia e…

Sorriu. Ela podia entregar-se a *ele* à noite.

— Porque está a sorrir? — exigiu saber Amanda.

– Não estou a sorrir – respondeu Phillip, sentindo-se começar a… meu Deus… corar.

– *Está* a sorrir, sim – acusou ela. – E agora as suas bochechas estão a ficar vermelhas.

– Não sejas tontinha – resmungou ele.

– Eu não sou tontinha – insistiu ela. – Oliver, olha para o pai. As bochechas dele não estão a ficar vermelhas?

– Mais uma palavra sobre as minhas bochechas e juro que… – ameaçou Phillip.

Maldição! Estivera prestes a dizer que lhes daria *chicotadas*, mas todos sabiam que ele nunca faria isso.

– …vos faço alguma coisa – completou, numa fraca tentativa de ameaça.

Por incrível que pareça, funcionou, e eles ficaram momentaneamente quietos e calados. Depois Amanda balançou as pernas para saltar do sofá e derrubou um banquinho para pés.

Phillip olhou para o relógio.

– Ups! – disse ela, saltando para o chão e baixando-se para o endireitar. – Oliver! – exclamou em tom agudo.

Phillip desviou os olhos do ponteiro dos minutos, que, inexplicavelmente, ainda nem estava no oito. Amanda estava esparramada no chão a arregalar os olhos ao irmão.

– Ele empurrou-me – queixou-se Amanda.

– Não empurrei nada.

– Empurraste, sim.

– Não…

– Oliver – cortou Phillip. – *Alguém* a empurrou e tenho a certeza de que não fui eu.

Oliver mordeu o lábio inferior, notando que se esquecera de considerar o facto de a sua culpabilidade ser bem evidente.

– Talvez ela tenha caído sozinha – sugeriu.

Phillip não tirou os olhos do filho, esperando que a expressão feroz fosse suficiente para arrancar *tal* ideia pela raiz.

– Está bem – admitiu Oliver. – Fui eu que a empurrei. Peço desculpa.

Phillip piscou os olhos de surpresa. Talvez estivesse a apanhar o jeito desta coisa de ser pai. Não se lembrava da última vez que ouvira um pedido de desculpas não solicitado.

— Podes empurrar-me também — disse Oliver a Amanda.

— Oh, não — interveio Phillip rapidamente. Má ideia. Muito, muito má ideia.

— Está bem — aceitou Amanda, muito animada.

— Não, Amanda — avisou Phillip, levantando-se de supetão. — Não...

Mas ela já tinha encostado as mãos ao peito do irmão e empurrado.

Oliver caiu para trás com uma gargalhada forte.

— Agora empurro-*te* eu! — exclamou com alegria.

— *Não* empurres a tua irmã! — rugiu Phillip, saltando por cima de uma otomana.

— Ela empurrou-me! — vociferou Oliver.

— Porque tu lhe pediste, sua peste. — Phillip balançou a mão para agarrar Oliver pela manga antes que ele fugisse, mas o diabo do miúdo era escorregadio como uma enguia.

— Empurra-me! — guinchou Amanda. — Empurra-me!

— Não a empurres! — berrou Phillip. Visões da sala de estar cheia de móveis partidos e candeias tombadas flutuaram-lhe ameaçadoras no cérebro.

Deus do céu, e com os Bridgerton prestes a chegar a qualquer momento.

Agarrou Oliver no momento em que este agarrou Amanda e os três caíram redondos no chão, levando com eles duas almofadas do sofá. Phillip agradeceu a Deus. Pelo menos, as almofadas não se partiam.

Catrapum!

— Mas que diabo...

— Acho que foi o relógio — anunciou Oliver, engolindo em seco.

Como raio tinham eles conseguido derrubar o relógio de cima da lareira, Phillip nunca saberia.

– Ficam os dois de castigo no quarto até terem sessenta e oito anos – sibilou.

– A culpa foi do Oliver – disse Amanda muito depressa.

– Não quero saber quem foi! – vociferou Phillip. – *Sabem* que Miss Bridgerton deve chegar a qualquer...

– Eh... eh...

Phillip virou-se lentamente para a porta, horrorizado, mas não surpreendido, ao ver Anthony Bridgerton acompanhado de Benedict, Sophie e Eloise.

– Meu senhor – cumprimentou Phillip em tom seco.

Sabia que devia ter sido mais simpático – não era culpa do visconde que os filhos dele estivessem a apenas uma transgressão de serem completos monstros – mas Phillip simplesmente não conseguia mostrar-se mais animado.

– Estamos a interromper? – inquiriu Anthony, indulgente.

– De todo – respondeu Phillip. – Como podem ver, estamos apenas... há... a reorganizar os móveis.

– E a fazer um excelente trabalho – notou Sophie com entusiasmo.

Phillip lançou-lhe um sorriso agradecido. Sophie parecia ser o tipo de mulher que fazia todos os possíveis para fazer os outros sentirem-se mais à vontade e naquele momento estava capaz de a beijar.

Levantou-se, aproveitando para endireitar a otomana, pegou nos dois filhos pelos braços e pô-los em pé. O lenço de pescoço de Oliver estava completamente desfeito e o gancho do cabelo de Amanda encontrava-se descaído junto à orelha.

– Permitam-me que apresente os meus filhos – disse, com toda a dignidade que conseguiu reunir –, Oliver e Amanda Crane.

Oliver e Amanda murmuram os devidos cumprimentos, ambos evidentemente desconfortáveis por serem exibidos diante de tantos adultos. Ou isso ou talvez estivessem realmente envergonhados pelo seu comportamento abominável, por mais improvável que isso parecesse.

– Muito bem – disse Phillip, assim que os gémeos cumpriram o seu dever. – Podem ir, agora.

Eles olharam para ele com expressões aflitas.

– O que foi agora?

– Podemos ficar? – perguntou Amanda em voz baixa.

– Não – respondeu Phillip.

Convidara os Bridgerton para o almoço e para uma visita à estufa, mas para isso precisava que as crianças desaparecessem para a ala infantil se pretendia ter algum sucesso em ambos os intentos.

– Por favor? – pediu Amanda.

Phillip evitou olhar para os convidados, ciente de que todos eram testemunhas da sua suprema falta de autoridade sobre os filhos.

– A ama Edwards está à vossa espera – disse ele.

– Nós não gostamos da ama Edwards – queixou-se Oliver.

Amanda apressou-se a concordar com a cabeça.

– Claro que gostam da ama Edwards – impacientou-se Phillip. – Ela é vossa ama há meses.

– Mas nós não *gostamos* dela.

Phillip olhou para os Bridgerton.

– Desculpem – disse ele numa voz bem articulada. – Deem--me só um momento.

– Com certeza – apressou-se a dizer Sophie, o rosto assumindo um ar maternal ao aperceber-se da situação.

Phillip guiou os gémeos para o canto mais afastado da sala; cruzou os braços e fitou-os.

– Crianças – disse ele com ar severo –, pedi Miss Bridgerton em casamento.

Os olhos de ambos iluminaram-se.

– Que bom – resmungou ele. – Vejo que concordam comigo que é uma ideia excecional.

– Será que ela…

– Não me interrompas – interrompeu Phillip, já demasiado impaciente para lidar com as perguntas deles. – Quero que me ouçam. Eu ainda preciso que a família dela aprove a nossa união, mas, para isso, preciso de os receber bem e de lhes oferecer o almoço, e tudo isto sem crianças a reboque.

Era quase verdade. Os gémeos não precisavam de saber que Anthony tinha praticamente ordenado o casamento e que a aprovação não se punha em questão.

Mas o lábio inferior de Amanda começou a tremer e até Oliver se mostrou perturbado.

– O que foi agora? – perguntou Phillip, já sem paciência.

– Tem vergonha de nós? – perguntou Amanda.

Phillip suspirou, sentindo repugnância de si mesmo. Meu Deus, como é que tinha chegado àquele ponto?

– Eu não tenho...

– Posso ajudar?

Phillip olhou para Eloise como se fosse a sua salvadora. Em silêncio observou-a ajoelhar-se junto das crianças, falando-lhes numa voz tão suave que ele não conseguiu entender as palavras, só o carinho do tom.

Os gémeos responderam algo que era um protesto claro, mas Eloise cortou-lhes a palavra, gesticulando enquanto falava. Então, para seu total e absoluto espanto, os gémeos despediram-se e saíram para o corredor. Não pareciam especialmente felizes por terem de se ir embora, mas obedeceram.

– Graças a Deus que me vou casar contigo – disse Phillip baixinho.

– Concordo plenamente – murmurou Eloise, passando por ele com um sorriso reservado e regressando para junto da família.

Phillip seguiu-a e voltou a pedir desculpa a Anthony, Benedict e Sophie pelo comportamento dos filhos.

– Tem sido muito difícil controlá-los desde que a mãe deles morreu – explicou, tentando pôr o tom mais pesaroso possível.

– Não há nada mais difícil do que a morte de um pai ou de uma mãe – disse Anthony em voz serena. – Por favor, não se sinta obrigado a pedir desculpa por eles.

Phillip assentiu, grato pela compreensão.

– Vamos então almoçar – disse ao grupo.

Mas durante todo o caminho até à sala de jantar os rostos de Amanda e de Oliver não lhe saíram da mente. Os olhos deles mostravam tristeza ao saírem.

Estava habituado a ver os filhos obstinados, insuportáveis, até mesmo a ter acessos de fúria absoluta, mas não lhes via aquela tristeza no olhar desde que a mãe morrera.

Era muito perturbador.

Depois do almoço e de um passeio pela estufa, o quinteto dividiu-se em dois grupos. Benedict havia trazido um bloco de desenho, portanto ele e Sophie permaneceram perto da casa, conversando alegremente enquanto ele desenhava esboços da paisagem. Anthony, Eloise e Phillip decidiram fazer uma caminhada pelas imediações, mas Anthony, muito discretamente, permitiu que Eloise e Phillip se deixassem ficar uns bons metros para trás, proporcionando ao casal a oportunidade de conversarem com um pouco mais de privacidade.

– O que disseste às crianças? – perguntou logo Phillip.

– Não sei – respondeu Eloise com toda a honestidade. – Só tentei agir como a minha mãe. – Encolheu os ombros. – Pareceu funcionar.

Phillip pôs-se a reflectir no que ela dissera.

– Deve ser bom ter pais que podemos imitar.

Eloise olhou-o com curiosidade.

– Tu não tiveste?

Ele abanou a cabeça.

– Não.

Ela queria que ele dissesse mais, deu-lhe tempo, mas ele não falou. Por fim, decidiu insistir no assunto e perguntou: – Era a tua mãe ou o teu pai?

– O que queres dizer?

– Qual dos teus pais era assim tão difícil?

Phillip fitou-a um longo momento, os olhos escuros impenetráveis e as sobrancelhas ligeiramente franzidas. Finalmente respondeu:

– A minha mãe morreu quando eu nasci.

– Compreendo – assentiu ela.

– Duvido – disse ele numa voz tensa, vazia –, mas obrigado pela tentativa.

Prosseguiram a caminhada, mantendo um ritmo lento, não querendo ficar ao alcance da voz de Anthony, embora nenhum dos dois quebrasse o silêncio durante vários minutos. Por fim, ao virarem para as traseiras da casa, Eloise formulou a pergunta que estivera em pulgas para fazer o dia todo…

– Porque é que ontem me levaste para o gabinete da Sophie?

Phillip gaguejou e tropeçou.

– Pensei que seria óbvio – balbuciou, com as faces ruborizadas.

– Bem, sim – disse Eloise, corando quando percebeu exatamente o que tinha perguntado. – Mas, certamente, não pensaste que *aquilo* ia acontecer.

– Um homem tem sempre esperança – murmurou ele.

– Não estás a falar a sério!

– Claro que estou. Mas… – acrescentou, com ar de quem não acreditava estar a ter aquela conversa –, para ser sincero, não, nunca me passou pela cabeça que as coisas fossem ficar tão descontroladas. – Lançou-lhe um olhar de viés, malicioso. – Porém, não me arrependo.

Ela sentiu o rosto aquecer.

– Ainda não respondeste à minha pergunta.

– Não?

– Não. – Sabia que estava a ser insistente ao ponto da indecência, mas, como estavam as coisas, aquela parecia ser uma pergunta importante a fazer. – Porque é que me levaste para lá?

Phillip ficou a olhar para ela uns bons dez segundos, talvez para averiguar se não era doida, depois lançou uma olhadela

230

a Anthony para se certificar de que ele se encontrava fora do alcance da sua voz, antes de responder:

– Bem, se queres saber, sim, eu tinha a intenção de te beijar. Não paravas de tagarelar sobre o casamento, a fazer pergunta absurda atrás de pergunta absurda. – Pôs as mãos nas ancas e encolheu os ombros. – Pareceu-me uma boa maneira de provar de uma vez por todas que combinamos na perfeição.

Eloise decidiu deixar passar a descrição de mulher tagarela.

– Mas a paixão não é suficiente para sustentar um casamento – insistiu.

– Mas é certamente um bom começo – resmungou ele. – Podemos falar de outra coisa?

– Não. O que estou a tentar dizer...

Phillip bufou e revirou os olhos.

– Estás sempre a tentar dizer alguma coisa.

– Faz parte do meu charme – disse Eloise com impertinência.

Ele olhou para ela com paciência exagerada.

– Eloise. Nós combinamos perfeitamente e vamos conseguir ter um casamento perfeitamente agradável e prazenteiro. Não sei mais o que dizer ou fazer para o provar.

– Mas tu não me amas – disse ela em voz baixa.

A afirmação pareceu tirar-lhe completamente o ar, e Phillip simplesmente parou e olhou-a demoradamente.

– Porque é que dizes coisas dessas? – indagou.

Eloise encolheu os ombros, impotente.

– Porque é importante.

Por um momento ele não fez outra coisa senão olhá-la.

– Alguma vez te ocorreu que talvez não seja preciso dar voz a cada pensamento e sentimento?

– *Sim* – respondeu ela, uma vida inteira de arrependimentos condensados numa única sílaba. – Constantemente. – Desviou o olhar, incomodada pela estranha sensação de vazio a ressoar-lhe na garganta. – Mas não consigo evitar.

Ele abanou a cabeça, obviamente perplexo, o que não a surpreendeu. Metade das vezes também ela ficava perplexa consigo mesma. Mas *porque* é que tinha forçado o assunto? Porque é que não conseguia nunca ser subtil, reservada? A mãe tinha dito certa vez que era possível apanhar mais moscas com mel do que com fel, mas Eloise nunca fora capaz de aprender a guardar os pensamentos só para si.

Praticamente tinha perguntado a Sir Phillip se ele a amava e o silêncio da resposta falara tão alto como se ele tivesse respondido «não». Sentiu um aperto no coração. Não tinha realmente pensado que ele iria contradizê-la, mas a deceção sentida era a prova de que uma pequena parte dela tinha esperança de que ele caísse de joelhos e declarasse o quanto a amava, a estimava e a certeza que tinha de que morreria sem ela.

Tudo baboseiras, é certo, e ela nem sabia porque desejava ouvir aquilo se também não o amava.

Mas podia. Tinha a sensação de que com o tempo seria capaz de amar aquele homem. E talvez só quisesse ouvi-lo a dizer o mesmo.

— Amavas a Marina? — perguntou ela, as palavras escapando-lhe dos lábios antes de ela ter a hipótese de refletir sobre a sensatez da pergunta. Retraiu-se. Lá estava ela outra vez, a fazer perguntas demasiado pessoais.

Era extraordinário ele não ter já atirado os braços ao ar e desatado a correr e a gritar na direção oposta.

Phillip esteve algum tempo sem responder. Ficaram os dois ali, a olhar um para o outro, tentando ignorar Anthony, que examinava cuidadosamente uma árvore a cerca de vinte e cinco metros de distância. Por fim, em voz baixa, disse:

— Não.

Eloise não exultou; não sentiu pena. Não sentiu absolutamente nada ao ouvir a declaração, o que a surpreendeu. Todavia deixou escapar um longo suspiro, que não tinha percebido estar a suster. E sentiu-se bastante aliviada por finalmente saber.

Odiava não saber. Sobre o que quer que fosse.

Por isso não a devia espantar ouvir-se sussurrar:

— Então porque é que te casaste com ela?

Uma expressão vazia apoderou-se dos olhos de Phillip, até que encolheu os ombros e respondeu:

– Não sei. Pareceu-me a decisão certa a tomar.

Eloise assentiu com a cabeça. Tudo fazia sentido. Era exatamente o tipo de coisa que ele faria. Phillip estava sempre a fazer a coisa certa, o que era honrado, pedindo desculpa pelas transgressões, assumindo as responsabilidades de todos...

Honrando as promessas do irmão.

E então teve de fazer mais uma pergunta.

– Tu... – sussurrou, quase perdendo a coragem. – Sentiste paixão por ela?

Sabia que não devia perguntar, mas depois daquela tarde, tinha de saber. A resposta não importava... ou pelo menos, tentou convencer-se que não.

Mas tinha de saber.

– Não.

Ele virou-lhe as costas e começou a andar, com passos largos obrigando-a a correr para conseguir acompanhá-lo. Mas então, quando estava prestes a alcançá-lo, Phillip estacou, fazendo-a tropeçar e ter de se apoiar no braço dele para manter o equilíbrio.

– Eu tenho uma pergunta – disse ele de forma abrupta.

– Claro – murmurou ela, surpreendida pela súbita mudança de comportamento. Mas era justo, já que ela praticamente fizera um interrogatório ao pobre homem.

– Porque saíste de Londres? – indagou.

Ela pestanejou de surpresa. Não esperava algo de resposta tão fácil.

– Para te conhecer, é claro.

– Disparates!

A boca dela abriu-se ao sentir o desdém palpável dele.

– Foi por isso que vieste – disse ele –, não porque saíste.

Não lhe ocorrera até aquele exato momento que havia uma diferença, mas ele tinha razão. Phillip não tinha nada a ver com o motivo pelo qual ela saíra de Londres. Fora apenas o pretexto, uma maneira de sair sem sentir que estava a fugir.

Ele providenciara-lhe um objetivo a atingir, o que era muito mais fácil de justificar do que uma *fuga*.

– Tinhas algum amante? – perguntou Phillip em voz baixa.

– Não – respondeu Eloise, alto o suficiente para que Anthony se virasse, obrigando-a a sorrir e a acenar, assegurando-lhe que estava tudo bem. – Foi só uma abelha – gritou.

Os olhos de Anthony arregalaram-se e ele começou a andar na sua direção.

– Já se foi embora! – clamou Eloise muito depressa, para que ele não se aproximasse. – Já passou! – Virou-se para Phillip e explicou: – Ele tem um medo mórbido de abelhas. – Fez uma careta. – Esqueci-me. Devia ter dito que era um rato.

Phillip olhou para Anthony, curioso. Eloise não se surpreendeu; era difícil imaginar que um homem como o seu irmão tivesse medo de abelhas, mas fazia sentido, pensando que o pai tinha morrido depois de ser picado por uma.

– Não respondeste à minha pergunta.

Bolas. Pensara que o tinha desviado do assunto.

– Como é que podes perguntar isso? – disse ela.

Phillip encolheu os ombros

– Porque não? Fugiste de casa, sem te preocupares em avisar a tua família…

– Eu deixei um bilhete – interrompeu ela.

– Sim, é claro, o bilhete.

Eloise ficou de boca aberta.

– Não acreditas em mim?

Phillip acenou com a cabeça em sinal afirmativo.

– Sim, acredito. És demasiado organizada e diligente para te vires embora sem teres a certeza de que todas as pontas soltas ficavam atadas.

– Não é culpa minha se ficou baralhado com os convites da minha mãe – resmungou ela.

– O bilhete não é a questão – afirmou ele, cruzando os braços.

Cruzou os braços? Eloise cerrou os dentes. Phillip fazia-a sentir-se uma criança, mas não havia nada que pudesse fazer ou dizer, porque tinha a sensação de que ele teria razão no que estava prestes a dizer a respeito do seu comportamento recente.

Por mais que lhe custasse a admitir.

– O cerne da questão – continuou ele – é que fugiste de Londres como uma criminosa a meio da noite. Passou-me pela cabeça que pudesse ter acontecido algo que… há… manchasse a tua reputação. – Eloise fez uma expressão petulante e ele acrescentou: – Não é uma conclusão assim tão improvável de se chegar.

Estava certo, é claro. Não acerca da sua reputação, que continuava tão pura e limpa como a neve, mas realmente parecia estranho e, para ser sincera, era de espantar que ainda não lho houvesse perguntado.

– Mesmo que tenhas tido um amante – disse ele em voz baixa –, eu mantenho as minhas intenções.

– Não foi nada disso – interveio Eloise rapidamente, principalmente para o fazer parar de falar no assunto. – Foi…

E então ela contou-lhe tudo. Tudo sobre as propostas de casamento que recebera, e as que Penelope não recebera, os planos que tinham feito em tom de brincadeira de envelhecerem e ficarem solteironas juntas. Contou-lhe da culpa que sentiu, depois de Penelope e Colin casarem, por não conseguir parar de pensar em si mesma e na sua solidão.

Contou-lhe tudo isso e muito mais. Confessou o que lhe ia na mente e no coração, disse-lhe coisas que nunca revelara a mais ninguém. E ao falar apercebeu-se de que, para uma mulher que tinha sempre algo a dizer sobre tudo, guardava muita coisa dentro de si que nunca partilhara.

Quando terminou (na verdade, nem se apercebeu que terminara; o que aconteceu é que foi ficando sem energia e as palavras foram deixando de sair), Phillip estendeu a mão e pegou na sua.

– Está tudo bem – disse.

E Eloise percebeu que estava. Por mais incrível que parecesse, estava tudo bem.

CAPÍTULO 14

…admito que o rosto de Mr. Wilson tem um quê de anfíbio, mas gostaria muito que aprendesses a ser um pouco mais circuns-pecta no teu discurso. Embora eu nunca pudesse considerá-lo um candidato aceitável para casar, certamente que não é um sapo, e não me caiu nada bem ter a minha irmã mais nova a tratá-lo dessa forma, ainda para mais na sua presença.

De Eloise Bridgerton para a irmã, Hyacinth,
após recusar o quarto pedido de casamento

⁓⟋⟍⟋⟍⟍

Quatro dias depois, estavam casados. Phillip não fazia ideia de como Anthony Bridgerton conseguira tal proeza, mas tinha obtido uma licença especial, permitindo que eles se casassem sem banhos e numa segunda-feira, dia que, assegurou Eloise, não era pior do que a terça ou a quarta-feira; só não era sábado, como seria de bom-tom.

A família inteira de Eloise, menos a irmã viúva que vivia na Escócia, que não teve tempo para fazer a viagem, acorreu ao campo para o casamento. Por via de regra, a cerimónia teria acontecido no Kent, em casa dos Bridgerton, ou, no mínimo, em Londres, na igreja de St. George, em Hanover Square, que a família frequentava regularmente, mas tais preparativos não eram possíveis com um prazo tão apertado, e afinal aquele não era um casamento típico.

236

Benedict e Sophie tinham oferecido a sua casa para a receção, mas Eloise achara que os gémeos se sentiriam mais confortáveis em Romney Hall, de modo que a cerimónia realizou-se na igreja paroquial ao fundo da rua, seguida de uma receção pequena e íntima no relvado em frente à estufa de Phillip.

No final do dia, quando o sol começava a pôr-se no horizonte, Eloise viu-se no seu novo quarto de dormir com a mãe, que se mantinha ocupada fingindo arrumar as coisas do seu enxoval, reunido às pressas. Tudo, é claro, tinha sido cuidadosamente preparado pela sua criada pessoal (que viera de Londres com a família) naquela manhã, mas Eloise não fez comentários acerca do fazer de conta atarefado da mãe. Deduzia que Violet Bridgerton simplesmente precisava de algo para fazer enquanto falava.

Eloise entendia perfeitamente essa necessidade.

— Eu devia reclamar por me estarem a negar o momento de glória como mãe da noiva — disse Violet à filha enquanto dobrava o véu rendado e o pousava delicadamente em cima de uma mesa —, mas a verdade é que estou muito feliz em ver-te noiva.

Eloise sorriu com carinho à mãe.

— Já tinhas perdido a esperança, não é?

— Sim. — Inclinou a cabeça para o lado e acrescentou: — Na verdade, não. Sempre pensei que acabasses por nos surpreender a todos no final. Não seria a primeira vez.

Eloise pensou em todos os anos desde que fizera o debute, em todas as propostas de casamento que rejeitara. Em todos aqueles casamentos a que tinham ido, com Violet a ver mais uma das suas amigas a casar uma das suas filhas com mais um cavalheiro elegível fabuloso.

Mais um cavalheiro, é claro, que já não poderia casar-se com Eloise, a famosa filha solteirona de Lady Bridgerton.

— Peço desculpa se te dececionei — sussurrou Eloise.

Violet olhou-a com uma expressão sábia.

— Os meus filhos nunca me dececionam — disse ela em tom carinhoso. — Eles simplesmente... me surpreendem. Eu gosto assim.

Eloise precipitou-se para abraçar a mãe. Sentiu-se estranha ao fazê-lo; não percebia porquê, já que a família dela nunca desencorajara tais demonstrações de afeto na privacidade do lar. Talvez fosse por se sentir perigosamente à beira das lágrimas; talvez fosse porque pressentia que a mãe também estava. Mas sentia-se outra vez uma miúda desengonçada, toda ela braços e pernas e cotovelos ossudos e uma boca que insistia em abrir-se quando devia ficar fechada.

E ela queria a mãe.

– Pronto, pronto – disse Violet, soando como antigamente, quando lhe tratava de um joelho esfolado ou de alguma mágoa. – Agora – continuou, o rosto a enrubescer –, vamos lá conversar.

– Mãe? – murmurou Eloise.

A mãe estava com uma expressão realmente muito estranha, como se tivesse comido alguma coisa estragada.

– Fico sempre nervosa com estas coisas – murmurou Violet.

– *Mãe?* – Era impossível que tivesse ouvido corretamente.

Violet inspirou profundamente, para arranjar forças.

– Temos de ter uma conversinha. – Inclinou-se para trás, fitou a filha e acrescentou: – *Achas* que temos de ter uma conversinha?

Eloise não tinha a certeza se a mãe estava a perguntar se ela conhecia os detalhes *da* intimidade ou se já os conhecia… intimamente.

– Hum… eu não… há… se queres saber se… isto é, eu ainda sou…

– Excelente! – exclamou Violet com um suspiro sincero. – Mas tu… isto é, já sabes…?

– Sim – apressou-se a responder Eloise, ansiosa por poupar ambas de um constrangimento desnecessário. – Acho que não preciso que me expliques nada.

– Excelente! – voltou a dizer Violet, soltando um suspiro ainda mais sentido. – Devo dizer que detesto esta parte da maternidade. Já nem sei o que disse à Daphne, só sei que passei o tempo todo a corar e a gaguejar, e para ser honesta, não faço ideia se depois da conversa ela ficou mais informada do que antes dela. – Os cantos da boca descaíram em desânimo. – O mais provável é que não, infelizmente.

– Parece ter-se adaptado à vida conjugal muito bem – murmurou Eloise.

– Sim, é verdade – disse Violet em tom alegre. – Quatro filhos e um marido que a adora. Certamente não se pode esperar mais.

– O que disseste à Francesca? – perguntou Eloise.

– Desculpa?

– À Francesca – repetiu Eloise, referindo-se à irmã mais nova, que se casara seis anos antes e ficara tragicamente viúva dois anos depois. – O que lhe disseste quando ela se casou? Mencionaste a Daphne, mas não a Francesca.

Os olhos azuis de Violet turvaram-se, como sempre acontecia quando pensava na terceira filha, viúva tão cedo.

– Tu sabes como é a Francesca. Acho que seria ela a explicar-me uma coisa ou duas.

Eloise engasgou-se.

– Não queria dizer *nesse* sentido, é claro – apressou-se Violet a acrescentar. – A Francesca era tão inocente como… bem, tão inocente como tu és, imagino.

Eloise sentiu o rosto aquecer e agradeceu ao Criador pelo dia nublado, que deixava o quarto na penumbra. Por isso e pelo facto de a mãe estar ocupada a inspecionar a bainha rasgada de um vestido. Ela era *tecnicamente* virgem, é claro, e passaria na inspeção, se fosse examinada por um médico, mas já não se sentia assim tão inocente.

– Mas tu conheces a Francesca – continuou Violet, encolhendo os ombros e voltando a erguer os olhos quando percebeu que não havia nada que pudesse fazer pela bainha. – Ela é sempre tão astuta e inteligente. Calculo que tenha subornado alguma pobre criada para lhe explicar tudo sobre o assunto muitos anos antes de ser necessário.

Eloise concordou com um gesto de cabeça. Não quis confessar à mãe que ela e Francesca tinham de facto usado o dinheiro para os seus alfinetes para subornar a criada. Tinha valido a pena cada *penny*. A explicação de Annie Mavel fora pormenorizada e, como Francesca mais tarde a informara, absolutamente correta.

Violet abriu um sorriso nostálgico, depois estendeu a mão e tocou a face da filha, mesmo junto ao canto do olho. A pele ainda estava um pouco descolorada, mas o roxo que tinha dado lugar a um azul esverdeado apresentava agora um tom amarelado que embora doentio era certamente menos feio.

– Tens a certeza de que vais ser feliz? – perguntou ela.

Eloise sorriu com tristeza.

– É um bocadinho tarde para pensar nisso, não achas?

– Pode ser tarde de mais para fazer qualquer coisa sobre isso, mas nunca é tarde de mais para pensar.

– Eu acho que vou ser feliz – disse Eloise. *Espero que sim*, acrescentou, mas apenas mentalmente.

– Ele parece ser um bom homem.

– Ele é um homem muito bom.

– Honrado.

– Sim.

Violet assentiu.

– Eu acho que vais ser feliz. Pode demorar algum tempo até perceberes e podes duvidar de ti mesma a princípio, mas vais ser feliz. Basta lembrares-te… – Parou e mordeu o lábio.

– De quê, mãe?

– Basta lembrares-te – continuou ela, lentamente, como se escolhesse cada palavra com muito cuidado – que leva tempo. Só isso.

O que é que leva tempo? queria Eloise gritar.

Mas a mãe já se levantara e alisava as saias com gestos enérgicos.

– Imagino que terei de ser eu a enxotar a família daqui para fora, ou eles nunca mais saem.

Começou a brincar com um laço do seu vestido enquanto se afastava ligeiramente. Depois levou uma das mãos ao rosto e Eloise tentou não reparar que ela limpava uma lágrima.

– És muito impaciente – disse Violet, já de frente para a porta. – Sempre foste.

– Eu sei – respondeu Eloise, imaginando se seria um ralhete e se sim *porque* é que a mãe escolhera aquele exato momento para o dar.

– Sempre adorei isso em ti – prosseguiu Violet. – Eu sempre adorei tudo em ti, é claro, mas por alguma razão sempre achei a tua impaciência especialmente encantadora. Nunca foi porque tu querias *mais*, mas sim porque querias tudo.

Eloise não tinha assim tanta certeza que aquele fosse um bom traço da sua personalidade.

– Querias tudo para todos, querias saber tudo e aprender tudo e...

Por um momento Eloise pensou que mãe tinha terminado, mas, logo de seguida, Violet virou-se para trás e acrescentou:

– Nunca ficaste satisfeita com a segunda posição, e isso é bom, Eloise. Fico feliz por não te teres casado com nenhum daqueles homens que te propuseram casamento em Londres. Nenhum deles teria sido capaz de te fazer feliz. Satisfeita, talvez, mas não feliz.

Eloise sentiu os olhos arregalarem-se de surpresa.

– Mas não deixes que essa impaciência se torne tudo o que és – disse Violet baixinho. – Porque não é assim, tu sabes. Há muito mais em ti, mas às vezes acho que te esqueces disso. – Ela abriu um daqueles sorrisos amorosos e sábios de uma mãe que diz adeus à filha. – Dá tempo ao tempo, Eloise. Sê carinhosa. Não forces demasiado.

Eloise abriu a boca, mas viu-se totalmente incapaz de falar.

– Sê paciente – disse Violet. – Não forces.

– Eu... – Eloise tinha a intenção de dizer «Eu prometo que não», mas as palavras fugiram-lhe e só conseguiu ficar a olhar para o rosto da mãe, apercebendo-se de repente do significado real de estar casada. Ocupara tanto a mente com Phillip que não pensara na sua família.

Ia deixar a família. Iria sempre poder contar com ela de todas as maneiras que importavam, mas ainda assim, ia deixá-la.

E não tinha percebido até aquele momento quantas vezes se sentara com a mãe apenas para conversar. Ou em como aqueles momentos eram preciosos. Violet parecia saber sempre exatamente o que os filhos precisavam, o que era notável, já que tinha oito; oito almas muito diferentes, cada uma com os seus próprios sonhos e esperanças.

Até a carta de Violet, a que escrevera e pedira a Anthony que lhe entregasse em Romney Hall, acertara na *mouche*, dizendo precisamente o que Eloise precisava de ouvir. Violet podia tê-la censurado ou lançado acusações, e estaria no seu direito de fazer ambas... e ainda mais.

Mas a carta dizia apenas: «Espero que estejas bem. Lembra-te de que és minha filha e que serás sempre minha filha. Amo-te muito.»

Eloise desatara num choro compulsivo. Graças a Deus que só se lembrara de a ler já muito tarde, quando se encontrava finalmente na privacidade do seu quarto em casa de Benedict.

Nunca faltara nada a Violet Bridgerton, mas a sua verdadeira riqueza residia na sabedoria e no amor, e ocorreu a Eloise, enquanto observava Violet virar-se para a porta, que ela era mais do que apenas a sua mãe: ela era tudo o que Eloise aspirava ser.

Eloise não podia acreditar que demorara tanto tempo a percebê-lo.

– Imagino que tu e Sir Phillip queiram um pouco de privacidade – anunciou Violet, colocando a mão na maçaneta da porta.

Eloise assentiu, embora a mãe não pudesse ver o gesto.

– Vou sentir imenso a vossa falta.

– Claro que vais – disse Violet num tom vivo que obviamente servia o intuito de recuperar a compostura. – E nós também vamos sentir a tua. Mas não vais estar longe. E vais viver tão perto do Benedict e da Sophie. E da Posy, também. Calculo que vou passar a vir cá com mais frequência, agora que tenho mais dois netos para estragar com mimos.

Foi a vez de Eloise afastar as lágrimas. A sua família aceitara os filhos de Phillip imediata e incondicionalmente. Nada menos do que era de esperar, mas ainda assim, acalentava-lhe o coração mais do que imaginaria possível. Os gémeos já brincavam ruidosamente com os netos Bridgerton e Violet insistira para que a tratassem por avó. Eles concordaram com entusiasmo, especialmente depois de Violet sacar de um saco inteiro de rebuçados de hortelã-pimenta que alegara dever ter caído dentro da mala em Londres.

Eloise já se havia despedido da família, por isso, quando a mãe partiu, sentiu-se verdadeiramente Lady Crane. Miss Bridgerton teria regressado a Londres com o resto da família, mas Lady Crane, mulher de um proprietário rural e barão do Gloucestershire permaneceria ali em Romney Hall. Sentia-se estranha, diferente e censurou-se por isso. Seria de pensar que, aos vinte e oito anos, o casamento não parecesse um passo tão importante. Afinal, há muito que não era uma jovenzinha inexperiente.

Ainda assim, tinha todo o direito de sentir que a sua vida havia mudado para sempre. Estava casada, pelo amor de Deus, e era dona da própria casa. Para não falar mãe de dois filhos. Nenhum dos irmãos tivera de assumir as responsabilidades de educar uma criança tão de repente.

Mas ela estava à altura da tarefa. Tinha de estar. Endireitou os ombros, olhando com determinação para o seu reflexo no espelho enquanto escovava o cabelo. Ela era uma Bridgerton, mesmo que já não fosse o seu sobrenome legal, e estava à altura de qualquer tarefa. E como não era do tipo de tolerar uma vida infeliz, então simplesmente tinha de assegurar que a sua vida seria exatamente o contrário.

Bateram à porta e, quando Eloise se virou, Phillip tinha entrado no quarto. Fechou a porta atrás de si, mas permaneceu onde estava, provavelmente para lhe dar um pouco de tempo para se recompor.

– Queres que chame a tua criada para isso? – perguntou ele, apontando para a escova.

– Eu disse-lhe para tirar a noite de folga – informou. Encolheu os ombros. – Pareceu-me estranho tê-la aqui, quase como se fosse uma intrusão.

Phillip pigarreou e afrouxou o lenço do pescoço, um movimento que se tornara carinhosamente familiar. Eloise percebeu que ele nunca ficava completamente à vontade em trajes formais, sempre a puxar ou a mexer-se, desconfortável, dentro da roupa, obviamente desejando estar vestido com as roupas de trabalho que eram mais confortáveis.

Como era estranho ter um marido com uma vocação verdadeira. Eloise nunca pensara em casar-se com um homem assim. Não que Phillip estivesse no ramo do comércio, mas o seu trabalho na estufa era certamente muito mais do que a maioria dos homens ociosos que ela conhecia tinha para ocupar a vida.

Percebeu que gostava disso. Gostava que ele tivesse um propósito, uma vocação, gostava que ele tivesse uma mente perspicaz e envolvida na investigação intelectual, em vez de em cavalos e jogos de azar.

Gostava *dele*.

Era um alívio. Estaria metida num grande sarilho se não gostasse.

– Precisas de mais uns minutos? – perguntou Phillip.

Eloise abanou a cabeça, dizendo que não. Estava pronta.

Um sopro de ar escapou dos lábios dele. Eloise achou ter ouvido as palavras «Graças a Deus» e, ato contínuo, estava nos braços dele, e ele estava a beijá-la e todos os seus pensamentos se evaporaram.

Phillip supôs que deveria ter dedicado um pouco mais de energia mental ao casamento, mas a verdade é que não conseguira concentrar-se nos acontecimentos do dia quando os acontecimentos da noite pairavam tão perto e tentadores. Sempre que olhava para Eloise, sempre que sentia o aroma dela, que parecia estar por toda a parte, destacando-se de entre todos os perfumes delicados das mulheres Bridgerton, sentia um aperto revelador no corpo, um arrepio de antecipação ao recordar a sensação de a ter nos braços.

Em breve, dissera a si mesmo, forçando o corpo a relaxar e agradecendo a Deus por conseguir. *Em breve*.

E, subitamente, o «breve» tornou-se «agora» e eles estavam sozinhos. Mal podia acreditar na beleza dela, com os lindos e longos cabelos castanhos cascateando-lhe em ondas suaves pelas costas. Percebeu que nunca a vira de cabelo solto, nunca pensara em qual seria o seu comprimento, vendo-o sempre escondido num pequeno rolo junto à nuca.

– Sempre me perguntei porque é que as mulheres prendem o cabelo – murmurou, quando terminou de a beijar pela sétima vez.

– Porque é isso que se espera de uma mulher – respondeu Eloise, parecendo perplexa com o comentário.

– Não é por isso – disse ele. Tocou-lhe o cabelo, fazendo-o deslizar entre os dedos e, em seguida, levou-o ao rosto e sentiu-lhe a fragrância. – É para a proteção dos outros homens.

Os olhos de Eloise voaram para os dele com surpresa e confusão.

– Certamente queres dizer proteger *contra*.

Ele abanou a cabeça lentamente.

– Eu teria de matar qualquer um que te visse assim.

– Phillip.

O tom dela tinha a intenção de ser de censura, Phillip tinha a certeza disso, mas o seu rosto enrubescera e ela parecia absurdamente satisfeita com a afirmação dele.

– Ninguém que visse isto seria capaz de te resistir – disse ele, enrolando uma madeixa de cabelo sedoso nos dedos. – Tenho a certeza.

– Muitos homens me acharam bastante resistível – contrariou ela, oferecendo-lhe um sorriso autodepreciativo ao erguer o olhar para ele. – E foram muitos mesmo.

– Todos uns imbecis – afirmou Phillip simplesmente. – Além disso, só prova que tenho razão, não é mesmo? Isto… – segurou uma grossa e longa madeixa entre os rostos de ambos, roçando-a depois contra os lábios e aspirando-lhe o perfume inebriante – tem estado escondido num rolo há muitos anos.

– Desde que fiz dezasseis – declarou ela.

Ele puxou-a para si, suave mas inexoravelmente.

– Fico feliz. Nunca terias sido minha se tivesses soltado o cabelo. Alguém te teria arrebatado há muitos anos.

– É apenas cabelo – sussurrou Eloise com a voz um pouco trémula.

– Tens razão – concordou ele. – Deves ter, porque em qualquer outra pessoa, não acho que fosse tão inebriante. Deves ser tu – sussurrou, deixando os fios de cabelo deslizarem dos dedos. – Só tu.

Phillip tomou-lhe o rosto entre as mãos, inclinando-o ligeiramente para o lado para poder beijá-la mais facilmente. Conhecia o sabor daqueles lábios, na verdade, beijara-os minutos antes. Mas, mesmo assim, surpreendeu-se com a doçura, o calor da respiração e da boca dela e com a reação de fogo que sentiu por todo o corpo por causa de um simples beijo.

Só que nunca seria um simples beijo. Não com ela.

Os dedos encontraram o fecho do vestido, pequenos botões forrados a tecido que lhe desciam pelas costas.

– Vira-te – ordenou, interrompendo o beijo. Não era assim tão experiente na arte da sedução para ser capaz de os abrir sem a vantagem da visão.

Além do mais, estava a gostar muito daquilo… daquele despir lento, cada botão revelando centímetro a centímetro de pele cremosa.

Ela era dele, compreendeu, deslizando um dedo pela coluna dela antes de dar atenção ao antepenúltimo botão. Para toda a eternidade. Era difícil conceber a sorte que tivera, mas resolveu não pensar na sua boa sorte, apenas desfrutá-la.

Outro botão. Este revelou um pedacinho de pele junto à base da coluna.

Tocou-lhe. Eloise estremeceu.

Os dedos deslizaram para o último botão. Na verdade já não precisava de o abrir; o vestido já estava mais do que solto para ser deslizado dos ombros. Mas achou que precisava de fazer tudo passo a passo, despindo-a corretamente, para saborear o momento.

Além de que desabotoar o último botão revelava a curva das nádegas.

Ele queria beijá-la. Queria beijá-la naquele sítio exato. Mesmo no início da fenda, enquanto ela estava de costas, a tremer, não de frio, mas de excitação.

Inclinou-se na direção dela, encostou os lábios à nuca e as duas mãos encontraram os ombros. Algumas coisas ainda eram demasiado atrevidas para uma inocente como Eloise.

Mas ela era sua. Sua mulher. E era fogo e paixão e energia, tudo numa só mulher. Ela não era como Marina, delicada e frágil, incapaz de expressar outra emoção que não tristeza.

Ela não era como Marina. Parecia necessário lembrar-se disto, não apenas naquele momento, mas constantemente, ao longo do dia, sempre que olhasse para ela. Ela não era como Marina, e ele não precisava de suster a respiração na sua presença, com receio das próprias palavras, com receio das próprias expressões faciais, com receio de qualquer coisa que pudesse levá-la a afundar-se dentro de si mesma e do seu desespero.

Aquela era Eloise. *Eloise*. A forte e magnífica Eloise.

Incapaz de se conter, caiu de joelhos, segurando as ancas de Eloise firmemente entre as mãos; ela soltou um murmúrio de surpresa e tentou virar-se.

E ele beijou-a. Ali mesmo, na base da coluna, naquele ponto que o tentara tanto, ele beijou-a. E então... sem saber porquê (a sua experiência com mulheres havia sido limitada, mas a imaginação claramente compensava tal falta) deslizou a língua por essa linha central, descendo pela espinha até ao início da fenda, provando o sabor doce e salgado da pele, parando (mas sem levantar os lábios) ao ouvi-la gemer e encostar as mãos à parede para se apoiar quando as pernas fraquejaram.

– Phillip – disse ela em voz sumida.

Ele levantou-se e virou-a, até ficarem quase nariz com nariz.

– Estava ali – disse ele, indefeso, como se isso explicasse tudo. E, na verdade, era essa a única explicação. Estava ali, aquele pedacinho tentador de pele cor-de-rosa aveludado e à espera de um beijo.

Ela estava ali, e ele tinha de a ter.

Beijou-lhe a boca de novo, deixando o vestido deslizar-lhe pelo corpo. Ela tinha casado de azul, uma versão mais pálida da cor que fazia os seus olhos parecerem mais profundos e tempestuosos do que nunca, como um céu nublado momentos antes da tempestade.

Era um vestido divino, ouviu a irmã dela, Daphne, dizer-lho. Mas era ainda mais divino livrá-la dele.

Eloise não estava a usar combinação e Phillip percebeu que estava nua para ele, sentiu-a ofegar quando os vértices dos seios dela roçaram o linho da sua camisa. Mas, em vez de olhar, passou a mão ao longo dos lados do torso, os dedos acariciando ao de leve o lado do seio. Sem parar de a beijar, curvou a mão até lhe tomar o seio, sentindo-lhe o peso requintado nos dedos.

– Phillip – gemeu Eloise, a palavra afundando-se na boca dele como uma bênção.

Moveu a mão de novo até o cobrir totalmente, deslizando o mamilo intumescido entre os dedos. E ao apertar com todo carinho e reverência, ele mal podia acreditar que tudo aquilo tinha acontecido.

Subitamente não podia esperar mais. Tinha de a ver, de analisar cada pedacinho dela e de observar a sua expressão. Afastou-se, interrompendo o beijo com uma promessa sussurrada de que voltaria em breve.

Prendeu a respiração quando olhou para ela. Ainda não era noite cerrada e os últimos vestígios de sol ainda eram filtrados pelas janelas, banhando-lhe a pele com um brilho vermelho dourado. Os seios eram maiores do que ele imaginara, cheios e redondos, e teve de reunir todo o seu sangue-frio para não a atirar para a cama naquele instante. Era capaz de se banquetear eternamente naqueles seios, amá-los e adorá-los até…

Meu Deus, quem estava a tentar enganar? Até o desejo lhe tomar conta do corpo e lhe tirar a razão, e tinha de a ter, de mergulhar dentro dela, de a devorar.

Com dedos trémulos, começou a desapertar os seus próprios botões, vendo-a a observá-lo enquanto ele arrancava a camisa do corpo. Foi então que se esqueceu e se virou…

E ela arquejou.

Ele ficou imóvel.

– O que aconteceu? – perguntou ela num sussurro.

Não sabia porque ficava tão surpreendido, pelo facto de ter de explicar. Ela era sua mulher e iria vê-lo nu todos os dias para o resto da vida, e se alguém devia conhecer a natureza das suas cicatrizes, era ela.

Ele era capaz de as evitar, uma vez que eram nas costas e não as via, mas Eloise não teria a mesma sorte.

– Fui chicoteado – disse, sem se virar. Provavelmente devia poupá-la daquela visão, mas Eloise ia ter de se acostumar.

– Quem te fez uma coisa destas? – A voz dela era grave e zangada, e a indignação dela aqueceu-lhe o coração.

– O meu pai.

Phillip lembrava-se bem do dia. Tinha doze anos, acabara de chegar da escola e o pai obrigara-o a acompanhá-lo numa caçada. Phillip era um bom cavaleiro, mas não o suficiente para imitar o salto que o pai tinha dado à sua frente. No entanto tentou, sabendo que seria tachado de covarde se não o fizesse.

Mas caíra, é claro. Na verdade, fora projetado do cavalo. Milagrosamente escapara sem ferimentos, mas o pai ficara lívido de fúria. Thomas Crane tinha uma visão muito tacanha sobre a virilidade britânica, que não incluía quedas de cavalo. Os filhos teriam de saber andar a cavalo, atirar, esgrimir e praticar boxe e em tudo isso serem excelentes.

E que Deus os ajudasse se o não fossem.

George conseguira fazer o salto, é claro. George estivera sempre um degrau acima dele em tudo o que era desporto. E George também era dois anos mais velho, mais dois anos de altura, mais dois anos de força. Ele tentara interceder para salvar Phillip do castigo, mas o resultado foi o pior: Thomas chicoteou-o também, repreendendo-o pela intromissão. Phillip precisava de aprender a ser homem e Thomas não iria tolerar interferências, nem mesmo de George.

Phillip não sabia bem o que tinha sido diferente no castigo daquele dia; geralmente o pai usava um cinto, que, por cima da camisa, não deixava marcas. Mas eles já estavam nos estábulos e o chicote estava ali à mão, e o pai estava tão furioso, muito mais do que o normal.

Quando o chicote cortou a camisa de Phillip, Thomas não parou.

Foi a única vez que uma tareia do pai deixou cicatrizes visíveis.

E Phillip ficou com aquela lembrança para o resto da vida.

Relanceou o olhar para Eloise, que o observava com um brilho estranho e intenso nos olhos.

– Sinto muito – disse ele, mesmo não sendo verdade.

Não havia nada de que se desculpar, afinal, exceto por tê-la forçado a partilhar o horror da sua infância.

– Eu não – rosnou ela, os olhos semicerrados e ferozes.

Os olhos dele arregalaram-se de surpresa.

– Estou furiosa.

E então Phillip não conseguiu evitar. Desatou a rir. Atirou a cabeça para trás numa gargalhada. Ela estava tão absolutamente perfeita, nua e furiosa, pronta a marchar até às profundezas do inferno, se fosse preciso, para arrastar o pai dele dali e lhe dar um belo puxão de orelhas.

Eloise parecia um pouco assustada com a risada tão extemporânea, mas depois sorriu também, como se reconhecendo a importância do momento.

Phillip pegou-lhe na mão e, desesperado pelo toque dela, levou-a ao coração, pressionando-a até os dedos se abrirem e se afundarem nos pelos macios e encaracolados do seu peito.

– Tão forte – sussurrou ela, a mão deslizando suavemente ao longo da pele. – Não fazia ideia de que era um trabalho tão duro lidar com uma estufa.

Sentiu-se um garoto de dezasseis anos, tão contente que ficou com o elogio. A memória do pai evaporou-se silenciosamente.

– Também trabalho nos campos – disse ele com voz rouca, incapaz de simplesmente dizer obrigado.

– Com os trabalhadores? – murmurou ela.

Phillip olhou-a, divertido.

– Eloise Bridgerton...

– Crane – corrigiu ela.

Uma explosão de prazer atravessou-o ao ouvir as palavras dela.

– Crane – repetiu ele. – Não me digas que tens andado a abrigar fantasias secretas sobre trabalhadores rurais.

– Claro que não – disse ela –, embora...

Nem pensar em deixar aquelas palavras caírem no esquecimento.

– Embora... – instigou ele.

Eloise parecia um pouco envergonhada.

– Bem, eles têm um ar terrivelmente... *elementar*... ali ao sol a trabalhar arduamente.

Ele sorriu. Lentamente, como um homem prestes a banquetear-se com o seu sonho.

– Oh, Eloise – disse, encostando os lábios ao pescoço dela e descendo, descendo, descendo... – não fazes ideia do que é elementar. A mais pequena ideia.

E então fez o que sonhava há dias, bem, uma das coisas com que sonhava há dias: tomou-lhe o mamilo com a boca, circundando-o com a língua antes de fechar a boca e o sugar.

– Phillip! – quase gritou, deixando-se cair na direção dele.

Ele pegou-a nos braços e levou-a para a cama, já aberta à espera dos noivos. Deitou-a sobre os lençóis, parando um instante para apreciar aquela visão, antes de dar atenção às meias, as últimas peças que restavam no seu corpo. As mãos dela desceram instintivamente para cobrir o sexo, e ele permitiu-lhe a modéstia, sabendo que a sua vez chegaria em breve.

Meteu os dedos por baixo de uma meia, acariciando-a através da fina seda antes de a fazer deslizar pela perna. Eloise gemeu quando ele passou o joelho, e Phillip não pôde deixar de olhar para cima e perguntar:

– Cócegas?

Eloise assentiu com a cabeça.

– E mais.

E mais. Phillip adorava isso. Adorava que ela sentisse mais, que ela quisesse mais.

A outra meia foi descartada mais depressa, e ele ficou de pé ao lado dela, os dedos abrindo as calças. Fez uma pausa e olhou-a, esperando que lhe dissesse com o olhar que estava pronta.

E então, com uma velocidade e agilidade que nunca sonhara possuir, despojou-se das vestes restantes e deitou-se ao lado dela. Eloise ficou rígida um momento, depois relaxou quando ele começou a acariciá-la, os lábios dele fazendo sons tranquilizadores enquanto viajavam para a sua têmpora e depois para os lábios.

– Não precisas de ter medo – murmurou Phillip.

– Eu não tenho medo – asseverou.

Ele recuou, olhou-a no rosto. – Não tens?

– Estou nervosa, mas não com medo.

Phillip abanou a cabeça, maravilhado.

– És magnífica.

– É o que digo a toda a gente – disse Eloise com um encolher de ombros indiferente –, mas pareces ser o único a acreditar.

Phillip soltou uma risada abafada, sacudindo a cabeça de espanto, mal conseguindo acreditar que estava ali, na sua noite de núpcias, a rir-se. Já por duas vezes ela o fizera rir e ele começava a perceber que aquilo era uma dádiva. Uma dádiva surpreendente e inestimável e sentia-se verdadeiramente abençoado por a receber.

Para ele, o sexo fora sempre uma questão de necessidade, uma exigência do corpo, da luxúria e de tudo o que fazia dele um homem. Mas nunca tinha sido esta alegria, esta maravilha de descobrir outra pessoa.

Tomou-lhe o rosto entre as mãos e beijou-a novamente, desta vez deixando todo o sentimento e emoção percorrer-lhe o corpo. Beijou-lhe a boca, depois a face, depois o pescoço. E continuou a descer, explorando-lhe o corpo, dos ombros à barriga para o arredondado das ancas.

Só evitou um lugar, um lugar que teria gostado muito de explorar, mas decidiu que isso viria mais tarde, quando ela estivesse pronta.

Quando *ele* estivesse pronto. Marina nunca o deixara beijá-la ali... não, não era justo; na verdade, ele nunca sequer perguntara se podia. É que lhe parecera sempre tão errado, com ela deitada debaixo dele, quieta e em silêncio, como se estivesse a cumprir um dever. Tivera mulheres antes do casamento, mas essas eram do tipo experiente e ele nunca quisera ter esse género de intimidades com elas.

Depois, prometeu a si mesmo quando parou um instante para lhe acariciar o tufo de caracóis macios.

Em breve. Definitivamente em breve.

Com as mãos grandes envolveu-lhe a barriga das pernas e levantou-as, afastando-as para se poder aninhar entre elas. Estava excitado, *muito* excitado, com medo de se envergonhar, por isso respirou bem fundo antes de aproximar a mão da intimidade dela, tentando recuperar um pouco do sangue-frio e ser capaz de fazer perdurar a sua excitação tempo suficiente para que ela retirasse prazer.

— Oh, Eloise — disse ele, embora, na verdade, fosse mais um grunhido. Queria-a mais do que tudo, mais do que a própria vida, e não fazia ideia de como ia aguentar.

— Phillip? — perguntou ela, a voz soando vagamente alarmada.

Ele afastou-se o suficiente para poder ver-lhe o rosto.

— És muito grande — sussurrou ela.

Phillip sorriu.

— Sabias que isso é *exatamente* o que um homem quer ouvir?

— Imagino que sim — disse Eloise, mordendo o lábio inferior. — Parece o tipo de coisa de que os homens se vangloriam enquanto fazem corridas a cavalo e jogam às cartas e são competitivos sem nenhuma razão de ser.

Phillip não sabia se estava a tremer de riso ou de consternação.

– Eloise – conseguiu dizer –, asseguro-te que...

– Vai doer muito? – deixou ela escapar.

– Não sei – disse ele com honestidade. – Nunca estive na tua posição. Imagino que doa um pouco. Espero que não muito.

Eloise assentiu com a cabeça, parecendo apreciar a franqueza.

– Eu continuo... – As palavras dela sumiram.

– Diz-me – insistiu ele.

Durante vários segundos, Eloise só conseguiu pestanejar, mas então disse:

– Eu continuo a ser arrebatada, como no outro dia, mas depois vejo-te, ou sinto-te, e não consigo *imaginar* como é que isto vai ser, e começo a preocupar-me se vou ser dilacerada, e perco-a. A magia – explicou. – Perco a magia.

E então ele decidiu: para o diabo com tudo. Porque deveria esperar? Porque é que *ela* deveria esperar? Inclinou-se e beijou-a rapidamente na boca.

– Espera aqui – disse ele. – Não saias daí.

Antes que ela pudesse fazer perguntas... e era Eloise, por isso é claro que tinha perguntas, Phillip deslizou para baixo, afastou-lhe completamente as pernas, tal como imaginara deitado acordado na cama, e beijou-a.

Ela gritou.

– Bom – murmurou ele, as palavras desaparecendo no âmago dela. As suas mãos seguraram-na, firmes; não tinha outra hipótese, pois ela contorcia-se e arqueava como uma mulher selvagem. Usando a língua e os lábios, provou cada centímetro, cada fenda tentadora. Estava insaciável e devorou-a, achando que tinha de ser simplesmente a *melhor* coisa que já fizera em toda a sua vida, e meu *Deus*, como estava grato por ser um homem casado e poder fazê-lo tantas vezes quantas desejasse.

Já ouvira outros homens falar sobre aquilo, é claro, mas nunca sonhara ser tão bom. Estava a um triz de se perder completamente e ela ainda não o tinha tocado. Não que quisesse que ela o fizesse naquele momento; pela maneira como ela agarrava os lençóis, os nós dos dedos brancos de esforço... caramba, seria capaz de o rasgar ao meio.

Devia tê-la deixado terminar, devia tê-la beijado até ela lhe explodir na boca, mas naquele momento a violência do seu desejo falou mais alto e ele não teve outra escolha. Era a sua noite de núpcias, e quando se derramasse seria dentro dela, não nos lençóis, e se não a sentisse apertar-se à volta dele em breve, estava certo de que iria explodir em chamas.

Por isso ergueu-se, ignorando o grito de angústia dela quando afastou os lábios, e subiu, encostando o membro contra ela mais uma vez e usando os dedos para a separar ainda mais enquanto se impulsionava.

Ela estava muito húmida, alagada numa mistura dela e dele, e esta era uma sensação completamente nova para ele. Deslizou para dentro, a passagem ao mesmo tempo suave e apertada.

Ela suspirou o nome dele, e ele o dela, e então, incapaz de manter o ritmo lento, ele deu o impulso final, rompendo a última barreira até se encontrar totalmente dentro dela. Talvez devesse ter parado, talvez devesse ter perguntado se ela estava bem, se ela sentia dor, mas simplesmente não conseguiu. A última vez fora há tanto tempo e ele precisava tanto dela que assim que o seu corpo começou a mexer-se não houve maneira de o parar.

Phillip foi rápido e bruto, mas Eloise deve ter gostado, porque acompanhou cada movimento, as ancas inexauríveis contra ele com a força do desejo, os dedos enterrados nas costas dele.

E quando ela gemeu, não foi o seu nome que pronunciou, mas a palavra – Mais!

Ele deslizou os dedos por baixo dela, agarrando-lhe as nádegas, apertando-as com força e inclinando-a para facilitar ainda mais a entrada; a mudança de posição deve ter alterado a maneira como ele a friccionava, ou talvez Eloise tivesse atingido o limite porque, subitamente, o corpo dela arqueou-se debaixo do seu, ficando tão tensa que estremeceu violentamente, seguido de um grito arrancado da garganta e Phillip sentiu os músculos dela convulsionarem-se em torno dele.

Não aguentou mais. Com um grito final, mergulhou uma última vez, estremecendo uma e outra vez ao atingir o clímax, finalmente reivindicando-a indelevelmente como sua.

CAPÍTULO 15

…não acredito que te recusas a contar-me mais. Como tua irmã mais velha (um ano inteiro, não devia ter de te lembrar) deves-me uma certa dose de respeito e embora aprecie a tua informação de que o relato da Annie Mavel sobre o amor conjugal estava correta, eu teria gostado de mais alguns detalhes. Certamente não estás tão envolta em felicidade que não possas partilhar algumas palavras (adjetivos, em particular, seriam úteis) com a tua amada irmã.

De Eloise Bridgerton para a irmã, a condessa de Kilmartin,
duas semanas após o casamento de Francesca

Uma semana depois, Eloise estava sentada na pequena sala que havia sido recentemente convertida no seu escritório, mordendo a ponta do lápis enquanto tentava analisar as contas da casa. Devia estar a fazer as contas ao dinheiro, aos sacos de farinha, aos salários dos criados e assim por diante, mas na verdade só conseguia contar o número de vezes que ela e Phillip tinham feito amor.

Treze. Não, catorze. Bem, quinze, na verdade, se contasse com aquela vez em que ele não tinha realmente entrado nela, mas tinham ambos…

Corou, embora não houvesse mais ninguém na sala além dela, nem ninguém capaz de lhe adivinhar o pensamento.

Mas, meu Deus! Tinha realmente *feito* aquilo? Tinha-o beijado *ali*?

Nem sabia que tal coisa fosse possível. Annie Mavel certamente não descrevera nada semelhante quando dera aquela pequena lição a Eloise e a Francesca tantos anos antes.

Eloise franziu o rosto ao tentar lembrar-se. Será que Annie Mavel sabia que tais coisas eram possíveis? Era difícil imaginar Annie a fazê-lo, mas também era difícil imaginar *alguém* a fazê-lo, sobretudo ela própria.

Era incrível, pensou, absolutamente incrível e maravilhoso ter um marido tão louco por ela. Não se viam muito durante o dia; ele tinha o seu trabalho e ela o dela, se assim lhe podia chamar, mas à noite, depois de Phillip lhe dar os cinco minutos para a higiene pessoal (começara nos vinte, mas parecia encurtar cada vez mais, aliás podia ouvi-lo a andar de um lado para o outro durante os parcos cinco minutos que agora lhe permitia)…

À noite, ele atirava-se a ela como um homem possuído. Um homem esfomeado, na verdade. A energia de Phillip parecia inesgotável e estava sempre a experimentar coisas novas, posicionando-a de novas maneiras, provocando e atormentando até ela gritar e implorar, nunca sabendo se queria que ele parasse ou continuasse.

Phillip dissera que não sentira paixão por Marina, mas Eloise achava difícil de acreditar. Ele era um homem com um apetite *substancial* (era uma palavra idiota, mas não conseguia pensar noutra maneira de o descrever) e as coisas que fazia com as mãos…

E a boca…

E os dentes…

E a língua…

Corou novamente. As coisas que ele fazia… bem, uma mulher teria de estar meia morta para não reagir.

Voltou a olhar para as colunas da contabilidade. Os números não se tinham milagrosamente adicionado enquanto ela devaneava, mas sempre que Eloise tentava concentrar-se, eles começavam a dançar-lhe à frente dos olhos. Olhou pela janela. Daquela posição não podia ver a estufa de Phillip, mas sabia que ficava mesmo ao virar da esquina e que ele estava lá, a labutar, a cortar folhas e a plantar sementes e tudo o mais que lá fazia o dia todo.

O dia todo.

Franziu o sobrolho. Na verdade, era uma frase muito apropriada. Phillip passava realmente o dia inteiro na estufa, chegando muitas vezes a almoçar lá, refeição que lhe era levada numa bandeja. Sabia que não era assim tão anormal um homem e uma mulher levarem vidas separadas durante o dia (e para muitos casais, a noite também), mas eles só estavam casados há uma semana.

E na verdade, em muitos aspetos, ela ainda estava a aprender a conhecer o marido. O casamento acontecera de forma tão precipitada que não dera tempo para saber muito dele. Oh, ela sabia que era honesto e honrado e que a trataria bem, e agora sabia que possuía um lado carnal que ela nunca teria sonhado esconder-se debaixo daquele exterior reservado.

Mas para além do que ficara a saber sobre o pai, não sabia nada sobre as suas experiências, as suas opiniões, o que lhe acontecera na vida para fazer dele o homem que era agora. Por vezes tentava puxar a conversa e era bem sucedida, mas maioritariamente as suas tentativas saíam logradas.

Porque Phillip parecia nunca querer falar quando podia beijar. E isso, inevitavelmente, acabava com ele a empurrá-la para o quarto, onde as palavras eram esquecidas.

E nas poucas ocasiões em que conseguiu conversar com ele, nunca passou de um exercício frustrante. Ela pedia-lhe a opinião sobre qualquer coisa relacionada com a gestão da casa, por exemplo, e ele simplesmente encolhia os ombros e respondia-lhe que lidasse com o assunto como achasse melhor. Às vezes perguntava-se se ele tinha casado só para ter uma governanta.

E, claro, um corpo quente na cama.

Mas podia haver mais. Eloise sabia que poderia haver mais num casamento, sabia que um casamento podia *ser* mais. Não se lembrava de muito da união dos pais, mas tinha visto os irmãos com as mulheres e pensara que ela e Phillip podiam encontrar a mesma felicidade se passassem um pouco mais de tempo juntos fora do quarto.

Levantou-se abruptamente e foi até à porta. Devia ir falar-lhe. Não havia razão para não poder ir à estufa falar com ele. Talvez ele até gostasse, se lhe fizesse perguntas sobre o trabalho.

Não ia propriamente interrogá-lo, mas não haveria mal nenhum numa ou duas perguntas pelo meio da conversa. E se ele desse a entender que o estava a incomodar ou a atrapalhar-lhe o trabalho, sairia imediatamente.

Mas foi então que ouviu a voz da mãe e ecoar-lhe na cabeça.

Não forces, Eloise. Não forces.

Precisou de uma força de vontade que nunca julgara possuir, uma vez que ia contra todas as fibras do seu ser, mas parou, virou-se e voltou a sentar-se.

Nunca vira a mãe enganar-se sobre qualquer coisa verdadeiramente importante e se Violet achara necessário dar-lhe conselhos na noite de núpcias, Eloise suspeitava que devia prestar-lhes muita atenção.

Aquilo, pensou com uma careta mal-humorada, devia ser o que a mãe quis dizer quando disse para dar tempo ao tempo.

Sentou-se em cima das mãos, como se para as impedir de avançarem e a levarem novamente para a porta. Olhou pela janela, mas teve de desviar o olhar, porque mesmo não podendo ver a estufa, sabia que ela estava ali, ao virar da esquina.

Aquele não era o seu estado natural, pensou com os dentes cerrados. Nunca fora capaz de ficar parada e sorrir. Nascera para se mexer, para fazer, para explorar, para questionar. E também para incomodar, para importunar e para emitir as suas opiniões a quem as quisesse ouvir.

Franziu a testa e suspirou. Posto daquela forma, não parecia uma pessoa muito cativante.

Tentou recordar o discurso da mãe na noite do casamento. Certamente também tinha algo de positivo. Afinal, a mãe amava-a.

Com certeza tinha dito *alguma* coisa positiva. Não dissera algo sobre ela ser encantadora?

Suspirou. Se bem se lembrava, a mãe dissera que achava a sua impaciência encantadora, o que não era o mesmo que a achar alguém de *bom* temperamento e encantador.

Isto era abominável. Por favor, ela tinha vinte e oito anos. Passara toda a vida a sentir-se perfeitamente feliz com quem era e com o seu comportamento.

Bem, quase perfeitamente feliz. Sabia que falava de mais e que por vezes era um pouco direta de mais, e tinha de confessar, nem toda a gente gostava dela, mas a maioria das pessoas sim, e há muito que fizera as pazes com isso.

Então, porquê agora? Por que razão se sentia de repente tão insegura, com tanto medo de fazer ou de dizer a coisa errada?

Levantou-se. Não aguentava mais... a indecisão, a falta de ação. Podia seguir os conselhos da mãe e dar a Phillip um pouco de privacidade, mas por amor de Deus, não podia ficar ali sem fazer nada nem mais um momento.

Pousou os olhos nos registos por acabar. Oh, céus! Se tivesse feito o que *devia* supostamente estar a fazer, não estaria sem fazer nada, pois não?

Bufando de irritação, fechou o livro com um baque. Realmente não importava se podia estar a fazer contas porque conhecia-se suficientemente bem para saber que não *iria* fazê-las, mesmo que ficasse ali sentada, por isso o melhor era sair dali e fazer outra coisa.

As crianças. Era isso. Tornara-se mulher de alguém há uma semana, mas também se tornara mãe. E se alguém precisava de interferência nas suas vidas, esse alguém era Oliver e Amanda.

Estimulada pelo novo propósito, saiu a passos largos, sentindo-se novamente ela mesma. Precisava de supervisionar as lições deles, certificar-se de que estavam a aprender corretamente. Oliver ia precisar de se preparar para Eton, que devia começar a frequentar no próximo outono.

E depois havia as roupas. Todo o guarda-roupa lhes ficava já pequeno e Amanda merecia algo mais bonito e...

Suspirou de contentamento ao subir as escadas apressada. Já fervilhava de projetos que ia marcando com os dedos, planeando mentalmente as idas à costureira e ao alfaiate, para não mencionar a elaboração do texto para o anúncio que pretendia colocar, contratando os serviços de mais alguns tutores, porque eles precisavam desesperadamente de aprender francês e a tocar pianoforte e, claro, a somar... e seriam eles muito novos para contas de dividir?

Sentindo-se bastante alegre, abriu a porta da ala infantil e...

Parou, tentando descobrir o que estava a acontecer.

Os olhos de Oliver estavam vermelhos, como se tivesse chorado, e Amanda fungava e limpava o nariz com as costas da mão. Ambos soluçavam, aspirando o ar às golfadas, como se faz quando se está assustado.

– O que aconteceu? – perguntou Eloise, olhando primeiro para as crianças e depois para a ama.

Os gémeos não disseram nada, mas ficaram a fitá-la com olhos grandes e suplicantes.

– Ama Edwards? – perguntou Eloise.

Os lábios da ama estavam contorcidos numa careta desagradável.

– Eles estão apenas amuados porque foram punidos.

Eloise assentiu com a cabeça lentamente. Não era nada de espantoso que Oliver e Amanda pudessem ter feito algo que exigisse punição, mas, mesmo assim, havia alguma coisa errada naquele cenário. Talvez fosse o olhar subjugado, como se tivessem tentado o desafio mas tivessem desistido.

Não que quisesse encorajar o desafio, especialmente contra a ama, que precisava de manter uma posição de autoridade na sala de aula, mas também não queria ver aquela expressão nos olhos deles... de total humilhação, tão submissa e triste.

– Porque foram castigados? – perguntou Eloise.

– Por falarem de maneira desrespeitosa – foi a resposta imediata da ama.

– Percebo. – Eloise suspirou. Os gémeos provavelmente tinham merecido o castigo, pois era frequente falarem com desrespeito e já os tinha repreendido sobre isso em várias ocasiões. – E qual foi o castigo ministrado?

– Reguadas nos dedos – informou a ama Edwards, com as costas muito hirtas.

Eloise forçou-se a relaxar o maxilar. Não gostava de punição corporal, mas, ao mesmo tempo, reguadas nos dedos eram prática comum em todas as melhores escolas. Estava certa de que todos os irmãos tinham levado umas boas reguadas em numerosas ocasiões em Eton; não achava que eles tivessem passado lá tantos anos sem uma série de infrações disciplinares.

Ainda assim, não gostava do que via nos olhos das crianças, por isso chamou a ama Edwards à parte e disse baixinho:

– Eu entendo a necessidade de disciplina, mas se tiver de o fazer novamente, devo pedir que o faça com mais suavidade.

– Se eu o fizer com mais suavidade, eles não aprendem a lição – disse a ama em tom cortante.

– Eu é que direi se eles aprenderam ou não a lição – retorquiu Eloise, irritada com o tom da ama. – E já não estou a pedir, estou a mandar; eles são crianças e a senhora tem de ser mais branda.

A ama Edwards apertou os lábios, mas assentiu com a cabeça. Apenas uma vez, incisiva, para mostrar que iria cumprir o que lhe era pedido, mas que discordava e desaprovava a interferência de Eloise.

Eloise voltou-se para as crianças e disse em voz alta:

– Tenho a certeza de que eles já aprenderam a lição por hoje. Talvez possam fazer uma pequena pausa comigo.

– Estamos a praticar caligrafia – informou a ama Edwards. – Não nos podemos dar ao luxo de fazer pausas. Especialmente quando sou obrigada a fazer o papel de ama e de precetora.

– Garanto-lhe que pretendo resolver esse problema com a maior brevidade possível – disse Eloise. – E, por hoje, ficarei muito feliz por praticar caligrafia com as crianças. Pode ter a certeza de que eles não se irão atrasar nas lições.

– Eu não acho que…

Eloise trespassou-a com um olhar irado. Não era uma Bridgerton por acaso, e se havia coisa que sabia era como lidar com empregados recalcitrantes.

– Só precisa de me informar dos planos para a aula.

A ama mostrou um ar extremamente mal-humorado, mas informou Eloise que estavam a praticar as letras *M*, *N* e *O*. – *Tanto* as maiúsculas como as minúsculas – acrescentou com brusquidão.

– Percebo – disse Eloise, conferindo à voz uma cadência arrogante. – Tenho a certeza de que sou qualificada nessa área em particular do estudo académico.

O rosto da ama Edwards ficou vermelho com o sarcasmo.

– É tudo? – resmoneou ela.

Eloise assentiu.

– Sim. Está dispensada. Desfrute do seu tempo livre; certamente não tem o suficiente, tendo o dobro do trabalho como ama e precetora; volte por favor para tratar do almoço deles.

De cabeça bem erguida, a ama Edwards deixou a sala.

– Muito bem – anunciou Eloise, voltando a atenção para as duas crianças, que ainda estavam sentadas à pequena mesa, de olhos arregalados como se ela fosse uma divindade que descera à Terra com o único propósito de salvar crianças de bruxas malvadas. – Vamos…

Mas não conseguiu terminar a pergunta, porque Amanda dirigiu-se a ela, lançando-lhe os braços à volta da cintura com tanta força que por pouco não bateu com as costas na parede. E Oliver fez o mesmo logo em seguida.

– Pronto, pronto – disse Eloise, acariciando-lhes os cabelos, confusa. – O que é que se passa?

– Nada – foi a resposta abafada de Amanda.

Oliver afastou-se e pôs-se muito direito, como o homenzinho que as pessoas estavam sempre a dizer que ele devia ser. Mas arruinou logo o efeito, limpando o nariz com as costas da mão.

Eloise entregou-lhe um lenço.

Oliver usou-o, acenou em agradecimento, e disse: .

– Gostamos mais de si do que da ama Edwards.

Eloise não podia imaginar alguém pior para gostar do que a ama Edwards e prometeu secretamente encontrar alguém para a substituir o mais depressa possível. Mas não ia dizer nada às crianças, porque elas certamente partilhariam a informação com a ama, que se despediria de imediato, deixando todos numa situação terrível, ou então descontaria a sua ira e frustração nas crianças, o que não seria nada bom.

– Vamos sentar-nos – disse ela, dirigindo-os para a mesa. – Quanto a vós não sei, mas eu não quero ter de a enfrentar se não tivermos praticado os nossos «emes», «enes» e «os».

E pensou: *Preciso mesmo de falar com o Phillip sobre isto.*

Olhou para as mãos de Oliver. Não pareciam magoadas, mas um dos dedos estava um pouco vermelho. Podia ser imaginação dela, mas ainda assim…

Precisava de falar com Phillip. O mais depressa possível.

Phillip cantarolava baixinho enquanto transplantava uma muda com todo o cuidado, bem ciente de que antes de casar trabalhara sempre em total e absoluto silêncio.

Nunca sentira vontade de assobiar antes, nunca, uma vez que fosse, tivera vontade de cantarolar baixinho ou de entoar música. Mas agora… bem, agora parecia que a música estava no ar, pairando à sua volta. Também se sentia mais relaxado e os nós nos ombros provocados pela tensão constante começavam a dissolver-se.

Casar-se com Eloise fora, simplesmente, a melhor coisa que poderia ter feito. Chegaria até ao ponto de dizer que fora a melhor coisa que fizera *na vida*.

Ele era, pela primeira vez na história recente, feliz.

Parecia uma coisa tão simples, agora, ser feliz. E não tinha a certeza de se ter apercebido de não ser feliz antes. Certamente rira-se e divertira-se de vez em quando… não era como Marina, completa e constantemente infeliz.

Mas também não fora *feliz*. Não da maneira como era agora, acordando todos os dias com a sensação de que o mundo era realmente um lugar maravilhoso e que continuaria a ser um lugar maravilhoso quando fosse para a cama naquela noite e novamente ainda quando se levantasse na manhã seguinte.

Não se lembrava da última vez que se sentira assim. Provavelmente desde os tempos da universidade, quando experimentou pela primeira vez a emoção da descoberta intelectual… e estava suficientemente longe do pai para não precisar de se preocupar com a ameaça constante do castigo corporal.

Era difícil contar as diferentes maneiras em que Eloise melhorara a sua vida. Havia, é claro, o tempo no quarto, muito além de qualquer coisa que pudesse ter imaginado. Se alguma vez tivesse sonhado que a relação sexual podia ser tão esplêndida, nunca teria permanecido celibatário durante tanto tempo. Nem conseguiria, para ser franco, se o apetite atual servisse de indicador.

Mas ele não sabia. Fazer amor não tinha sido assim com Marina. Nem com qualquer uma das mulheres com quem se envolvera quando era um estudante universitário, antes de casar.

Mas para ser honesto consigo mesmo, e isso era uma tarefa difícil, considerando como o seu corpo estava completamente obcecado pelo de Eloise, o sexo não era a principal razão pela atual sensação de contentamento.

Era o sentimento, ou antes, a consciência de que tinha finalmente, e pela primeira vez desde que se tornara pai, tomado a decisão mais certa em relação aos gémeos.

Nunca fora um pai perfeito. Sabia disso, e mesmo que odiasse sabê-lo, aceitava-o. Mas tinha finalmente feito a segunda melhor coisa, arranjando-lhes a mãe perfeita.

Era como se lhe tivessem retirado dos ombros o gigantesco peso da culpa.

Não era de admirar que finalmente sentisse os músculos sem nós e relaxados.

Podia entrar na estufa de manhã e *não se preocupar.* Não se lembrava da última vez em que pudera simplesmente ir trabalhar sem se encolher de cada vez que ouvia um barulho ou um grito. Ou da última vez que fora capaz de se concentrar no trabalho sem que a mente deambulasse para a culpa, incapaz de se concentrar noutra coisa que não nas suas falhas como pai.

Mas agora entrava e esquecia-se de todas as preocupações. Céus, ele não tinha preocupações.

Era esplêndido. Mágico.

Um alívio.

E se, por vezes, a mulher o olhava como se quisesse que ele dissesse algo diferente ou fizesse algo diferente, bem, atribuía isso ao simples facto de ser homem e ela mulher, e de o seu género nunca ser capaz de compreender o dela e que devia ser grato por Eloise dizer quase sempre exatamente o que queria dizer, o que era muito bom, uma vez que não tinha de estar constantemente a tentar adivinhar o que ela esperava dele.

Como é que o irmão costumava dizer? Cuidado com uma mulher que faz perguntas. A tua resposta nunca vai ser a correta.

Phillip sorriu para si mesmo, divertindo-se com a lembrança. Posto daquela forma não havia razão para se preocupar se por vezes as conversas se esboroavam num nada. Na maioria das vezes esboroavam-se diretamente para a cama, o que para ele era perfeito.

Olhou para a protuberância já evidente nas calças. Maldição. Ia ter de parar de pensar na mulher a meio do dia. Ou, no mínimo, encontrar uma maneira de entrar discretamente em casa naquele estado e encontrá-la rapidamente.

Mas, então, quase como se soubesse que ele estava ali a pensar em como ela era perfeita e na vontade que tinha de lho provar mais uma vez, Eloise abriu a porta da estufa e espreitou.

Phillip olhou em volta e perguntou-se por que havia construído toda a estrutura em vidro. Iria precisar de instalar alguma espécie de biombo para manter uma certa privacidade se ela começasse a visitá-lo com frequência.

– Incomodo?

Phillip refletiu sobre a pergunta. Na verdade, sim; estava a meio de um trabalho, mas deu-se conta de que não se importava. O que era estranho e simultaneamente bastante agradável. Costumava ficar sempre irritado com as interrupções. Mesmo quando era alguém cuja companhia apreciava, depois de alguns minutos, apanhava-se a desejar que a pessoa se fosse embora para poder voltar a dar atenção ao projeto que tivera de deixar de lado.

– Nem um pouco – disse ele –, desde que não te incomode a minha aparência.

Ela olhou para ele, vendo a sujidade e a lama, incluindo a mancha que ele sabia certamente exibir na face esquerda, e abanou a cabeça.

– Não me incomoda minimamente.

– Estás com algum problema?

– É a ama das crianças – disse Eloise sem preâmbulos. – Não gosto dela.

Não era o que Phillip esperava. Pousou a pá.

– Não? O que é que ela tem de errado?

– Ainda não sei exatamente. Só não gosto dela.

– Bem, isso não é motivo suficiente para a despedir.

Os lábios de Eloise estreitaram-se um pouco, um sinal claro, começava ele a perceber, de que estava irritada. – Ela castigou as crianças com reguadas nos dedos.

Ele suspirou. Não gostava da ideia de alguém a bater nos seus filhos, mas também eram só umas reguadas. Nada que não acontecesse em todas as salas de aula do país. E os filhos não eram exatamente modelos de bom comportamento, pensou com resignação. Por isso, contendo a vontade de soltar um resmungo, perguntou:

– Eles mereceram?

– Não sei – admitiu Eloise. – Eu não estava lá. Ela disse que eles lhe falaram de maneira desrespeitosa.

Phillip sentiu os ombros descaírem ligeiramente.

– Infelizmente, não é assim tão difícil de acreditar – confessou.

— Não, claro que não — concordou Eloise. — Tenho a certeza de que se portaram pessimamente. Mas, ainda assim, senti que alguma coisa não batia certo.

Ele recostou-se na bancada de trabalho, puxando-a pela mão até ela cair contra ele.

— Então trata disso.

Os lábios dela abriram-se de surpresa.

— Não queres ser *tu* a tratar do assunto?

Phillip encolheu os ombros.

— Não sou eu que estou preocupado. Nunca tive motivos para duvidar da ama Edwards, mas se sentes que alguma coisa não está bem, por favor, investiga. Além do mais, és melhor nesse tipo de coisa do que eu.

— Mas — começou ela contorcendo-se um pouco quando ele a puxou contra ele e aninhou o nariz no pescoço dela —, tu és o pai.

— E tu és a mãe — disse ele, as palavras saindo ásperas e quentes contra a pele dela.

Eloise era inebriante e ele desejava-a tanto que chegava a doer; se conseguisse levá-la a parar de falar, poderia talvez dissuadi-la a irem até ao quarto, onde se poderiam divertir muito mais.

— Eu confio no teu julgamento — disse ele, achando que iria apaziguá-la, além de que era a verdade. — Foi por isso que me casei contigo.

Obviamente, a resposta surpreendeu-a.

— Foi por isso que tu... *o quê?*

— Bem, por isto também — murmurou ele, tentando descobrir como poderia acariciá-la melhor com tanta roupa entre eles.

— Phillip, para! — exclamou ela, conseguindo sair do abraço dele. Mas que diabo?

— Eloise, o que se passa? — perguntou, cauteloso, já que pela sua experiência, por mais limitada que fosse, era preferível agir com cuidado quando uma mulher se mostrava furiosa.

— O que é que se *passa*? — repetiu ela, os olhos a faiscar perigosamente. — Como é que podes perguntar isso?

– Bem – disse ele lentamente, com um ligeiro toque de sarcasmo –, talvez seja porque não sei o que se passa.

– Phillip, esta não é a melhor altura.

– Para te perguntar o que se passa?

– Não! – quase gritou.

Phillip deu um passo atrás. Autopreservação, pensou com ironia. Certamente era disso que se tratava no lado masculino das brigas conjugais. Autopreservação e nada mais.

Eloise começou a agitar os braços de forma bizarra.

– Para fazer isto.

Ele olhou em volta. Ela estava a acenar para a bancada de trabalho, para as plantas de ervilha, para o céu, cuja luz atravessava a tremeluzir os painéis de vidro.

– Eloise – disse ele, a voz deliberadamente uniforme –, eu sou um homem dotado de uma certa dose de inteligência, mas juro que não sei do que estás a falar.

Ela ficou de boca aberta e ele percebeu que estava em apuros.

– Não *sabes*? – perguntou ela.

Phillip provavelmente deve ter ouvido as próprias advertências sobre autopreservação, mas, seguramente, algum diabinho, algum diabo irritado e homem obrigou-o a dizer:

– Eu não leio mentes, Eloise.

– Não é altura para intimidades – rosnou ela finalmente.

– Bem, é claro que não – concordou ele. – Não temos privacidade, sequer. Mas – sorriu só de pensar nisso – podemos sempre voltar para casa. Eu sei que estamos a meio do dia, mas…

– Não foi nada disso que eu quis dizer!

– Muito bem – disse Phillip, cruzando os braços. – Eu desisto. O que queres dizer, Eloise? Porque asseguro-te, não faço a mais pequena ideia.

– Homens – resmungou ela.

– Vou tomar *isso* como um elogio.

O olhar dela poderia ter congelado o Tamisa. Acabou definitivamente com o desejo dele, o que o deixou extremamente irritado, já que estava ansioso para se livrar dele de uma forma completamente diferente.

– Não pretendia que o fosse – disse ela.

Ele encostou-se à bancada de trabalho, a postura informal com o intuito de a irritar.

– Eloise – disse ele com toda a calma –, tenta pelo menos respeitar um pouco a minha inteligência.

– Torna-se difícil – revidou ela – quando demonstras tão pouca. Foi a *gota de água*.

– Eu nem sei porque estamos a discutir! – explodiu ele. – Num minuto estavas toda disposta nos meus braços e no minuto seguinte estás a gritar como uma alma penada.

Ela abanou a cabeça, negando.

– Nunca estive toda disposta nos teus braços.

Foi como se o mundo lhe tivesse fugido de baixo dos pés.

Ela deve ter visto o choque no rosto dele, porque rapidamente acrescentou:

– Hoje. Eu quis dizer apenas hoje. Só agora, na verdade.

O corpo sentiu o alívio, mesmo que todo o resto fervesse de raiva.

– Eu estava a tentar falar contigo – explicou ela.

– Estás sempre a tentar falar comigo – salientou ele. – É o que estás sempre a fazer. A falar, a falar, a falar.

Eloise recuou.

– Se não gostas, não devias ter casado comigo – disse com voz ríspida.

– Não é que tenha tido escolha na matéria – devolveu ele. – Os teus irmãos estavam prestes a castrar-me. E só para que não me pintes como um monstro completo, eu não me *importo* que tu fales. Mas, pelo amor de Deus, não constantemente.

Parecia que ela estava a tentar dizer algo absolutamente inteligente e mordaz, mas só conseguiu abrir e fechar a boca como um peixe e fazer sons como: – Unh! Unh!

– De vez em quando – disse ele, sentindo-se bastante superior – podias considerar fechar a boca e usá-la para um outro propósito.

— És insuportável — enfureceu-se ela.

Phillip ergueu as sobrancelhas, sabendo que a irritaria ainda mais.

— Sinto muito que aches a minha propensão para falar tão ofensiva — rosnou ela —, mas eu estava a tentar falar contigo sobre uma coisa importante e tu tentaste beijar-me.

Ele encolheu os ombros.

— Eu tento sempre beijar-te. És minha mulher. O que mais devo fazer?

— Mas às vezes não é a altura certa — explicou ela. — Phillip, se queremos ter um bom casamento…

— Nós temos um bom casamento — interrompeu ele, a voz defensiva e amarga.

— Sim, claro — apressou-se ela a concordar —, mas não pode ser sempre só… tu sabes.

— Não — disse ele, deliberadamente obtuso —, não sei.

Eloise rangeu os dentes.

— Phillip, não sejas assim.

Ele não respondeu, limitando-se a apertar ainda mais os braços já cruzados e a fitá-la.

Ela fechou os olhos e o queixo projetou-se ligeiramente para a frente enquanto os lábios se moviam. E Phillip percebeu que ela estava a falar. Não fazia um único som, mas ainda estava a falar.

Meu Deus, a mulher nunca mais parava. Mesmo agora, ali estava ela a falar para dentro.

— O que estás a fazer? — perguntou ele finalmente.

Eloise não abriu os olhos quando respondeu:

— A tentar convencer-me de que não faz mal ignorar os conselhos da minha mãe.

Ele abanou a cabeça. Nunca iria entender as mulheres.

— Phillip — disse ela por fim, no momento em que ele decidira ir-se embora e deixá-la a falar sozinha —, eu gosto muito do que fazemos na cama…

— É bom saber — resmungou ele, ainda muito irritado para conseguir ser agradável.

Ela ignorou a falta de civilidade.

– Mas não pode ser apenas isso.

– O quê?

– O nosso casamento. – Corou, claramente desconfortável com o discurso tão franco. – Não pode ser apenas fazer amor.

– Pode certamente ser muito isso – murmurou ele.

– Phillip, porque te recusas a conversar sobre isto comigo? Nós temos um problema, e precisamos de conversar sobre ele.

E então algo dentro dele simplesmente cedeu. Estava tão convencido de que tinha o casamento perfeito, e ela estava a *reclamar*? Tinha tanta certeza de ter conseguido acertar desta vez.

– Estamos casados há uma semana, Eloise – rugiu ele. – Uma semana. O que esperas de mim?

– Não sei. Eu...

– Eu sou apenas um homem.

– E eu sou apenas uma mulher – respondeu ela em voz suave.

Por alguma razão, as palavras suaves dela só o deixaram mais irritado. Inclinou-se para frente, usando deliberadamente o seu tamanho para a intimidar.

– Sabes há quanto tempo eu não ficava com uma mulher? – sibilou ele. – Fazes alguma ideia?

Os olhos dela aumentaram incrivelmente e ela abanou a cabeça.

– Oito anos – rosnou ele. – Há oito longos anos, com nada mais do que a minha própria mão a servir de consolação. Por isso, da próxima vez que eu parecer estar a divertir-me quando me aproximo de ti, por favor, desculpa a minha imaturidade e minha *masculinidade*... – Disse a palavra como ela a diria, com sarcasmo e fúria. – Estou simplesmente a divertir-me imenso depois de um longo período de jejum.

E então, incapaz de a suportar um momento mais...

Não, isso não era verdade. Ele era incapaz de se suportar a si mesmo.

Fosse como fosse, foi-se embora.

CAPÍTULO 16

...és tu que estás do lado da razão, querida Kate. É tão fácil dar a volta aos homens. Não me imagino a perder uma discussão com um. Claro que, se eu tivesse aceitado a proposta de Mr. Lacye, não teria tido sequer oportunidade. Ele raramente fala, o que acho extremamente bizarro.

De Eloise Bridgerton para a cunhada, a viscondessa Bridgerton, após
recusar a quinta proposta de casamento

Eloise permaneceu na estufa quase uma hora, sem conseguir fazer mais nada, exceto olhar para o vazio, a perguntar...

O que é que aconteceu?

Num minuto estavam a conversar... pronto, está bem, a discutir, mas de maneira relativamente razoável e civilizada, e no seguinte ele perdera completamente a cabeça, o rosto contraído pela fúria.

E depois dera meia-volta e fora-se embora. Fora-se embora! Teve o descaramento de se *afastar* dela a meio de uma discussão, deixando-a ali, na estufa, de boca aberta e de orgulho ferido.

Ele fora-se embora. Era isso que realmente a incomodava. Como é que alguém podia ir-se embora a meio de uma discussão?

Concordava que tinha sido ela a instigar o debate, pronto, está bem, a discussão, mas mesmo assim, nada faria adivinhar que ele fosse ter uma reação daquelas.

E o pior de tudo era que ela não sabia o que fazer.

Toda a vida soubera o que fazer. Nem sempre estivera *certa*, mas pelo menos tomara todas as decisões com confiança em si mesma. Ali sentada na bancada de Phillip, sentindo-se totalmente confusa e inepta, percebeu que, para si, pelo menos, era muito melhor agir e estar errada do que sentir-se desamparada e impotente.

E como se isso não bastasse, não conseguia arrancar da cabeça a voz da mãe. *Não forces, Eloise. Não forces.*

Só conseguia pensar que *não tinha* forçado. Céus! Ela apenas viera ter com ele com uma preocupação sobre os filhos! Era assim tão errado querer *conversar*, em vez de desatar a correr para o quarto? Supôs que estaria errado se o casal em questão não tivesse uma relação íntima frequente, mas eles tinham... eles eram...

Tinham acabado de o fazer naquela manhã!

Ninguém poderia dizer que eles tinham problemas no quarto. Ninguém.

Eloise suspirou e deixou cair os ombros em desânimo. Nunca se sentira tão sozinha na vida. Que curioso. Quem diria que teria de casar, de unir a sua vida a outra pessoa para toda a *eternidade*, para se sentir só?

Queria a mãe.

Não, não queria a mãe. Definitivamente não queria a mãe. A mãe seria carinhosa e compreensiva e tudo o que uma mãe deve ser, mas uma conversa com a mãe iria deixá-la a sentir-se como uma criança pequena, não como o adulto que deveria ser.

Queria as irmãs. Não Hyacinth, que tinha apenas vinte e um anos e não percebia nada de homens, mas uma das irmãs casadas. Queria Daphne, que sabia sempre o que dizer, ou Francesca, que nunca dizia aquilo que o outro queria ouvir, mas que, ainda assim, conseguia sempre arrancar um sorriso.

Mas elas estavam muito longe, em Londres e na Escócia, e Eloise *recusava-se* a fugir. Fizera a sua cama ao casar-se, e ficava muito feliz por se deitar nela todas as noites com Phillip. Os dias é que eram um problema.

Mas não ia ser covarde e partir, mesmo que apenas por alguns dias.

Todavia, Sophie estava perto, a apenas uma hora de distância. E mesmo não sendo irmãs por nascimento, bem, eram irmãs do coração.

Eloise olhou para a porta. Estava demasiado nublado para ver o sol, mas tinha quase a certeza de que não devia passar muito do meio-dia. Mesmo com o tempo de viagem, poderia passar a maior parte da tarde com Sophie e estar de volta para o jantar.

O seu orgulho não queria que ninguém soubesse que estava infeliz, mas o seu coração queria um ombro para chorar.

O coração venceu.

Phillip passou as horas seguintes a atravessar como um furacão os campos da propriedade, arrancando ervas daninhas violentamente do chão.

Tarefa que o manteve bastante ocupado, já que não estava numa área cultivada, o que significava que praticamente todas as ervas que cresciam poderiam ser classificadas como daninhas, se ele assim o quisesse.

E *queria*. Mais do que queria. Por vontade dele, arrancaria todas as malditas plantas da Terra.

Logo ele, um botânico.

Mas agora não queria plantar coisas, não queria ver nada florescer ou crescer. Queria chutar, mutilar, destruir. Estava furioso e frustrado e zangado consigo mesmo e com Eloise e pronto para ficar zangado com quem quer que se atravessasse no seu caminho.

Mas depois de uma tarde a chutar e a pisotear, a arrancar flores silvestres e folhas de relva, sentou-se numa pedra e apoiou a cabeça nas mãos.

Que inferno.

Que salgalhada.

Que grande trapalhada, e o mais irónico de tudo era ele ter pensado que eram felizes.

Achava que tinha um casamento perfeito, e todo aquele tempo… oh, muito bem, só passara uma semana, mas tinha sido uma semana perfeita, na sua opinião. E ela sentia-se miserável.

Ou, se não miserável, então infeliz.

Ou talvez um pouco feliz, mas certamente não envolta num êxtase de felicidade, como ele.

E agora tinha de *fazer* alguma coisa, o que de todo não queria. Conversar com Eloise, fazer perguntas e tentar deduzir o que estava errado, para não mencionar descobrir o que fazer para corrigir o problema… era exatamente o tipo de situação que ele estragava sempre.

Mas não tinha grande escolha, pois não? Casara-se com Eloise, em parte, bem, mais do que em parte, quase na íntegra, verdade seja dita, porque queria que ela assumisse o comando, assumisse todas as pequenas tarefas chatas da vida, para lhe deixar o caminho livre para as coisas que realmente importavam. O facto de ter começado a gostar dela era um bónus inesperado.

No entanto suspeitava que o casamento não contava como uma pequena tarefa chata e que, portanto, não podia simplesmente deixá-lo nas mãos de Eloise. E por mais dolorosa que uma conversa franca pudesse ser, ele ia ter de engolir o sapo e arriscar.

Estava certo de que ia estragar tudo, mas, pelo menos, podia dizer que tinha tentado.

Gemeu. Meu Deus, ela provavelmente ia fazer-lhe perguntas sobre os seus *sentimentos*. Não haveria mulher no mundo que entendesse que os homens não falam sobre sentimentos? Maldição, metade deles nem sequer têm sentimentos.

Ou talvez pudesse ir pelo caminho mais fácil e simplesmente pedir desculpa. Não saberia por que motivo estaria a desculpar-se, mas se isso a apaziguasse e a fizesse feliz, era o que importava.

Não queria que Eloise fosse infeliz. Não queria que ela se arrependesse de ter casado, nem por um instante. Queria que o casamento voltasse a ser o que ele pensava que era: simples e confortável durante o dia, ardente e apaixonado durante a noite.

Arrastou-se colina acima, regressando a Romney Hall, ensaiando mentalmente o que diria e irritado por tudo lhe soar completamente asinino.

Mas os seus esforços foram em vão porque quando chegou a casa, encontrou Gunning, o mordomo, que o informou simplesmente:

— A senhora não está.

— O que queres dizer com não está? — exigiu saber Phillip.

— Não está, *sir*. Foi a casa do irmão.

O estômago de Phillip contraiu-se.

— Qual irmão?

— Acredito que seja aquele que vive aqui perto.

— Acreditas?

— Estou bastante certo — corrigiu Gunning.

— Disse quando voltava?

— Não, *sir*.

Phillip praguejou violentamente entre dentes. Com toda a certeza Eloise não o tinha *deixado*. Ela não era do tipo de abandonar um navio a afundar, pelo menos não sem se certificar de que todos os passageiros haviam saído em segurança antes dela.

— Não levava mala, *sir* — acrescentou Gunning.

Oh, *isto* fê-lo sentir-se muito melhor. O mordomo sentira necessidade de o assegurar de que não tinha sido abandonado pela mulher.

— Podes ir, Gunning — disse Phillip com os dentes cerrados.

— Muito bem, *sir* — respondeu Gunning. Inclinou a cabeça, como sempre fazia, pediu licença e saiu da sala.

Phillip ficou parado no átrio uns minutos, imóvel, as mãos furiosamente encostadas ao lado do corpo. Que diabo devia ele fazer agora? Não estava disposto a ir a correr atrás de Eloise. Se ela estava tão desesperada por se afastar da sua companhia, então, por Deus, era isso que iria ter.

Começou a andar em direção ao escritório, onde podia deitar fogo pelas ventas em privado, mas quando estava a poucos passos de distância da porta, parou e olhou para o grande relógio de coluna ao fundo do corredor. Passava um pouco das três, mais ou menos a hora a que os gémeos geralmente lanchavam. Antes de casarem, Eloise repreendera-o por não mostrar interesse no bem-estar deles.

Pôs as mãos nas ancas, o pé girando ligeiramente, como se inseguro sobre que caminho tomar. Mais lhe valia subir até à ala infantil e passar alguns minutos inesperados com os filhos. Não era como se tivesse algo melhor para fazer para passar o tempo, ali preso à espera que a sua mulher errante voltasse. E quando o fizesse... bem, ela não teria nada de que reclamar, não depois de ele se ter contorcido todo numa daquelas pequenas cadeiras e lanchado leite e biscoitos com os gémeos.

Decidido, virou-se e subiu as escadas para a ala infantil, localizada no último andar de Romney Hall, anichada sob o beiral. Era o mesmo conjunto de aposentos em que ele crescera, com o mesmo mobiliário e brinquedos e, provavelmente, a mesma rachadela no teto por cima das pequenas camas, aquela que parecia um pato.

Phillip franziu o sobrolho ao subir o último degrau para o corredor do terceiro andar. Talvez devesse ir ver se a rachadela ainda lá estava, e se sim, perguntar aos filhos o que achavam que parecia. George, o irmão, sempre jurara que parecia um porco, mas Phillip nunca entendera como é que ele podia confundir um bico com um focinho.

Abanou a cabeça. Meu Deus, nunca entenderia como é que alguém podia confundir um pato com um porco. Até o...

Parou, a duas portas dos aposentos das crianças. Tinha ouvido alguma coisa, mas não sabia o que era, só que não gostava. Era...

Pôs-se novamente à escuta.

Era um queixume.

O primeiro impulso foi avançar como um touro e entrar de rompante, mas conteve-se quando percebeu que a porta estava ligeiramente entreaberta; por isso, avançou de mansinho, espreitando pela fresta o mais silenciosamente possível.

Só precisou de meio segundo para perceber o que estava a acontecer.

Oliver estava enrolado no chão, em posição fetal, a tremer com soluços silenciosos, e Amanda estava de pé virada para a parede, protegendo-se com as mãos minúsculas e a choramingar enquanto a ama lhe batia nas costas com um livro grande e pesado.

Phillip escancarou a porta com tal força que quase a arrancou das dobradiças.

– Que diabo pensa que está a fazer? – vociferou.

A ama Edwards virou-se sobressaltada, mas antes que pudesse abrir a boca para falar, Phillip arrancou-lhe o livro das mãos e arremessou-o para trás, batendo contra a parede.

– Sir Phillip! – gritou a ama Edwards em choque.

– Como ousa bater nas crianças? – rosnou ele, a voz a tremer de fúria. – Ainda por cima com um livro.

– Disseram-me...

– E fê-lo de maneira a não deixar marcas visíveis. – Sentiu-se a ferver, agitado, a pele a formigar com vontade de atacar. – Quantas crianças já espancou, certificando-se de não deixar contusões visíveis?

– Eles falaram de forma desrespeitosa – justificou a ama Edwards em tom impertinente. – Tinham de ser punidos.

Phillip deu um passo adiante, ficando tão perto que a ama foi obrigada a recuar.

– Quero-a fora da minha casa, já – disse ele.

– Disse-me para disciplinar as crianças como eu achasse melhor – protestou a ama Edwards.

– E é assim que acha melhor? – sibilou ele, usando toda a contenção de que era capaz para manter os braços ao lado do corpo. Queria agitá-los descontroladamente, atacar, pegar no livro e bater naquela mulher da mesma maneira que ela batera nos filhos.

Mas conseguiu manter o controlo. Não fazia ideia de como, mas conseguiu.

– Bater-lhes com um livro? – continuou ele, furioso.

Olhou para os filhos, encolhidos a um canto, provavelmente com tanto medo do pai, ao vê-lo daquela maneira, como da ama. Ficava doente só de pensar que eles o viam assim, tão perto de perder completamente a cabeça, mas não havia mais nada que pudesse fazer para se conter.

– Não havia nenhuma chibata – disse a ama Edwards com altivez.

Nada podia ter dito coisa mais *errada*. Phillip sentiu a pele ferver ainda mais, lutou contra a névoa vermelha que lhe começou a nublar a visão. Tinha *havido* uma chibata na sala de aula; o gancho onde costumava estar pendurada ainda lá estava, ao lado da janela.

Phillip queimara-a no dia do funeral do pai, ficando a ver o fogo transformá-la em cinzas. Não lhe bastara apenas livrar-se dela; precisara de a ver completamente destruída e para sempre.

Pensou naquela chibata, nas centenas de vezes que tinha sido usada contra ele, na dor, na humilhação, em todo o esforço que tivera de reunir para se impedir de gritar.

O pai odiava bebés chorões. Lágrimas só resultavam em mais uma série de chibatadas. Ou o cinto. Ou o chicote. Ou, quando não havia mais nada disponível, a mão do pai.

Mas nunca, Phillip pensou com uma espécie estranha de desprendimento, um livro. Provavelmente o pai nunca se lembrara disso.

– Saia – ordenou Phillip, a voz quase inaudível. E quando a ama Edwards não respondeu imediatamente, ele rugiu: – Saia! Saia desta casa!

– Sir Phillip – protestou ela, esgueirando-se para longe dele, longe do alcance daqueles braços enormes e fortes.

– Saia! Saia daqui! Imediatamente!

Já não sabia de onde vinha tudo aquilo. De algum lugar lá no fundo, nunca domado, mas mantido abafado por pura força de vontade.

– Eu preciso de fazer as malas – reclamou ela.

– Tem meia hora – disse Phillip, a voz baixa mas ainda trémula pelo esforço da explosão. – Trinta minutos. Se não tiver saído desta casa até lá, eu próprio a expulso.

A ama Edwards hesitou na porta, começou a atravessá-la, mas virou-se.

– Está a arruinar essas crianças – sibilou ela.

– Elas são minhas.

– O senhor é que sabe. Afinal eles não passam de pequenos monstros mal-educados, completamente selvagens...

Será que ela não tinha amor à própria vida? O controlo de Phillip estava por um fio, muito perto de pegar na maldita mulher pelo braço e arremessá-la porta fora.

– Saia – rosnou ele, rezando para que fosse a última vez. Não iria conseguir segurar-se por muito mais tempo. Deu um passo em frente, marcando as palavras com o movimento, e finalmente, *finalmente*, ela saiu a correr da sala.

Por um momento, Phillip ficou ali parado, a tentar acalmar-se, acalmar a respiração e esperar que o sangue voltasse a correr num ritmo normal. Estava de costas para os gémeos e tinha receio de se virar. Sentia-se a morrer por dentro, devastado pela culpa de ter contratado aquela mulher, aquele monstro, para cuidar dos seus filhos. E tinha estado tão ocupado a tentar evitá-los que nem reparara no que eles estavam a sofrer.

A sofrer da mesma maneira que ele tinha sofrido.

Lentamente, virou-se, com medo do que veria naqueles olhos.

Mas quando levantou o olhar do chão e viu aqueles rostinhos, eles correram para ele, lançando-se com tanta força nos seus braços que quase o derrubaram.

– Oh, papá! – exclamou Amanda, usando o diminutivo que há muito deixara de usar. Há anos que era o «pai» e já se tinha esquecido de como era doce ouvir a outra forma de tratamento.

E Oliver... abraçava-o também, os pequenos braços finos apertados com força à cintura de Phillip, o rostinho enterrado na sua camisa para que o pai não o visse chorar.

Mas Phillip sentia-o. As lágrimas molhavam-lhe a camisa, e cada fungadela ressoava-lhe na barriga.

Os seus braços envolveram os dois filhos, com força protetora.

– Chhhh – sussurrou. – Está tudo bem. Eu estou aqui.

Eram palavras que nunca dissera, palavras que nunca se imaginara a dizer. Nunca tinha pensado que a sua presença pudesse bastar para que ficasse tudo bem.

– Desculpem-me – pediu ele com a voz embargada. – Peço tanta desculpa.

Eles tinham-lhe dito que não gostavam da ama e ele não tinha escutado.

– Não é culpa sua, pai – disse Amanda.

Era, mas não fazia muito sentido entrar nesse assunto. Não agora, não quando a hora pedia uma drástica mudança e um novo começo.

– Vamos encontrar uma nova ama – assegurou-lhes.

– Alguém como a ama Millsby? – perguntou Oliver, fungando, as lágrimas diminuindo finalmente.

Phillip assentiu.

– Alguém exatamente como ela.

Oliver olhou para ele com grande sinceridade.

– Acha que Miss… a mãe pode ajudar a escolher?

– É claro – respondeu Phillip, despenteando-lhe o cabelo. – Imagino que ela queira ter uma palavra a dizer. Afinal, ela é uma mulher de muitas opiniões.

As crianças riram-se.

Phillip permitiu-se um sorriso.

– Vejo que os dois a conhecem bem.

– Ela gosta muito de falar – disse Oliver hesitante.

– Mas é sempre tão inteligente! – interveio Amanda.

– Isso é verdade – murmurou Phillip.

– Eu gosto muito dela – informou Oliver.

– Eu também – acrescentou a irmã.

– Fico feliz em ouvir isso – respondeu Phillip. – Porque acredito que ela veio para ficar.

E eu também, acrescentou mentalmente. Passara anos a evitar os filhos, com medo de cometer um erro, com medo de perder a paciência. Julgara estar a fazer o melhor para eles ao mantê-los à distância, mas estava enganado. Completamente enganado.

— Eu amo-vos muito — disse-lhes, com a voz rouca, plena de emoção. — Sabem disso, não sabem?

Eles assentiram com a cabeça, os olhos brilhantes.

— E vou amar-vos sempre — murmurou ele, agachando-se até ficarem ao mesmo nível. Puxou-os para si, saboreando o calor dos seus corpos. — Vou amar-vos sempre.

CAPÍTULO 17

...seja como for, Daphne, acho que não devias ter fugido.

De Eloise Bridgerton para a irmã, a duquesa de Hastings,
durante a breve separação entre Daphne e o marido,
meras semanas após o casamento

A viagem até casa de Benedict foi acidentada por causa da estrada cheia de buracos e, quando Eloise finalmente desceu da carruagem em frente à casa do irmão, o seu humor tinha passado de mau a péssimo. Para piorar a situação, quando o mordomo abriu a porta, olhou para ela como se ela fosse louca.

– Graves? – disse Eloise por fim, quando se apercebeu de que ele não estava capaz de falar.

– Estão à sua espera? – perguntou ele, ainda boquiaberto.

– Bem, não – respondeu Eloise, olhando intencionalmente o interior da casa para além dele, já que, afinal, era onde queria estar.

Tinha começado a chuviscar, e ela não estava vestida para a chuva.

– Mas não me parece que... – começou ela.

Graves afastou-se, lembrando-se tardiamente do seu lugar e permitindo-lhe a entrada.

– É o menino Charles – disse ele, referindo-se ao filho mais velho de Benedict e Sophie, com apenas cinco anos e meio de idade. – Está muito doente. Ele...

Eloise sentiu algo terrível e ácido subir-lhe à garganta.

– O que é que aconteceu? – perguntou, sem se preocupar em moderar o tom de urgência. – Ele está... – Meu Deus, como é que se pergunta se uma criança está a morrer?

– Eu vou chamar Mrs. Bridgerton – anunciou Graves, engolindo convulsivamente. Virou-se e subiu apressado as escadas.

– Espere! – chamou Eloise, querendo saber mais, mas o mordomo já tinha desaparecido.

Ela afundou-se numa cadeira, a morrer de preocupação, e como se não bastasse, repugnada consigo mesma por se achar insatisfeita com a sua sorte na vida. Os seus problemas com Phillip, que na verdade não eram exatamente problemas, nada mais do que pequenas irritações, bem, agora pareciam muito pequenos e insignificantes comparados com *aquilo*.

– Eloise!

Foi Benedict, não Sophie, que desceu as escadas. Estava com um ar abatido, com os olhos vermelhos da falta de descanso e a pele pálida e sem vida. Eloise sabia que não lhe devia perguntar há quanto tempo não dormia; a pergunta só iria irritá-lo e, além disso, a resposta estava-lhe estampada no rosto: ele não fechava os olhos há vários dias.

– O que estás aqui a fazer? – perguntou ele.

– Eu vim fazer uma visita – disse ela. – Só para dizer olá. Não fazia ideia. O que é que aconteceu? Como é que está o Charles? Vi-o na semana passada. Ele parecia bem. Ele... o que é que se passa?

Benedict precisou de vários segundos para reunir energia para falar.

– Está com febre. Não sei porquê. No sábado acordou perfeitamente bem, mas por volta da hora do almoço, estava... – deixou-se cair contra a parede, fechando os olhos em agonia – estava a arder em febre – sussurrou. – Não sei o que fazer.

– O que é que o médico disse? – perguntou Eloise.

– Nada – disse Benedict com voz cavernosa. – Nada de útil, pelo menos.

– Posso vê-lo?

Benedict assentiu com a cabeça, os olhos ainda fechados.

– Precisas de descansar – aconselhou Eloise.

– Não posso – foi a resposta dele.

– Mas tens de o fazer. Não fazes bem a ninguém assim, e aposto que a Sophie não está melhor.

– Eu obriguei-a a ir dormir há cerca de uma hora. Estava com um ar horrível.

– Pois tu também não pareces melhor – disse Eloise, mantendo o tom propositadamente enérgico e eficiente. Às vezes era disso que as pessoas precisavam em alturas como aquela: que alguém lhes dissesse o que fazer. Compaixão só faria o irmão chorar, e nenhum dos dois queria ser testemunha disso.

– Tens de te ir deitar – ordenou Eloise. – *Imediatamente*. Eu tomo conta do Charles. Mesmo que durmas só uma hora, vais sentir-te muito melhor.

Ele não respondeu; tinha adormecido em pé.

Eloise rapidamente assumiu o comando. Mandou Graves levar Benedict para a cama e foi para o quarto do enfermo, tentando não se engasgar de choque quando entrou e viu o sobrinho.

Parecia pequeno e frágil na grande cama; Benedict e Sophie tinham-no transferido para o quarto deles, onde havia mais espaço para que as pessoas tratassem dele. Tinha a pele do rosto corada pela febre, mas os olhos, quando os abriu, estavam vidrados e desfocados, e quando não estava deitado estranhamente imóvel, debatia-se, murmurando palavras incoerentes sobre póneis e casas na árvore e doces de maçapão.

Eloise pôs-se a pensar que palavras incoerentes lhe escapariam da boca se alguma vez fosse tomada pela febre.

Enxugou a testa dele, virou-o e ajudou as criadas a mudar os lençóis; nem reparou que o sol já tinha descido no horizonte.

Só agradecia aos céus por Charles não ter piorado sob os seus cuidados, porque, de acordo com os criados, Benedict e Sophie tinham estado ao lado dele durante dois dias seguidos, e Eloise não queria ter de os acordar com uma má notícia.

Sentou-se na cadeira ao lado da cama, ficou ali a ler-lhe histórias do seu livro de contos infantis preferido e a contar-lhe histórias de quando o pai dele era criança. Duvidava que ele ouvisse uma palavra, mas tudo aquilo fazia-a sentir-se melhor, porque não era capaz de ficar ali sentada sem fazer nada.

Só às oito da noite, quando Sophie finalmente acordou do seu estupor e perguntou por Phillip, é que lhe ocorreu que devia enviar um bilhete a avisar, porque ele podia estar a ficar preocupado.

Às pressas rabiscou alguma coisa breve e retomou a vigília. Phillip iria entender.

Às oito da noite, Phillip chegou à conclusão que só podia ter acontecido uma de duas coisas à mulher. Ou perecera num acidente de carruagem ou tinha-o deixado.

Nenhuma das perspetivas lhe agradava.

Não *pensava* que ela o tivesse deixado; ela parecia maioritariamente feliz com o casamento, apesar do arrufo daquela tarde. E, além disso, não tinha levado nenhum dos pertences com ela, embora isso não tivesse grande importância, já que a maioria deles ainda estavam para chegar de Londres. Não deixaria muita coisa para trás ali em Romney Hall.

Apenas um marido e dois filhos.

Meu Deus, ainda naquela tarde lhes dissera... *acredito que ela veio para ficar.*

Não, pensou ferozmente, Eloise não o deixaria. Ela nunca faria uma coisa dessas. Não era nem um bocadinho covarde e nunca seria capaz de se escapulir e abandonar o casamento. Se alguma coisa a desagradava, dir-lho-ia na cara e sem meias palavras.

O que significava, pensou já a vestir o casaco e a sair disparado porta fora, que ela estava morta em alguma vala na estrada do

Wiltshire. Tinha chovido durante toda a noite, e a estrada entre a sua casa e a de Benedict estava em péssimo estado.

Maldição! Seria até melhor se ela o tivesse abandonado.

Mas ao subir a cavalo o caminho de acesso à casa de Benedict Bridgerton, com o nome absurdo de A Minha Casinha, ensopado até aos ossos e com um mau-humor terrível, as evidências indicavam que Eloise tinha decidido abandonar o casamento.

Não estava estendida numa vala da estrada nem vira sinais de qualquer acidente, e, além disso, não estava escondida em nenhuma das duas pousadas que havia no caminho.

E só havia uma estrada entre a sua casa e a de Benedict, por isso não havia a possibilidade de estar numa outra pousada num outro caminho, e toda esta farsa poder ser atribuída a nada mais do que um grande mal-entendido.

– Controla-te – disse em voz baixa enquanto subia os degraus da frente. – Tem calma.

Porque nunca tinha estado tão perto de a perder.

Talvez houvesse uma explicação lógica. Talvez Eloise não tivesse querido ir para casa à chuva. Não que estivesse assim *tão* mau, mas era mais do que chuviscos, e supôs que ela pudesse não querer viajar com aquele tempo.

Levantou a aldraba da porta e bateu. Com força.

Talvez uma roda da carruagem se tivesse partido.

Voltou a bater.

Não, isso não era explicação. Benedict poderia facilmente tê-la mandado para casa na sua carruagem.

Talvez…

Talvez…

A mente procurava inutilmente algum outro motivo que justificasse ela estar ali com o irmão e não em casa com o marido. Mas não conseguia pensar num.

O palavrão que lhe escapou da boca era um que não dizia há muitos anos.

Estendeu a mão para a aldraba de novo, desta vez preparado para arrancar a maldita coisa da porta e atirá-la pela janela, mas a porta abriu-se e Phillip viu-se a olhar para Graves, que conhecera há menos de duas semanas, durante a farsa do seu namoro.

– A minha mulher? – praticamente rosnou Phillip.

– Sir Phillip! – exclamou o mordomo engasgado.

Phillip não se mexeu, mesmo com a chuva a escorrer-lhe pela cara abaixo. A maldita casa não tinha um pórtico. Quem já ouvira falar de tal coisa em Inglaterra?

– A minha mulher – resmungou ele de novo.

– Está aqui – assegurou Graves. – Entre.

Phillip entrou.

– Quero a minha mulher – disse novamente. – Já.

– Deixe-me ajudá-lo com o casaco – sugeriu Graves, solícito.

– Quero lá saber do casaco – disparou Phillip. – Eu quero a minha mulher.

Graves ficou paralisado, as mãos ainda posicionadas para tirar o casaco a Phillip.

– Não recebeu o bilhete de Lady Crane?

– Não, eu não recebi bilhete nenhum.

– Também achei que tinha chegado depressa de mais – murmurou Graves. – Deve ter-se cruzado com o mensageiro. É melhor entrar.

– Eu estou cá dentro – lembrou Phillip, com maus modos.

Graves soltou um longo suspiro, o que era notável num mordomo treinado para não mostrar a mais pequena emoção.

– Acho que vai cá ficar algum tempo – explicou ele suavemente. – Tire o casaco. Seque-se. Vai querer estar confortável.

A raiva de Phillip deslizou de repente para um terror profundo. Teria acontecido alguma coisa a Eloise? Meu Deus, se alguma coisa…

– O que é que aconteceu? – perguntou num sussurro.

Acabara de se reconciliar com os filhos. Não estava disposto a perder a mulher.

O mordomo virou-se para as escadas com os olhos tristes.

– Venha comigo – disse baixinho.

Phillip seguiu-o, cada passo enchendo-o de pavor.

*

Eloise tinha ido à igreja quase todos os domingos da sua vida. Era o que se esperava dela, e era o que as pessoas boas e honestas faziam, mas na verdade nunca tinha sido do tipo particularmente religioso ou temente a Deus. A sua mente tinha tendência para divagar durante os sermões e cantava os hinos em uníssono não por qualquer grande sentido espiritual edificante, mas porque gostava muito de música, e a igreja era o único lugar aceitável onde uma pessoa de mau ouvido como ela podia erguer a voz a cantar.

Mas agora, esta noite, ao olhar para o seu pequeno sobrinho, rezou.

Charles não piorara, mas também não melhorara, e o médico, que já viera duas vezes naquele dia, tinha declarado estar «nas mãos de Deus».

Eloise odiava aquela frase, odiava como os médicos recorriam a ela quando confrontados com uma doença que não eram capazes de curar; mas se o médico estava certo, e estava de facto nas mãos de Deus, então era a ele que iria apelar.

Fá-lo-ia nos intervalos entre refrescar a testa de Charles com um pano húmido ou enfiar-lhe colheradas de caldo morno pela garganta abaixo. Mas não havia muito a ser feito, e a maior parte do tempo gasto ali no quarto era numa vigília impotente.

E assim ficou sentada, com as mãos unidas firmemente no colo, a sussurrar: – Por favor. *Por favor.*

E então, como se a oração errada tivesse sido atendida, ouviu um barulho na porta; era Phillip, mas ela só tinha enviado o mensageiro há cerca de uma hora. Ele estava encharcado da chuva, o cabelo colado à testa de maneira bastante deselegante, mas era a visão mais querida que já vira, e, antes de pensar duas vezes, correu para ele e atirou-se nos seus braços.

– Oh, Phillip – soluçou ela, permitindo-se finalmente chorar.

Tinha sido tão forte durante todo o dia, obrigando-se a ser o apoio firme que o irmão e a cunhada precisavam. Mas agora Phillip

291

estava ali, e quando ele a abraçou, transmitiu-lhe tanta segurança que, pela primeira vez, deixou alguém ser forte por ela.

— Pensei que eras tu — sussurrou Phillip.

— O quê? — perguntou ela, confusa.

— O mordomo… só me explicou quando já estávamos no cimo das escadas. Eu pensei que eras… — Abanou a cabeça. — Não interessa.

Eloise não disse nada, apenas olhou para ele, um ligeiro sorriso triste no rosto.

— Como é que ele está? — perguntou Phillip.

Ela abanou a cabeça.

— Nada bem.

Phillip olhou para Benedict e Sophie, que se tinham levantado para o cumprimentar. Eles também não pareciam «nada bem».

— Há quanto tempo está assim? — perguntou Phillip.

— Há dois dias — respondeu Benedict.

— Dois dias e meio — corrigiu Sophie. — Desde a manhã de sábado.

— Precisas de te secar — disse Eloise, afastando-se dele. — E agora eu também. — Olhou, pesarosa para o vestido, encharcado na frente pela roupa molhada de Phillip. — Vais acabar como o Charles.

— Eu estou bem — assegurou Phillip, passando por ela e indo até à cabeceira do menino. Tocou-lhe na testa, depois abanou a cabeça e olhou para os pais. — Não consigo perceber. Estou demasiado gelado da chuva.

— Está com febre — confirmou Benedict em tom lúgubre.

— O que é que lhe fizeram? — perguntou Phillip.

— Percebe alguma coisa de medicina? — indagou Sophie, com os olhos cheios de esperança desesperada.

— O médico sangrou-o — respondeu Benedict. — Mas não pareceu ajudar.

— Temos estado a dar-lhe caldo — disse Sophie — e a arrefecê-lo quando fica muito quente.

— E a aquecê-lo quando fica gelado — terminou Eloise num tom lastimoso.

– Nada parece funcionar – sussurrou Sophie. E então, na frente de todos, ela simplesmente soçobrou. Deixou-se cair de encontro à cama do filho e chorou convulsivamente.

– Sophie – disse Benedict com voz sufocada. Caiu de joelhos ao lado dela, abraçando-a enquanto Sophie chorava. Phillip e Eloise desviaram o olhar quando perceberam que ele chorava também.

– Chá de casca de salgueiro – disse Phillip a Eloise. – Ele já bebeu algum?

– Acho que não. Porquê?

– Algo que aprendi em Cambridge. Costumava ser dado para as dores, antes de o láudano se tornar tão popular. Um dos meus professores insistia em dizer que também ajudava a baixar a febre.

– Deste esse chá à Marina? – perguntou Eloise.

Phillip olhou-a, muito espantado, mas então lembrou-se de que Eloise ainda pensava que Marina tinha morrido de febre pulmonar, o que não deixava de ser verdade.

– Eu tentei – respondeu –, mas não consegui fazê-la beber quase nada. Além disso, ela estava muito mais doente do que o Charles. – Engoliu em seco, lembrando-se. – De muitas maneiras.

Eloise fitou-o um longo momento, depois virou-se rapidamente para Benedict e Sophie, agora mais sossegados, mas ainda ajoelhados no chão, juntos, perdidos no seu momento privado.

Todavia, Eloise, sendo quem era, tinha pouca reverência para com momentos privados numa altura como aquela, por isso agarrou no ombro do irmão e virou-o.

– Tens chá de casca de salgueiro? – perguntou-lhe.

Benedict ficou a olhar para ela, a pestanejar, até que finalmente respondeu: – Não sei.

– Pode ser que Mrs. Crabtree tenha – disse Sophie, referindo-se à senhora do velho casal que cuidara de A Minha Casinha antes de Benedict casar, quando a casa não era mais do que um lugar ocasional onde deitar a cabeça. – Ela tem sempre coisas dessas. Mas foi com o marido visitar a filha. Ainda vão estar fora alguns dias.

– Têm acesso à casa deles? – perguntou Phillip. – Se ela tiver, eu reconheço. Não tem aspeto de chá. É apenas a casca. Faz-se uma tisana com água quente. Pode ajudar a baixar a febre.

– Casca de salgueiro? – perguntou Sophie, desconfiada. – Pretende curar o meu filho com a casca de uma *árvore*?

– No ponto em que as coisas estão, não custa nada tentar – disse Benedict bruscamente, caminhando em direção à porta. – Venha, Crane. Nós temos uma chave da casa. Eu mesmo o levo lá. – Mas, quando chegou à porta, virou-se para Phillip e perguntou: – Tem a certeza do que está a fazer?

Phillip respondeu da única maneira que sabia.

– Não. Mas espero que resulte.

Benedict encarou-o e Phillip percebeu que estava a ser avaliado. Uma coisa era Benedict permitir que ele se casasse com a irmã. Outra bem diferente era deixá-lo enfiar poções estranhas pela garganta do filho abaixo.

Mas Phillip compreendia. Também tinha filhos.

– Muito bem – disse Benedict, por fim. – Vamos.

E ao sair de casa, apressado, Phillip rezou para que a confiança que Benedict Bridgerton depositava nele não saísse gorada.

Depois de tudo passar, era difícil dizer se foi a casca de salgueiro ou as orações sussurradas de Eloise ou pura e simples sorte, mas na manhã seguinte a febre de Charles tinha cedido e, embora o rapaz ainda estivesse fraco e um pouco apático, era indubitável que iria recuperar. Por volta do meio-dia, era claro que Eloise e Phillip já não eram necessários e que de facto estavam a atrapalhar, por isso meteram-se na carruagem e foram para casa, ambos ansiosos por se atirarem para a sua grande e robusta cama e, por uma vez, não fazer mais nada senão dormir.

Os primeiros dez minutos de viagem foram passados em silêncio. Eloise, surpreendentemente, sentia-se demasiado cansada para falar. Mas mesmo exausta, sentia-se inquieta, demasiado tensa para dormir, devido a toda a preocupação da noite anterior. Por isso contentou-se em ficar a observar da janela a paisagem molhada. Tinha parado de chover mais ou menos na altura em que a febre de Charles cedera, o que sugeria uma intervenção divina que poderia apontar para as orações de Eloise como salvadoras do rapaz, mas quando Eloise olhou de relance para o marido, sentado ao seu lado na carruagem com os olhos fechados (embora não estivesse a dormir, tinha quase a certeza disso), soube que foi a casca de salgueiro.

Não fazia ideia de como sabia e estava ciente de nunca o poder provar, mas a vida do sobrinho tinha sido salva por uma chávena de chá.

E pensar como era improvável que Phillip aparecesse em casa do seu irmão naquela noite. Tinha sido uma sequência de eventos extremamente bizarra. Se ela não tivesse ido ver os gémeos, se não tivesse ido dizer a Phillip que não gostava da ama, se eles não tivessem discutido...

Posto daquela forma, o pequeno Charles Bridgerton devia ser o menino mais sortudo da Grã-Bretanha.

– Obrigada – disse ela, sem perceber que tinha a intenção de falar até as palavras lhe saírem dos lábios.

– Porquê? – murmurou Phillip, sonolento, sem abrir os olhos.

– Charles – disse ela simplesmente.

Phillip abriu os olhos e virou-se para ela.

– Posso não ter sido eu. Nunca saberemos se foi a casca de salgueiro.

– *Eu* sei – disse ela com firmeza.

Os lábios dele curvaram-se num leve sorriso.

– Sabes sempre.

E ela pensou se seria aquilo que tinha estado à espera a vida toda. Não a paixão, não os suspiros de prazer que sentia quando ele se juntava a ela na cama, mas *isto*.

Esta sensação de conforto, de companheirismo, de estar sentada ao lado de alguém numa carruagem e saber com cada fibra do seu ser que era ali que pertencia.

Pousou a máo na dele.

– Foi táo horrível – disse ela, surpreendida por ter lágrimas nos olhos. – Acho que nunca fiquei táo assustada em toda a minha vida. Nem posso imaginar como deve ter sido para o Benedict e a Sophie.

– Nem eu – respondeu Phillip suavemente.

– Se tivesse sido um dos nossos filhos... – disse ela, percebendo que era a primeira vez que o dizia. Os *nossos* filhos.

Phillip ficou em silêncio durante algum tempo. Quando falou, tinha o rosto virado para a janela.

– O tempo todo ali, a olhar para o Charles – começou ele, com a voz suspeitosamente rouca –, só conseguia pensar: Graças a Deus que náo é o Oliver ou a Amanda. – Então virou-se para ela, o rosto contraído de culpa. – Mas aquilo náo devia acontecer a nenhuma criança.

Eloise apertou-lhe a máo.

– Náo acho que haja nada de errado nesses sentimentos. Náo és um santo, sabes? És apenas um pai. E um pai muito bom, na minha opiniáo.

Ele olhou-a com uma expressáo estranha e depois abanou a cabeça.

– Náo – disse com gravidade –, náo sou. Mas espero vir a ser.

Ela inclinou a cabeça.

– Phillip?

– Tu tinhas razáo sobre a ama – explicou ele, a boca apertada numa linha sombria. – Eu náo queria que nada estivesse mal, por isso náo prestei atençáo, mas tu tinhas razáo. Ela batia-lhes.

– *O quê?*

– Com um livro – continuou ele, a voz quase desapaixonada, como se já tivesse esgotado todas as emoções. – Eu entrei e ela estava a bater na Amanda com um livro. E tinha acabado de bater no Oliver.

– Oh, náo! – exclamou Eloise, enquanto lágrimas de tristeza *e* raiva lhe assomavam aos olhos. – Nunca sonhei com uma coisa dessas. Eu não gostava dela, é claro. E ela dava-lhes reguadas nos dedos, mas... eu também *levei* reguadas nos dedos. Toda a gente levou. – Afundou-se no assento, a culpa a pesar-lhe nos ombros. – Eu devia ter percebido. Eu devia ter visto.

Phillip bufou.

– Vives lá há menos de duas semanas. Eu vivo com aquela maldita mulher na minha casa há meses. Se eu não vi, porque haverias tu de o fazer?

Eloise não tinha nada a dizer, pelo menos nada que não fizesse o marido, já cheio de culpa, sentir-se pior.

– Suponho que a tenhas demitido – disse por fim.

Ele confirmou com a cabeça.

– Disse aos gémeos que tu ias ajudar a encontrar uma substituta.

– Claro – disse Eloise rapidamente.

– E eu... – Parou, pigarreou e olhou pela janela antes de continuar: – Eu...

– O que se passa, Phillip? – perguntou ela em voz baixa.

Ele não se voltou para ela quando disse:

– Vou tentar ser um pai melhor. Já os afastei tempo de mais. Tinha tanto medo de me tornar como o meu pai, de ser como ele, que eu...

– Phillip – murmurou Eloise, pousando a mão sobre a dele –, tu não és nada como o teu pai. Nem nunca poderias ser.

– Não – disse ele com uma voz profunda –, mas achei que podia. Peguei no chicote uma vez. Fui aos estábulos e agarrei no chicote para lhes bater. – Afundou a cabeça nas mãos. – Estava com tanta raiva. Tão furioso.

– Mas não o usaste – sussurrou ela, sabendo que as palavras eram verdadeiras. Tinham de ser.

Phillip abanou a cabeça, confirmando.

– Mas tive vontade.

– Mas não o fizeste – reafirmou Eloise, mantendo a voz tão firme quanto pôde.

– Estava com tanta raiva – voltou ele a dizer, e ela ficou sem saber se a ouvira, tão perdido que estava nos seus pensamentos. Mas então virou-se para ela e os seus olhos trespassaram os dela. – Consegues perceber o que é ficar aterrorizado pela própria raiva?

Eloise abanou a cabeça.

– Eu não sou um homem pequeno, Eloise. Podia magoar alguém a sério.

– Eu também – respondeu ela. E então, perante o olhar sarcástico dele, acrescentou: – Bem, talvez não a ti, mas sou suficientemente grande para magoar uma criança.

– Nunca farias isso – resmungou ele, desviando o olhar.

– Nem *tu* – insistiu ela.

Phillip ficou em silêncio.

E então, de repente, ela entendeu.

– Phillip – disse suavemente –, tu disseste que estavas com raiva, mas... estavas com raiva de *quem*?

Ele olhou-a sem compreender.

– Os meus filhos tinham colado o cabelo da precetora aos lençóis, Eloise.

– Eu sei – disse ela, com um gesto de desprezo da mão. – Estou certa de que iria ter vontade de estrangular os dois, se tivesse estado presente. Mas não foi isso que perguntei. – Esperou que ele desse algum tipo de resposta. Quando ele não o fez, acrescentou: – Estavas zangado com eles por causa da cola, ou estavas com raiva de ti próprio por não conseguires fazê-los compreender que devem pensar nos outros?

Phillip não disse nada, mas ambos sabiam a resposta.

Eloise estendeu a mão e tocou na dele.

– Tu não és nada como o teu pai, Phillip – repetiu ela. – Nada.

– Sei disso, agora – disse Phillip baixinho. – Não fazes ideia da vontade que tive de desfazer aquela maldita ama em pedacinhos.

– Posso imaginar – respondeu Eloise, bufando ao acomodar-se no assento.

Phillip sentiu os lábios contorcerem-se. Não sabia porquê, mas havia algo quase engraçado no tom da mulher, algo reconfortante, até. De alguma forma, tinham encontrado o humor numa situação onde não deveria haver nenhum. E sabia muito bem.

— Era o que ela merecia — acrescentou Eloise com um encolher de ombros. Mas então virou-se e olhou-o. — Mas não lhe tocaste, pois não?

Phillip abanou a cabeça.

— Não. E se consegui manter a calma com ela, então recuso-me terminantemente a perdê-la com os meus filhos.

— Claro que não vais perder — disse Eloise, como se nunca tivesse sido um problema, dando-lhe uma palmadinha na mão e olhando pela janela, claramente despreocupada.

Ela tinha tanta fé nele, percebeu Phillip. Tanta fé na sua bondade interior, na qualidade da sua alma, quando ele fora assolado pela dúvida durante tantos anos.

E então sentiu que tinha de ser honesto, de pôr tudo em pratos limpos, e antes de pensar duas vezes, deixou escapar:

— Pensei que me tinhas abandonado.

— Na noite passada? — Eloise virou-se para ele em choque. — Por que pensarias uma coisa dessas?

Phillip encolheu os ombros em autocrítica.

— Oh, não sei. Pode ser porque saíste para ir a casa do teu irmão e nunca mais voltaste.

Ela soltou um resmungo.

— Está claro agora porque é que fiquei retida e, além do mais, eu nunca te abandonaria. Devias saber isso.

Ele arqueou uma sobrancelha.

— Devia?

— É claro que sim — disse ela, com ar ligeiramente zangado. — Eu fiz um voto naquela igreja, e garanto-te que não levo tais coisas de ânimo leve. Além de que me comprometi em ser a mãe do Oliver e da Amanda e nunca viraria as costas a isso.

Phillip susteve o olhar dela e depois murmurou:

— Não, não o farias. Eu é que fui parvo por não ter pensado nisso.

Eloise recostou-se e cruzou os braços.

– Pois devias ter pensado. Já me devias conhecer melhor. – Vendo que ele não dizia mais nada, acrescentou: – Pobres crianças. Já perderam uma mãe, sem culpa nenhuma. Eu certamente não vou fugir e fazê-los passar por tudo isso de novo.

Virou-se para ele com uma expressão extremamente irritada.

– Não posso acreditar que tenhas pensado isso de mim.

Phillip começava a perguntar-se a mesma coisa. Só conhecia Eloise há… meu Deus, só tinham passado mesmo duas semanas? Em muitos aspetos, era uma vida. Porque sentia que a conhecia, por dentro e por fora. Ela teria sempre os seus segredos, é claro, como toda a gente, e sabia que nunca a *compreenderia* completamente, já que não se via a compreender qualquer mulher completamente.

Mas conhecia-a bem. Tinha a certeza que sim. E devia ter pensado melhor antes de se ter preocupado que ela abandonasse o casamento.

Deve ter sido pânico, puro e simples. E, supôs, porque era melhor pensar que ela o tinha deixado do que imaginá-la morta numa vala à beira da estrada. A primeira hipótese dava-lhe pelo menos a possibilidade de invadir a casa do irmão dela e arrastá-la para casa.

Se ela tivesse morrido…

Phillip não estava preparado para a dor que sentiu nas entranhas só de pensar.

Em que momento começara ela a significar tanto para ele? E o que iria ele fazer para a manter feliz?

Porque ele precisava dela feliz. Não apenas, como havia dito a si mesmo, porque uma Eloise feliz significava que a sua vida iria continuar a funcionar sem problemas. Precisava dela feliz porque o simples pensamento de ela ser infeliz era como uma faca espetada no seu coração.

A ironia era certeira. Tentara convencer-se de que se casara com ela para ter uma mãe para os filhos, mas ainda há pouco, quando Eloise declarou que nunca abandonaria o casamento, que o seu compromisso com os gémeos era demasiado forte...

Ele sentiu ciúmes.

Realmente sentiu ciúmes dos próprios filhos. Gostava que ela tivesse dito a palavra *mulher*, mas tudo o que ouviu foi mãe.

Ele queria que ela o desejasse. A ele. Não só porque tinha feito um voto na igreja, mas porque estava convencida de não poder viver sem ele. Talvez até porque o amava.

Amava.

Meu Deus, quando é que tinha acontecido? Quando é que começara a querer tanto do casamento? Casara-se com Eloise para ter uma mãe para os filhos; ambos sabiam disso.

E depois havia a paixão. Ele era homem, pelo amor de Deus, e não se deitava com uma mulher há oito anos. Como não estar embriagado pela sensação da pele de Eloise contra a dele, pelo som dos seus gemidos quando explodia em torno dele?

Pela força genuína do seu próprio prazer sempre que a penetrava?

Encontrara tudo o que sempre quisera num casamento. Eloise geria na perfeição a vida dele de dia e aquecia-lhe a cama com a habilidade de uma cortesã à noite. Preenchia cada um dos seus desejos tão bem que ele nem se dera conta que ela tinha feito algo mais.

Encontrara o caminho para o seu coração. Tocara-lhe, e com esse gesto, mudara-o a ele.

Amava-a. Não estivera à procura de amor, não lhe tinha sequer dedicado um pensamento, mas ele estava lá, e era a coisa mais preciosa que podia imaginar.

Sentia-se na alvorada de um novo dia, na primeira página de um novo capítulo da sua vida. Era emocionante. E aterrorizador. Porque não queria falhar. Não agora, não quando finalmente encontrara tudo o que precisava. Eloise. Os filhos. Ele próprio.

Há anos que não se sentia confortável na própria pele, que não confiava nos seus instintos. Que se recusava a mirar-se no espelho.

Olhou pela janela. A carruagem começou a abrandar ao chegar a Romney Hall. Tudo parecia cinzento: o céu, as pedras da casa, as janelas, que refletiam as nuvens. Até a relva parecia menos verde sem o sol para a iluminar.

Estava em perfeita consonância com o seu estado contemplativo.

Um criado apareceu para ajudar Eloise a descer e assim que Phillip desceu também, ela disse-lhe:

– Estou exausta e tu também pareces estar. Vamos fazer uma sesta?

Ele estava prestes a concordar, já que também estava exausto, mas mesmo antes de as palavras lhe escaparem dos lábios, abanou a cabeça e disse: – Vai indo sem mim.

Eloise abriu a boca para indagar o porquê, mas ele silenciou-a com um aperto suave no ombro.

– Eu subo daqui a pouco – disse ele. – Para já acho que quero abraçar os meus filhos.

CAPÍTULO 18

...não te digo vezes suficientes, querida Mãe, como estou grata por ser tua filha. É raro haver uma mãe capaz de oferecer a uma criança tanta liberdade e compreensão. É ainda mais rara aquela que é capaz de chamar a uma filha amiga. Amo-te muito, minha querida mamã.

De Eloise Bridgerton para a mãe,
após recusar o sexto pedido de casamento

Quando Eloise acordou da sesta, ficou surpreendida ao ver que os lençóis do outro lado da cama não tinha sido mexidos. Phillip estava tão cansado quanto ela, talvez até mais, já que tinha feito a cavalo toda a viagem até casa de Benedict na noite anterior e ao vento e à chuva.

Depois de se ter lavado e arranjado, tentou encontrá-lo, mas o esforço foi infrutífero. Disse a si mesma para não se preocupar, que tinham tido uns dias difíceis e que ele provavelmente só precisava de algum tempo para si mesmo, para pensar.

Lá porque não tendia a preferir a solidão, não significava que todos os outros fossem como ela.

Riu-se, sem achar graça. Aquela era uma lição que tentara, sem sucesso, aprender toda a vida.

Por isso, parou de andar à procura dele. Agora era casada, e de repente entendeu o que a mãe se havia esforçado tanto para a fazer compreender na noite de núpcias. O casamento significava compromisso, e ela e Phillip eram pessoas muito diferentes. Podiam ser perfeitos um para o outro, mas isso não significava que fossem iguais. E se queria que ele mudasse em alguns aspetos por causa dela, então teria de fazer o mesmo por ele.

Não o viu o resto do dia, nem quando tomou o chá da tarde, nem quando foi desejar as boas noites aos gémeos, nem durante o jantar, que foi forçada a comer sozinha, sentindo-se muito pequena e muito sozinha na grande mesa de mogno. Jantou em silêncio, ciente dos olhares atentos dos criados, ambos exibindo sorrisos compassivos ao trazerem-lhe a comida.

Eloise retribuiu os sorrisos porque acreditava que devia ser educada em todas as ocasiões, mas por dentro suspirava de resignação. Era uma triste situação quando os criados (ainda por cima *homens*, que eram normalmente alheios ao sofrimento dos outros) sentiam pena de nós.

Mas ali estava ela, uma semana depois de casar a jantar sozinha. Quem não teria pena dela?

Além disso, todos os criados sabiam que Sir Phillip irrompera porta fora para ir buscar a mulher que tinha alegadamente fugido para casa do irmão depois de uma briga horrível.

Posto daquela forma, pensou Eloise com um suspiro, não era de espantar que Phillip pudesse ter pensado que ela o deixara.

Comeu pouco, não querendo prolongar a refeição mais tempo do que o necessário, e quando terminou as obrigatórias duas dentadas de pudim, levantou-se, com a intenção de ir direta para a cama, onde, presumia, passaria o resto do tempo tal como passara todo o dia: sozinha.

Mas quando saiu para o corredor, viu-se inquieta, sem vontade de se recolher. Então pôs-se a andar, um pouco sem rumo, pela casa. Estava uma noite fria para o final de maio, e ficou feliz por ter trazido um xaile. Eloise já passara algum tempo em várias grandes casas rurais, onde as lareiras eram todas acendidas à noite, deixando a casa

num espetáculo de luz e calor, mas Romney Hall como era aconche-
gante e confortável, não detinha essas ilusões de grandeza, por isso
a maioria dos aposentos era mantida fechada durante a noite, e as
lareiras acesas apenas quando necessário.

E que raio, estava mesmo *frio*.

Aconchegou mais o xaile à volta dos ombros enquanto caminhava, estando a gostar de ir encontrando o caminho apenas com
a luz da lua escura como guia. Mas ao aproximar-se da galeria de
retratos, viu a luz inconfundível de uma lanterna.

Estava alguém ali, e soube que era Phillip antes sequer de dar
mais um passo.

Aproximou-se em silêncio, contente por estar a usar as sabri-
nas de sola macia, e espreitou pela porta.

A visão quase lhe partiu o coração.

Phillip estava ali, imóvel, em frente do retrato de Marina. Não
se mexia um milímetro, exceto por um piscar ocasional dos olhos.
Estava ali, a olhar para ela, a olhar para a mulher morta, e a expressão
do seu rosto era tão sombria e triste que Eloise quase ficou sem ar.

Será que lhe tinha mentido quando disse que não tinha amado
Marina? Quando disse que não sentiu paixão?

E será que tinha importância? Marina estava morta. Não era
como se fosse uma verdadeira concorrente ao afeto de Phillip.
E mesmo se fosse, que importava? Porque ele tão-pouco amava
Eloise, e ela não o…

Ou talvez sim, percebeu num desses repentes que nos tiram o
ar dos pulmões.

Era difícil imaginar quando ou como tinha acontecido, mas o
sentimento que nutria por ele, o carinho e respeito, tinha-se trans-
formado em algo mais profundo.

E, oh, como gostaria que ele sentisse o mesmo.

Phillip precisava dela. Disso tinha a certeza. Precisava dela, talvez até mais do que ela precisava dele, mas não era isso. Eloise
adorava ser necessária, ser querida, ser indispensável, até, mas o seu
sentimento era agora maior.

Adorava a maneira como ele sorria, um sorriso um pouco torto, quase infantil, e com um toque de surpresa, como se não pudesse acreditar na própria felicidade.

Adorava a maneira como a olhava, como se fosse a mulher mais bela do mundo, quando ela sabia perfeitamente que não era.

Adorava a maneira como Phillip ouvia realmente o que ela tinha a dizer e como não se deixava intimidar por ela. E até adorava a maneira como ele dizia que ela falava de mais, porque quase sempre o fazia com um sorriso, e porque, obviamente, era verdade.

E adorava a maneira como ele continuava a ouvi-la, mesmo depois de lhe dizer que falava de mais.

Adorava a maneira como ele amava os filhos.

Adorava o seu carácter honrado, a honestidade e o sentido de humor retorcido.

E adorava a maneira como se encaixava na vida dele e a maneira como ele se encaixava na dela.

Era confortável. Era perfeito.

E compreendeu finalmente que era ali que ela pertencia.

Mas Phillip estava ali de pé, a olhar para o retrato da antiga mulher já morta, e pela maneira como permanecia tão quieto, quase petrificado... só Deus sabia há quanto tempo estava ali. E se ele ainda a amasse...

Sufocou uma onda de culpa. Quem era ela para sentir outra coisa que não pena por Marina? Ela tinha morrido tão jovem, de forma tão inesperada. E perdera aquilo que Eloise considerava ser o direito divino de qualquer mãe: ver os filhos crescer.

Sentir ciúmes de uma mulher assim era inconcebível.

No entanto...

No entanto Eloise não devia ser assim tão boa pessoa porque não era capaz de assistir àquela cena, ver Phillip a olhar para o retrato da primeira mulher, sem sentir o ciúme a apertar-lhe o coração. Acabara de se dar conta que amava aquele homem, e que o amaria até morrer. Era *ela* que precisava dele, não uma mulher já morta.

Não, pensou, determinada. Phillip já não ama Marina. Talvez nunca tivesse amado Marina. Dissera-lhe ontem de manhã que não estava com uma mulher há oito anos.

Oito *anos*?

Finalmente percebeu.

Meu Deus.

Passara os últimos dois dias submersa numa tal onda de emoção que não tinha parado para pensar... realmente pensar... sobre o que ele tinha dito.

Oito anos.

Não era o que esperaria. Não de um homem como Phillip, que claramente gostava... não, claramente *precisava*... dos aspetos físicos do amor conjugal.

Marina só estava morta há quinze meses. Se Phillip estava sem mulher há oito anos, isso significava que não partilhavam o quarto desde que os gémeos haviam sido concebidos.

Não...

Eloise fez algumas contas de cabeça. Não, teria sido logo depois de os gémeos terem nascido. Pouco depois.

Claro, Phillip poderia ter-se enganado nas datas, ou talvez tivesse exagerado, mas Eloise desconfiava que não. Aliás tinha quase a certeza de que ele sabia exatamente quando fora a última vez que dormira com Marina, e especialmente agora que tinha determinado com exatidão a data, ela temia que tivesse sido terrível.

Mas Phillip não a tinha traído. Permanecera fiel a uma mulher de cuja cama tinha sido banido. Eloise não ficava surpreendida, dado o sentido de honra e dignidade que lhe era inato, mas achava que não o teria julgado pior se ele tivesse procurado conforto noutro lugar.

Mas o facto de não o ter feito...

Fazia com que o amasse ainda mais.

Mas, se o tempo com Marina tinha sido tão difícil e penoso, porque viera ali esta noite? Porque estava a olhar para o retrato dela como se não conseguisse sair do lugar? A observá-la como se lhe implorasse alguma coisa.

A implorar um favor a uma mulher morta.

Eloise não aguentava mais. Deu um passo em frente e aclarou a garganta.

Phillip surpreendeu-a ao virar-se instantaneamente; Eloise achara que ele estava tão completamente perdido no seu mundo que não iria ouvi-la. Ele não disse nada, nem mesmo o nome dela, mas depois...

Estendeu a mão.

Eloise avançou e aceitou-a, sem saber mais o que fazer, sem mesmo saber... por mais estranho que parecesse... o que dizer. Por isso ficou ali ao lado dele a olhar para o retrato de Marina.

– Tu amáva-la? – perguntou, mesmo já lhe tendo feito essa pergunta.

– Não – respondeu ele, e Eloise percebeu que uma pequena parte dela ainda devia estar muito preocupada, porque a onda de alívio que sentiu ao ouvi-lo negar invadiu-a com uma força surpreendente.

– Sentes falta dela?

A voz de Phillip soou suave, mas firme.

– Não.

– Odiáva-la? – sussurrou ela.

Ele abanou a cabeça, mas parecia muito triste quando respondeu:

– Não.

Não sabia mais o que perguntar, não tinha a certeza se o *devia* fazer, por isso calou-se, na esperança de que ele falasse.

E depois de muito tempo, Phillip fê-lo.

– Ela estava triste – disse. – Estava sempre triste.

Eloise olhou-o, mas ele não retribuiu. Os seus olhos estavam postos no retrato de Marina, como se tivesse de olhar para ela enquanto falava. Como se talvez lhe devesse isso.

– Ela estava sempre melancólica – continuou –, sempre demasiado serena, se é que isso faz sentido, mas ficou pior depois de os gémeos nascerem. Não sei o que aconteceu. A parteira disse que era normal as mulheres chorarem depois do parto, mas que eu não me preocupasse, que ela ficaria bem dentro de algumas semanas.

– Mas isso não aconteceu – disse Eloise suavemente.

Phillip abanou a cabeça, afastando depois com brusquidão uma madeixa de cabelo escuro que lhe caíra para a testa.

– Só piorou. Não sei como explicar. Era quase como se.... – Encolheu os ombros, impotente, enquanto procurava as palavras, e quando continuou, foi num sussurro. – Era quase como se ela tivesse desaparecido... raramente saía da cama... nunca a vi sorrir... chorava muito. Muito, mesmo.

As frases saíram, não em sucessão, mas uma de cada vez, como se cada pedaço de informação estivesse lentamente a ser trazido à memória. Eloise não disse nada, não se sentindo no direito de o interromper ou de tentar injetar os seus sentimentos sobre um assunto do qual não sabia nada.

E então, finalmente, ele virou-se para Eloise e fitou-a diretamente nos olhos.

– Eu tentei de tudo para a fazer feliz. Tudo o que estava ao meu alcance. Tudo o que sabia. Mas não foi o suficiente.

Eloise abriu a boca, emitiu um pequeno som, o início de um murmúrio destinado a assegurar-lhe que tinha feito o seu melhor, mas ele interrompeu-a.

– Percebes o que digo, Eloise? – perguntou ele, com a voz cada vez mais alta, mais urgente. – Não foi o suficiente.

– Não tiveste culpa – disse ela em voz baixa, porque mesmo não tendo conhecido Marina em adulta, conhecia Phillip e sabia que tinha de ser verdade.

– Acabei por desistir – continuou ele, a voz sem expressão. – Parei de tentar ajudá-la. Eu estava tão farto de bater com a cabeça na parede em tudo o que lhe dizia respeito. Então tentei proteger as crianças, mantendo-as longe quando ela entrava nas suas fases más. Porque eles amavam-na tanto. – Lançou-lhe um olhar suplicante, talvez a pedir compreensão ou talvez a pedir algo mais que Eloise não entendia. – Ela era a mãe deles.

– Eu sei – disse ela em tom suave.

– Era mãe deles, e não... não conseguia...

– Mas *tu* estavas lá – disse Eloise com fervor. – Tu estavas lá.

Ele soltou uma risada áspera.

– Sim, e que bela sorte lhes saiu. Uma coisa é ter nascido com um mau progenitor, mas dois? Nunca teria desejado uma coisa dessas para os meus filhos, e no entanto... aqui estamos nós.

– Tu não és um mau pai – afirmou Eloise, incapaz de afastar o tom de repreensão da voz.

Phillip limitou-se a encolher os ombros e a virar-se para o retrato, claramente incapaz de sequer pesar as palavras.

– Compreendes o quanto doeu? – sussurrou. – Fazes alguma ideia?

Eloise abanou a cabeça, embora ele não visse o seu sinal negativo.

– Esforçar-me tanto, mas tanto, e nunca ter sucesso? Maldição... – Riu-se, um som curto e amargo, cheio de autoaversão. – Maldição – disse novamente –, eu nem sequer gostava dela e ainda assim doeu tanto.

– Não gostavas dela? – perguntou Eloise, a surpresa fazendo as palavras saírem num registo diferente.

Os lábios dele curvaram-se com ironia.

– Será possível gostar de alguém que nem se conhece? – Virou-se para ela. – Eu não a conhecia, Eloise. Estive casado com ela oito anos e nunca a conheci.

– Talvez ela não tenha deixado que a conhecesses.

– Talvez eu devesse ter tentado mais.

– Talvez não houvesse mais nada que pudesses ter feito – disse Eloise, infundindo na voz toda a certeza e convicção que podia. – Algumas pessoas nascem melancólicas, Phillip. Eu não sei porquê, e duvido que alguém saiba, mas é assim que elas são.

Ele lançou-lhe um olhar sardónico, os olhos escuros rejeitando claramente a opinião, por isso ela apressou-se a dizer:

– Não te esqueças de que eu também a conheci. Em criança, muito antes de saberes que ela existia.

A expressão de Phillip mudou e o olhar tornou-se tão intenso que Eloise quase se contorceu sob tal pressão.

– Eu nunca a ouvi rir – explicou Eloise em tom suave. – Nem uma vez. Tenho tentado lembrar-me melhor dela desde que te conheci, tentando perceber por que razão as minhas lembranças sempre me pareceram tão estranhas e acho que é isso. Ela não se ria. Quem já ouviu falar de uma criança que não se ri?

Phillip ficou em silêncio uns momentos e então disse:

– Acho que também nunca a ouvi rir. Às vezes sorria, geralmente quando as crianças iam vê-la, mas nunca deu uma gargalhada.

Eloise assentiu e depois disse:

– Eu não sou a Marina, Phillip.

– Eu sei – respondeu ele. – Acredita em mim, eu sei. Foi por isso que casei contigo, sabias?

Não era exatamente o que queria ouvir, mas reprimiu a deceção e deixou-o continuar.

Os vincos na testa tornaram-se mais fundos e ele esfregou-os com força. Parecia tão sobrecarregado, tão cansado das responsabilidades.

– Eu só queria alguém que não fosse triste – explicou ele. – Alguém que estivesse presente para as crianças, alguém que não…

Interrompeu-se e virou-lhe as costas.

– Alguém que não fizesse o quê? – perguntou ela com urgência, sentindo que era importante.

Chegou a pensar que ele não ia responder, mas então, quando já tinha desistido de uma resposta, ele disse:

– Ela morreu de influenza. Sabes disso, não sabes?

– Sim – afirmou Eloise, já que ele estava de costas e não a veria acenar.

– Morreu de influenza – repetiu ele. – Foi isso que dissemos a toda a gente…

Subitamente, Eloise sentiu náuseas, porque sabia, tinha a certeza absoluta que *sabia* o que ele ia dizer.

311

– Bem, e foi verdade – continuou ele em tom amargo, surpreendendo-a com as palavras. Estava tão certa de que ele ia dizer que tinha mentido. – É verdade – confirmou. – Mas não é toda a verdade. Ela morreu de influenza, mas nunca contámos a ninguém como é que ficou doente.

– O lago – sussurrou Eloise, as palavras surgindo espontaneamente. Nem tinha percebido que as pensara até as dizer.

Ele concordou com um gesto desalentado de cabeça.

– Mas não caiu ao lago por acidente.

A mão de Eloise voou para cobrir a boca. Não era de admirar que Phillip tivesse ficado tão aborrecido quando ela levou as crianças para lá. Sentia-se incrivelmente mal. É claro que ela não sabia, não podia saber, mas ainda assim…

– Apanhei-a a tempo – prosseguiu ele. – A tempo de a salvar do afogamento. Mas não a tempo de a salvar da febre pulmonar três dias depois. – Sufocou o riso mordaz. – Nem o meu famoso chá de casca de salgueiro funcionou com *ela*.

– Lamento tanto – sussurrou Eloise, e era verdade, apesar de a morte de Marina ter, de muitas maneiras, tornado possível a sua própria felicidade.

– Não compreendes – disse ele, sem olhar para ela. – Não podes compreender.

– Eu nunca conheci ninguém que se tivesse suicidado – declarou ela com cautela, incerta se aquelas eram as palavras a dizer em tal situação.

– Não é isso que quero dizer – contrariou ele, quase de forma rude. – Não sabes o que é sentires-te encurralado, sem saída, sem esperança. Esforçares-te tanto e nunca, *nunca*… – virou-se para ela com os olhos a lançar fogo – conseguir abrir uma brecha. Eu tentei. Todos os dias. Tentei por mim e tentei pela Marina, e acima de tudo pelo Oliver e pela Amanda. Fiz tudo o que sabia, tudo o que todos me disseram para fazer, e nada, nada funcionou. Eu tentava e ela chorava, então eu tentava outra vez e outra e outra, e tudo o que ela fez foi enterrar-se cada vez mais naquela maldita cama e puxar as cobertas sobre a cabeça. A Marina vivia na escuridão, com as cortinas fechadas e as luzes ténues e depois escolheu um maldito dia cheio de sol para se matar.

Os olhos de Eloise arregalaram-se.

– Um dia de sol – repetiu ele. – Tínhamos tido um mês inteirinho de céu nublado e finalmente o sol apareceu, e ela teve de se matar. – Soltou uma risada, curta e amarga. – Depois de tudo o que já me tinha feito, teve de me arruinar também os dias de sol.

– Phillip – disse Eloise, pousando a mão no braço dele.

Mas ele enxotou-a.

– E como se não bastasse, nem conseguiu matar-se corretamente. Bem, não... – emendou em tom cruel – calculo que isso foi culpa *minha*. Ela estaria bem morta se eu não tivesse aparecido, obrigando-a à tortura de ter de nos aturar por mais três dias, imaginando se iria viver ou morrer. – Cruzou os braços e bufou em repulsa. – Mas é claro que morreu. Nem sei porque é que ainda alimentámos esperanças. Ela nem lutou, não usou uma gota de energia sequer para lutar contra a doença. Deixou-se ficar deitada à espera que a morte a reclamasse e eu continuei à espera que sorrisse, como se ela ficasse finalmente feliz por ter conseguido a única coisa que sempre quisera fazer.

– Oh, meu Deus! – sussurrou Eloise, angustiada pela imagem. – Ela fez isso?

Phillip abanou a cabeça.

– Não. Nem energia para isso tinha. Morreu com a mesma expressão no rosto que sempre teve. De vazio total.

– Sinto muito – disse Eloise, mesmo sabendo que as suas palavras nunca seriam suficientes. – Ninguém deveria ter de passar por algo assim.

Phillip olhou para ela durante muito tempo, os olhos perscrutando os dela, à procura de algo, de uma resposta que Eloise não sabia se tinha. Então ele virou-se abruptamente e foi até à janela, olhando para a escuridão cerrada do céu.

– Esforcei-me tanto – disse, a voz calma, cheia de resignação e mágoa –, mas ainda assim todos os dias desejei ser casado com outra pessoa. – Inclinou a cabeça para a frente até a testa ficar encostada ao vidro. – Outra pessoa qualquer.

Ficou em silêncio durante muito tempo. Demasiado tempo, na opinião de Eloise, por isso ela avançou, murmurando o nome dele, só para ouvir a resposta. Só para saber que ele estava bem.

– Ontem – recomeçou – tu disseste que temos um problema...

– Não – interrompeu Eloise, tão depressa quanto pôde. – Eu não quis dizer...

– Disseste que temos um problema – repetiu ele, a voz tão baixa e assertiva que Eloise achou que ele não ia ouvir outra interrupção, mesmo que tentasse. – Mas até passares pelo que eu tive de passar – continuou –, até ficares presa num casamento sem esperança, com um cônjuge sem esperança, até teres ido para a cama sozinha anos a fio desejando desesperadamente o toque de outro ser humano...

Phillip virou-se e deu um passo em direção a ela, os olhos acesos por um fogo que a deixou sem ação.

– Até teres passado por tudo isso – disse ele – *nunca* lamentes o que nós temos. Porque para mim... para mim... – Engasgou-se com as palavras, mas a paragem foi breve. – Isto... nós... é o paraíso. E eu não vou conseguir suportar ouvir-te dizer o contrário.

– Oh, Phillip! – disse ela, e fez a única coisa que sabia fazer. Aproximou-se dele e pôs os braços ao seu redor agarrando-o com todas as suas forças. – Desculpa – murmurou, as lágrimas molhando a camisa dele. – Desculpa.

– Eu não quero falhar de novo – disse Phillip com a voz embargada, enterrando o rosto na curva do pescoço dela. – Eu não posso, eu não poderia...

– Não vais falhar – prometeu ela. – *Nós* não vamos falhar.

– Tu tens de ser feliz – disse ele, as palavras soando como se lhe fossem arrancadas da garganta. – Tens de ser. Por favor, diz-me...

– E *sou* – asseverou ela. – Sou. Prometo.

Phillip afastou-se ligeiramente e tomou o rosto de Eloise entre as mãos, obrigando-a a olhá-lo profundamente. Parecia estar à procura de algo na expressão dela, a buscar desesperadamente uma confirmação, ou talvez absolvição, ou talvez uma simples promessa.

– Eu *sou* feliz – sussurrou ela, cobrindo as mãos dele com as suas. – Mais do que jamais sonhei ser possível. E tenho muito orgulho em ser tua mulher.

O rosto de Phillip pareceu contrair-se e o lábio inferior começou a tremer. Eloise prendeu a respiração. Nunca vira um homem chorar, nem pensara ser possível, mas então uma lágrima rolou lentamente pelo rosto dele, parando na covinha no canto da boca até que ela estendeu a mão e a limpou com todo o carinho.

– Eu amo-te – declarou ele, as palavras a sufocarem-no. – Não me importo se não sentires o mesmo por mim. Eu amo-te e... e...

– Oh, Phillip – sussurrou ela, levando a mão ao rosto dele e tocando as lágrimas. – Eu também te amo.

Os lábios dele mexeram-se, como se tentassem formar palavras, mas desistiu de falar e abraçou-a, esmagando-a contra ele com tal força e intensidade que a deixou sem reação. Enterrou o rosto no pescoço dela, murmurando-lhe o nome sem parar e depois as palavras tornaram-se beijos e deslizou ao longo da pele dela até encontrar a boca.

Eloise nunca saberia quanto tempo ficaram ali a beijar-se como se o mundo fosse acabar naquela noite. Então Phillip levantou-a nos braços, saiu com ela ao colo da galeria de retratos, subiu as escadas, e num piscar de olhos, Eloise estava deitada na cama, com ele por cima.

E os lábios dele nunca abandonaram os dela.

– Eu preciso de ti – disse Phillip com a voz rouca, tirando-lhe o vestido do corpo com dedos trémulos. – Preciso tanto de ti como de respirar. Preciso de ti como de alimento, como de água.

Eloise tentou dizer que também precisava dele, mas não conseguiu porque a boca dele já se fechara em torno do seu mamilo sugando-o de tal forma que a sensação lhe despertava o ventre, um calor morno, lento que subia em espiral, fazendo-a refém até não conseguir fazer mais nada, exceto agarrar-se àquele homem, o seu marido, e entregar-se a ele com todo o seu ser.

Ele afastou-se um pouco, apenas o tempo suficiente para arrancar as próprias roupas, voltando para junto dela, desta vez deitando-se ao seu lado. Puxou-a para si até ficarem barriga com barriga e acariciou-lhe o cabelo com toda a suavidade e delicadeza, enquanto a outra mão se espalmava ao fundo das costas dela.

— Amo-te — sussurrou ele. — Só quero agarrar-te e… — Engoliu em seco. — Não fazes ideia do quanto te quero neste momento.

Os lábios de Eloise curvaram-se num sorriso.

— Acho que tenho uma ideia.

Isso fê-lo sorrir.

— O meu corpo parece morrer. Nunca senti nada assim antes, e ainda assim… — Aproximou-se mais e roçou os lábios nos dela — tive de parar. Tinha de te dizer.

Eloise não conseguia falar, mal podia respirar. Sentiu as lágrimas a chegar, a queimarem-lhe os olhos até se derramarem, caindo nas mãos dele.

— Não chores — sussurrou ele.

— Não consigo evitar — disse ela, com a voz trémula. — Amo-te tanto. Nunca pensei que… sempre esperei, mas acho que nunca realmente pensei que…

— Eu também nunca pensei — disse ele, e ambos sabiam o que estavam a pensar…

Eu nunca pensei que podia acontecer comigo.

— Tenho tanta sorte — disse Phillip, com as mãos a deslizar pelo tronco dela, pelo ventre, e passarem depois para as nádegas. — Acho que esperei toda a minha vida por ti.

— Eu sei que estive à tua espera — confessou Eloise.

Phillip apertou-a e puxou-a contra si, quase a queimando com o seu toque.

— Não vou ser capaz de ir devagar — disse ele, com a voz trémula. — Acho que acabei de gastar toda a minha cota de autocontrolo.

— Não precisas de ir devagar — assegurou ela, deslizando de costas e puxando-o para cima dela. Abriu as pernas até ele se acomodar entre elas, o sexo dele vindo descansar junto ao seu. Depois enterrou as mãos no cabelo dele e puxou-lhe a cabeça para baixo até a boca dele se encostar à sua. – Não quero que seja lento.

Num único movimento fluido, tão rápido que a deixou sem fôlego, Phillip penetrou-a, possuindo-a completamente, o impulso contra o ventre com força suficiente para lhe arrancar um – Oh! – surpreso dos lábios.

Ele sorriu com malícia.

– Disseste que querias rápido.

Ela respondeu abraçando-o com as pernas, prendendo-o. Inclinou as ancas, o que o fez alcançá-la ainda mais fundo, e devolveu o sorriso.

– Não estás a fazer nada – provocou ela.

E ele fez.

Todas as palavras ficaram perdidas no movimento dos corpos. Não foram graciosos, nem se moveram como se fossem um só. Os corpos não estavam em sintonia e os sons que faziam não eram musicais ou encantadores.

Limitaram-se a mexer, com desejo ardente e total abandono, apoiando-se um no outro, tentando alcançar o auge. A espera não foi longa. Eloise tentou fazê-lo durar, tentou resistir, mas não houve maneira. A cada impulsão, Phillip desencadeava um fogo dentro dela que não podia ser negado. E então, finalmente, quando não podia conter-se nem mais um instante, Eloise gritou e arqueou o corpo debaixo dele, levantando-os ambos da cama com a força da sua satisfação. O corpo dela tremeu e agitou-se e ela ofegou, conseguindo apenas enterrar os dedos nas costas dele, certamente deixando-lhe marcas na pele da força que fazia.

Antes de Eloise conseguir voltar à Terra, Phillip gritou, impelindo-se uma e outra vez, derramando a sua semente dentro dela, até colapsar, o peso dele prendendo-a ao colchão.

Mas ela não se importou. Adorava a sensação de o ter em cima dela, adorava o peso, adorava o cheiro e o sabor do suor da sua pele.

Ela *amava-o*.

Era tão simples quanto isso.

Ela amava-o, e ele amava-a, e se havia algo mais, alguma coisa mais importante no mundo, simplesmente não tinha importância. Não ali, não naquele momento.

– Amo-te – sussurrou Phillip, finalmente saindo de dentro dela e permitindo que os pulmões de Eloise se enchessem de ar.

Amo-te.

Não precisava de mais nada.

CAPÍTULO 19

...os dias são preenchidos com divertimentos intermináveis. Vou às compras e a almoços e faço visitas (e fazem-me visitas, também). À noite, costumo ir a um baile ou a um sarau musical, ou talvez a uma pequena festa. Por vezes fico em casa, sozinha, a ler um livro. É uma existência verdadeiramente preenchida e animada; não tenho razões de queixa. Muitas vezes me pergunto: o que mais pode querer uma mulher?

De Eloise Bridgerton para Sir Phillip Crane,
após seis meses de correspondência invulgar

Para o resto dos seus dias, Eloise iria lembrar-se da semana seguinte como uma das mais mágicas da sua vida. Não houve acontecimentos extraordinários, nem dias de sol esplêndido, nem aniversários, nem presentes extravagantes ou visitas inesperadas.

No entanto, apesar de tudo parecer, pelo menos aparentemente, muito comum...

Tudo mudara.

Não era o tipo de coisa que nos acertasse como um raio, nem mesmo, pensou Eloise com um sorriso irónico, como uma porta batida com força ou o sobressalto de uma nota alta atingida na ópera. Fora uma mudança lenta e sub-reptícia, o tipo de coisa que começa sem ninguém perceber e termina antes mesmo de alguém se aperceber que começara.

Tudo começou algumas manhãs depois de ela se deparar com Phillip na galeria de retratos. Quando acordou, ele estava sentado ao fundo da cama, já completamente vestido, a olhar para ela com um sorriso indulgente estampado no rosto.

– O que estás aí a fazer? – perguntou Eloise, prendendo os lençóis debaixo dos braços ao sentar-se.

– A observar-te.

Os lábios dela abriram-se de surpresa e não pôde deixar de sorrir.

– Não pode ser muito interessante.

– Pelo contrário. Não consigo pensar em mais nada capaz de prender a minha atenção durante tanto tempo.

Ela corou, resmungando algo sobre ele ser um tonto, mas, na verdade, as palavras de Phillip deram-lhe vontade de o puxar de volta para a cama. Tinha a sensação de que ele não resistiria, nunca o fazia, mas controlou o seu desejo, já que, afinal de contas, Phillip se tinha vestido completamente e ela achava que o tinha feito por uma razão.

– Trouxe-te um bolinho – disse ele, estendendo um prato.

Eloise agradeceu e pegou no prato. Enquanto mastigava (desejando que Phillip tivesse pensado em trazer algo para beber), ele disse:

– Pensei que podíamos ir dar um passeio hoje.

– Tu e eu?

– Na verdade – continuou ele –, pensei que podíamos ir os quatro.

Eloise estacou, os dentes enterrados no bolo, e olhou para ele. Era a primeira vez que ele sugeria tal coisa. A primeira vez, pelo menos que ela soubesse, que ele estendia a mão aos filhos, em vez de os afastar, esperando que alguém tratasse deles.

– Acho que é uma excelente ideia – concordou ela num tom de voz suave.

– Que bom – disse ele, levantando-se. – Vou deixar-te na tua rotina matinal e informar aquela pobre criada que obrigaste a fazer de ama que hoje tomaremos conta deles.

– Tenho a certeza de que vai ficar aliviada – comentou Eloise.

Realmente, Mary não queria assumir o cargo de ama, nem sendo com carácter temporário. Nenhum dos criados queria; todos eles conheciam os gémeos muito bem. E a pobre Mary de cabelo comprido lembrava-se vividamente de ter de queimar os lençóis com o cabelo da última ama lá colado, depois de terem sido incapazes de o remover.

Mas não havia nada a fazer e Eloise conseguira que as crianças prometessem que iriam tratar Mary com o respeito devido, por exemplo, à rainha, e até ver eles tinham cumprido a palavra. Eloise ainda alimentava a esperança de que Mary cedesse e aceitasse a posição numa base permanente. Afinal, o salário era bem melhor do que o de criada de limpeza.

Eloise olhou para a porta e ficou surpreendida ao ver Phillip de pé, imóvel, franzindo o sobrolho.

– O que se passa? – perguntou.

Ele olhou na direção dela, as sobrancelhas ainda unidas em reflexão.

– Não sei bem o que fazer.

– Acho que a maçaneta da porta roda nos dois sentidos – brincou ela.

Ele atirou-lhe um olhar e disse:

– Na aldeia não há feiras ou eventos onde possamos ir. O que fazemos com eles?

– Qualquer coisa – respondeu Eloise, sorrindo para ele com o coração repleto de amor. – Ou nada. Não importa. Tudo o que eles querem é estar contigo, Phillip. Só te querem a ti.

Duas horas depois, Phillip e Oliver estavam no exterior da alfaiataria e modista Larkin, na aldeia de Tetbury, à espera, um tanto impacientes, que Eloise e Amanda acabassem as compras lá dentro.

– Tínhamos mesmo de vir fazer compras? – resmungou Oliver, como se lhe tivessem pedido que usasse tranças e vestido.

Phillip encolheu os ombros.

– Foi o que a tua mãe quis fazer.

– Para a próxima, é a vez de os homens escolherem – resmungou Oliver. – Se eu soubesse que ter uma mãe significava *isto*…

Phillip teve de se controlar para não desatar a rir.

– Nós, homens, temos de fazer sacrifícios pelas mulheres que amamos – afirmou em tom sério, dando umas palmadinhas afetuosas no ombro do filho. – É assim a vida, infelizmente.

Oliver soltou um longo suspiro sofredor, como se fizesse tais sacrifícios diariamente.

Phillip espreitou pela montra. Eloise e Amanda não mostravam sinais de estar a concluir os seus negócios.

– Mas, quanto à questão das compras e de quem decide a próxima atividade conjunta, eu concordo plenamente – disse ele.

Nesse momento, Eloise apareceu à porta.

– Oliver? Queres entrar? – convidou.

– Não – respondeu Oliver, abanando a cabeça enfaticamente.

Eloise apertou os lábios.

– Deixa-me reformular – disse ela. – Oliver, eu gostaria que entrasses.

Oliver olhou para o pai, os olhos suplicantes.

– Infelizmente vais ter de fazer o que a mãe diz – aconselhou Phillip.

– Tantos sacrifícios – resmungou Oliver, abanando a cabeça enquanto se arrastava degraus acima.

Phillip tossiu para encobrir uma gargalhada.

– Também vem? – perguntou Oliver.

Claro que não, quase disse Phillip, mas conseguiu conter-se, mudando a resposta para:

– Eu preciso de ficar cá fora para tomar conta da carruagem.

Oliver semicerrou os olhos.

– Porque é que a carruagem precisa que tomem conta dela?

– Hum… por causa da tensão nas rodas – resmoneou Phillip. – São muitos pacotes, percebes.

Não conseguiu ouvir o que Eloise disse baixinho, mas o tom não era lisonjeiro.

– Vai lá, Oliver – incentivou ele, dando uma palmadinha nas costas do filho. – A tua mãe precisa de ti.

– E tu, também – disse Eloise com toda a doçura, só para o torturar, tinha a certeza. – Precisas de camisas novas.

Phillip gemeu.

– Não podemos mandar o alfaiate lá a casa?

– Não queres escolher o tecido?

Ele abanou a cabeça e disse, muito pomposo:

– Eu confio totalmente em ti.

– Acho que o pai precisa de tomar conta da carruagem – informou Oliver, ainda a pairar à entrada da loja.

– Ele vai precisar é de tomar conta das costas – murmurou Eloise – porque senão...

– Pronto, está bem – cedeu Phillip. – Eu entro. Mas só por pouco tempo. – Subitamente encontrou-se de pé no meio da loja, um local muito feminino, repleto de folhos, e estremeceu. – Mais um pouco e é provável que eu pereça de claustrofobia.

– Um homem tão grande e forte como tu? – comentou Eloise em tom macio. – Que disparate.

E então olhou para ele e fez-lhe sinal com o queixo para se aproximar.

– Sim? – perguntou Phillip, curioso.

– A Amanda – sussurrou ela, apontando para uma porta ao fundo da loja. – Quando ela sair, faz alarido.

Desconfiado Phillip percorreu a loja com o olhar. Mais valia estar na China, de tão deslocado que se sentia.

– Eu não sou muito bom a fazer alarido.

– Aprende – ordenou ela, voltando a atenção para Oliver com um: – Agora é a tua vez, menino Crane. Mrs. Larkin...

O gemido de Oliver teria feito justiça a um homem moribundo.

– Eu prefiro Mr. Larkin – protestou ele. – Como o pai.

– Preferes ser atendido pelo alfaiate? – perguntou Eloise.

Oliver assentiu vigorosamente.

– A sério?

Ele voltou a sacudir a cabeça afirmativamente, embora com menos convicção.

– Apesar de nem há uma hora – continuou Eloise, com uma entoação capaz de a colocar no palco de Drury Lane – jurares a pés juntos que nem cavalos selvagens conseguiriam arrastar-te para dentro de uma loja, a menos que houvesse armas ou soldadinhos de chumbo na montra?

Oliver ficou boquiaberto, mas abanou a cabeça. Ao de leve.

– És muito boa nisto – murmurou-lhe Phillip ao ouvido enquanto observava Oliver atravessar, a arrastar os pés, a porta que separava a metade da loja de Mr. Larkin da metade de Mrs. Larkin.

– É tudo uma questão de lhes mostrar que a alternativa é muito pior – explicou Eloise. – Ser vestido por Mr. Larkin é uma maçada, mas por *Mrs. Larkin…* bem, isso é que seria horrível.

Um uivo indignado rasgou o ar e Oliver regressou a correr para os braços de Eloise, o que deixou Phillip a sentir-se um bocadinho abandonado. Queria que os filhos corressem para ele.

– Ele espetou-me com um alfinete! – declarou Oliver.

– Estavas a contorcer-te? – perguntou Eloise, sem pestanejar.

– Não!

– Nem um pouquinho?

– Só um pouquinho.

– Está certo – disse Eloise. – Então não te mexas da próxima vez. Garanto-te que Mr. Larkin é muito bom no seu trabalho. Se não te mexeres, não serás espetado. É muito simples.

Oliver ficou a digerir o conselho e, em seguida, virou-se para Phillip, com uma expressão de súplica. Era muito bom ser escolhido como aliado, mas Phillip não ia contradizer Eloise e minar-lhe a autoridade. Especialmente quando concordava plenamente com ela.

Mas então Oliver surpreendeu-o. Não implorou para ser libertado das garras de Mr. Larkin, nem disse algo horrível sobre Eloise, algo que, Phillip tinha a certeza, teria feito há apenas algumas semanas, sobre qualquer adulto que lhe frustrasse as vontades.

Oliver apenas olhou para ele e perguntou:

– Vem comigo, pai? Por favor?

Phillip abriu a boca para responder, mas, inexplicavelmente, teve de parar. Sentiu os olhos a arder com lágrimas contidas e percebeu que estava muito simplesmente dominado pela emoção.

Não era apenas o momento, o facto de o filho querer a sua companhia num rito de passagem masculino. Oliver já antes lhe pedira a sua companhia.

Mas aquela era a primeira vez que Phillip se sentiu verdadeiramente capaz de dizer que sim, confiante de que se fosse, iria fazer a coisa certa e dizer as palavras certas.

E mesmo se não o fizesse, não teria importância. Ele não era como o seu pai, nunca seria… nunca *poderia* ser como ele. Não podia dar-se ao luxo de ser covarde, de continuar a empurrar os filhos para outras pessoas, só porque tinha medo de cometer um erro.

Ele *iria* cometer erros. Era inevitável. Mas não seriam erros muito graves e com Eloise a seu lado, estava bastante confiante de que era capaz de fazer qualquer coisa.

Até de conseguir lidar com os gémeos.

Pousou a mão no ombro de Oliver.

– Terei o maior prazer em acompanhar-te, filho. – Aclarou a voz, que ficara rouca na última palavra. Então, baixou-se e sussurrou: – A última coisa que queremos é mulheres no lado dos homens.

Oliver acenou um acordo vigoroso.

Phillip endireitou-se, preparando-se para seguir o filho para a metade do estabelecimento de Mr. Larkin. Nesse momento ouviu Eloise, aclarar a garganta atrás dele. Virou-se e viu-a fazer um gesto de cabeça indicando o fundo da loja.

Amanda.

Com um ar muito crescido no seu novo vestido cor de lavanda, evidenciava já os primeiros indícios da mulher que um dia viria a ser.

Pela segunda vez em poucos minutos, os olhos de Phillip arderam de lágrimas.

Era isto que tinha andado a perder. Tolhido pelo medo, pela dúvida constante em si próprio, andara a perder isto.

Os filhos estavam a crescer sem ele.

Phillip deu uma palmadinha no ombro de Oliver, sinalizando que voltaria em breve, e atravessou a sala até junto da filha. Sem dizer uma palavra, pegou na mão dela e beijou-a.

– Tu, Miss Amanda Crane – disse, mostrando todo o seu amor nos olhos, na voz, no sorriso – és a menina mais bonita que já vi.

Os olhos dela arregalaram-se e os lábios formaram um pequeno «O» de puro deleite.

– Então e a Miss... a mãe? – sussurrou ela muito depressa.

Phillip olhou para a mulher, que também parecia estar à beira das lágrimas e, em seguida, inclinou-se para sussurrar ao ouvido de Amanda:

– Vamos fazer um trato: tu podes pensar que a tua mãe é a mulher mais bonita do mundo, mas deixas-me pensar que és tu.

Mais tarde, naquela noite, depois de os aconchegar na cama, beijar cada um na testa, e se dirigir para a porta, ouviu a filha sussurrar:

– Pai?

Ele virou-se.

– Amanda?

– Este foi o melhor dia de sempre, pai – sussurrou ela.

– De sempre – concordou Oliver.

Phillip assentiu.

– Para mim também – respondeu em voz carinhosa. – Para mim também.

Tudo começou com um bilhete.

Mais tarde naquela noite, depois de Eloise acabar de jantar e o seu prato ser retirado, notou que havia um pedaço de papel escondido por baixo, dobrado duas vezes até formar um pequeno retângulo.

O marido havia pedido licença para sair da mesa, alegando que precisava de encontrar um livro que continha um poema sobre o qual tinha estado a falar enquanto comiam, por isso, Eloise, sem ninguém ver, nem mesmo o criado, que estava ocupado a levar os pratos para a cozinha, desdobrou o papel.

Nunca fui bom com palavras,

dizia, na caligrafia inconfundível de Phillip. E escrito em letras mais pequenas, no canto:

Vai para o teu escritório.

Intrigada, Eloise levantou-se e saiu da sala de jantar. Um minuto depois, entrou no escritório.

Ali, no meio da sua escrivaninha, estava outro pedaço de papel.

Mas tudo começou com uma carta, não foi?

Este também tinha instruções que a enviavam para a sala de estar. Ela assim fez, desta vez tendo de se concentrar para impedir que a sua passada meio saltitante se transformasse em corrida.

Um pequeno pedaço de papel, mais uma vez dobrado duas vezes, encontrava-se pousado numa almofada vermelha no centro do sofá.

Assim, se começou com palavras, deve continuar com palavras.

Desta feita, foi direcionada para o átrio de entrada.

Mas não há palavras para te agradecer por tudo o que me deste, por isso vou usar as únicas que tenho à minha disposição, e vou dizer-to da única maneira que sei.

E no canto inferior do bilhete, foi direcionada para o quarto.

Eloise subiu as escadas lentamente, o coração a bater-lhe acelerado por antecipação. Aquele era o destino final, tinha a certeza. Phillip estaria à espera dela, aguardando para lhe pegar na mão e a conduzir para o futuro que teriam juntos.

Tudo começara com uma missiva. Algo tão inocente, tão inócuo, e que tinha crescido para o que era agora, um amor tão completo e rico que mal conseguia contê-lo no peito.

Chegou ao corredor no andar de cima e, em passos silenciosos, percorreu o caminho até à porta do quarto. Estava entreaberta, apenas uma frincha; com a mão trémula abriu-a completamente…

E ficou sem ar.

Porque ali, na cama, havia flores. Centenas e centenas de flores, algumas claramente fora de estação, escolhidas a dedo na coleção especial que Phillip tinha na estufa. E escrito com flores vermelhas, contra um fundo de pétalas brancas e cor-de-rosa:

AMO-TE.

– As palavras não são suficientes – disse Phillip suavemente, saindo das sombras atrás dela.

Ela virou-se para ele, mal consciente das lágrimas que lhe escorriam pelo rosto.

– Quando é que fizeste isto?

Phillip sorriu.

– Estou certo de que me vais permitir alguns segredos.

– Eu… eu…

Ele pegou na mão dela e puxou-a para mais perto.

– Sem palavras? – murmurou ele. – Tu? Devo ser melhor nisto do que pensava.

– Amo-te – disse Eloise, com a voz embargada. – Amo-te tanto.

Os braços dele rodearam-na, e quando repousou a face contra o peito dele, o queixo dele veio descansar suavemente na sua cabeça.

– Hoje os gémeos disseram-me que tinha sido o melhor dia de sempre. E eu percebi que eles tinham razão – disse ele em voz suave.

Eloise assentiu com a cabeça, sem palavras.

– Mas então – continuou ele – dei-me conta de que estavam enganados.

Eloise dirigiu-lhe um olhar interrogativo.

– Eu não seria capaz de escolher um dia – confessou. – Qualquer dia contigo, Eloise. Qualquer dia contigo.

Erguendo-lhe o queixo, juntou os lábios aos dela. – Qualquer semana – murmurou –, qualquer mês, qualquer hora.

Beijou-a e depois sussurrou com a alma inundada de amor.

– Qualquer instante, desde que esteja contigo.

EPÍLOGO

Há tanto que espero ensinar-te, pequenina. Espero poder fazê-lo dando o exemplo, mas sinto também a necessidade de colocar as palavras no papel. É um capricho meu que espero vás reconhecer e achar divertido quando leres esta carta.

Sê forte.

Sê diligente.

Sê conscienciosa. Nunca há nada a ganhar quando se escolhe o caminho mais fácil. (A não ser, é claro, que o caminho inicial seja fácil. Às vezes acontece. Se esse for o caso, não forjes um novo, mais difícil. Só os mártires vão à procura de problemas.)

Ama os teus irmãos. Já tens dois e, se Deus quiser, haverá mais. Ama-os muito, pois eles são o teu sangue, e quando te sentires insegura, ou os tempos forem difíceis, vão ser eles os únicos a ficarem ao teu lado.

Ri. Ri bem alto, e ri com frequência. E quando as circunstâncias exigirem silêncio, transforma o teu riso num sorriso.

Não te acomodes. Decide o que queres e alcança-o. E se não sabes o que queres, sê paciente. As respostas virão com o tempo e poderás descobrir que os desejos do teu coração têm estado sempre à frente do teu nariz.

E lembra-te, lembra-te sempre que tens uma mãe e um pai que se amam e que te amam.

Estás a ficar inquieta. O teu pai faz sons ofegantes estranhos e com certeza vai perder a paciência de vez se eu não passar da escrivaninha para a cama.

Bem-vinda ao mundo, pequenina. Estamos todos tão felizes em conhecer-te.

De Eloise, Lady Crane,
para a filha, Penelope,
por ocasião do seu nascimento

CONHEÇA A FAMÍLIA

Bridgerton